RENDEZ-VOUS

FRANÇAIS • 1er cycle du secondaire

Jacqueline Fortin
Carole Tremblay

RENDEZ-VOUS
Français, 1er cycle du secondaire
Recueil de textes A

Jacqueline Fortin, Carole Tremblay

Édition: Marie-Claude Côté et Ginette Lambert
Coordination et révision linguistique: Maïe Fortin
Correction d'épreuves: Caroline Bouffard
Conception graphique: Cyril Berthou et Valérie Deltour
Mise en page et direction artistique: Valérie Deltour

Illustrations
(g.) = gauche, (d.) = droite, (h.) = haut, (m.) = milieu, (b.) = bas.

Christine Battuz: p. 24 à 26, 53 à 56, 71 (b.g.), 74 à 81, 120 à 122, 144 à 145, 186 à 189, 210 à 212, 234 à 236; couverture (h.g.).
Cyril Berthou: p. 153.
Steve Beshwaty: p. 180.
Stéphane Bourrelle: p. 2, 12 à 14, 70-71 (arrière-plan); p. 117-118, 122, 128 et 133 (punaises).
Sophie Casson: p. 158.
Roselyne Cazazian: p. 194 à 197, 205 à 209.
Christine Delezenne: p. 23, 27 à 30, 50, 52, 95 à 98, 123 à 128, 129, 137 à 140, 155, 181 à 185, 213 à 217 (lettre et enveloppe), 248-249 (arrière-plan), 251 à 253; couverture (m.d.).
Elisabeth Eudes-Pascal: p. 114, 136.
Frefon: p. 38, 51, 52, 156.
Vincent Gagnon: p. 18-19, 36-37, 82 à 85, 160.
Philippe Germain: p. 8-9, 35, 60 à 63, 71 (b.d.), 86, 115, 143, 248-249.
Stéphane Jorisch: p. 71 (m.g.), 105 à 109, 169 à 172, 224 à 227.
Jacques Laplante: p. 22, 161.
Dany Lavoie: p. 20-21, 66 à 69, 71 (h.), 91 à 94, 112-113, 148 à 151, 220 à 223, 237 à 240.
Alain Massicotte: p. 15 à 17, 46 à 48; couverture (m.h.).
Jean Morin: p. 191, 193.
Jean-François Vachon: p. 31, 33, 34, 70, 87 à 90, 130-131, 141, 164 à 168, 200-201, 203-204, 213 à 217, 244-245; couverture (m.).
Anne Villeneuve: p. 45, 71 (m.d.), 99 à 101, 103 à 104, 142, 145, 218-219.

Pour le soin qu'elle a apporté à la recherche de textes, nous tenons à remercier:
Caroline Ricard pour les *Services documentaires multimédia inc.*

GRAFICOR
CHENELIÈRE ÉDUCATION

7001, boul. Saint-Laurent
Montréal (Québec)
Canada H2S 3E3
Téléphone: (514) 273-1066
Télécopieur: (514) 276-0324
info@cheneliere-education.ca

ISBN 2-7652-0031-9

Dépôt légal : 2e trimestre 2005
Bibliothèque nationale du Québec
Bibliothèque nationale du Canada

Imprimé au Canada

1 2 3 4 5 ITIB 09 08 07 06 05

Nous reconnaissons l'aide financière du gouvernement du Canada par l'entremise du Programme d'aide au développement de l'industrie de l'édition (PADIÉ) pour nos activités d'édition.

Chenelière Éducation remercie le gouvernement du Québec de l'aide financière qu'il lui a accordée pour l'édition de cet ouvrage par l'intermédiaire du Programme de crédit d'impôt pour l'édition de livres (SODEC).

Sources des photographies
(g.) = gauche, (d.) = droite, (h.) = haut, (m.) = milieu, (b.) = bas, (a.p.) = arrière-plan, (p.p.) = premier plan.

P. 6-7: Rubbertall Production/Getty. P. 10: Nuance photo. P. 11: Amos Nachoum/CORBIS. P. 14: (g.) Art Archive/Biblioteca Nazionale Venice/Dagli Orti; (d.) Fortean Picture Library. P. 17: © E.O. Hoppé/CORBIS. P. 19: Jocelyn Bernier. P. 20: © Mattera inc. P. 30: archives personnelles de l'auteur. P. 34: archives personnelles de l'auteur. P. 37: Fortean Picture Library. P. 39: (a.p.) © NHPA/Christophe Ratier; (p.p.) © Laski Diffusion/Gamma/PONOPRESSE. P. 40-41: Martial Comb/Getty. P. 42: PhotoDisc. P. 43: (g.) PhotoDisc; (d.) David Cavaragnaro/Peter Arnold/Alpha Presse. P. 48: Catherine Hélie. P. 49: (h.g.) CPictureArts/CORBIS; (m.g.) David Munns/SPL/Publiphoto; (h.d.) PhotoDisc; (b.d.) © Richard Hamilton Smith/CORBIS. P. 52: © Hulton-Deutsch Collection/CORBIS. P. 56: (g.) archives personnelles de l'auteure; (d.) PA photo: Gareth Copley. P. 57: © Cheque/CORBIS. P. 58: (a.p.) © Rick Doyle/CORBIS; (p.p.) AP Photo/Dusan Vranic. P. 59: CP photo/Adrian Wyld. P. 63: archives personnelles de l'auteur. P. 64: © David Tumley/CORBIS. P. 65: (g.) Search 4 Stock; (d.) Maximilian Stock Ltd/SLP/Publiphoto. P. 69: droits réservés. P. 81: Archives nationales du Canada, C- 011299. P. 86: akg-images. P. 90: Patrick Guis. P. 94: © MACLELLAN DON/CORBIS SYGMA. P. 98: archives personnelles de l'auteur. P. 98 à 104: Royalty Free/Getty. P. 104: (b.) archives personnelles de l'auteur. P. 109: Terry Rees. P. 110-111: Jorgen Schytte/Still Picture/Alpha Presse. P. 113: archives personnelles de l'auteur. P. 114: © Cherche-Midi. P. 116: © Peter Marlow/Magnum Photos. P. 117: © ROMANO/Global Aware. P. 118: (g.) Simon Grosset/Spooner-Gamma/PONOPRESSE; (h.d.) PhotoDisc; (b.d.) PhotoDisc. P. 119: (h.) Snark/Art Ressource, NY; (b.) akg images. P. 121: © Bettmann/CORBIS. P. 122: droits réservés. P. 123: BOULAT/SIPAPRESS. P. 124: © Dean Conger/CORBIS. P126: (h.) Noël Quido/Gamma/PONOPRESSE; (b.) Laurent Van Der Stockt/Gamma/PONOPRESSE. P. 128: Andrew Reid/Gamma/PONOPRESSE. P. 129: akg-images/Erich Lessing. P. 131: Anne Heetderks photographer. P. 133: (m.) © Josée Lambert; (b.) Marc Deville/Gamma/PONOPRESSE. P. 134-135: PhotoDisc. P. 136: MALI/Gamma/PONOPRESSE. P. 139: akg-images. P. 140: akg/Bibl. Amiens Métropole. P. 141: akg-images. P. 145: MACLELLAN DON/CORBIS SYGMA. P. 146: Agence spatiale canadienne. P. 147: NASA. P. 151: © Bettmann/CORBIS. P. 152: PhotoDisc. P. 153: Antonio Ribeiro/Gamma/PONOPRESSSE. P. 154: (g.) Marc Deville/Gamma/PONOPRESSE; (d.) PhotoDisc. P. 155: Robert Desrosiers. P. 156: PhotoDisc. P. 157: PhotoDisc. P. 158: (d.) Le Dé bleu éditeur; (g.) archives personnelles de l'auteur. P. 159: Maison des cultures amérindiennes du Mont St. Hilaire. P. 160: © Sophie Bassouls/CORBIS SYGMA. P. 162-162: PhotoDisc. P.168: akg-images. P. 173: © Howard Davies/CORBIS. P. 174: © ANDREW WINNING/Reuters/Corbis. P. 175: Jean-Claude Teyssier/Alpha Presse. P. 176: (g.) © Danny Lehman/CORBIS; (d.) Nuance photo. P. 177: PhotoDisc. P. 178: (h.) Royalty free/Getty; (b.) © Danny Lehman/CORBIS. P. 179: © Danny Lehman/CORBIS. P. 180: droits réservés. P. 185: © Martine Doyon. P. 193: © Catherine Gravel. P. 197: (g.) Éditions Syros; (d.) PhotoDisc. P. 198-199: © Historical Archive/CORBIS. P. 204: © Sophie Bassouls/CORBIS SYGMA. P. 209: archives personnelles de l'auteure. P. 212: Carmen Marois. P. 217: Hélène Gagnier. P. 219: Josée Lambert. P. 223: Louise Leblanc. P. 225: Société des Acadiens et des Acadiennes du Nouveau-Brunswick. P. 227: Susie Jones. P. 228-229: PhotoDisc. P. 230: PhotoDisc. P. 231: (g.) © Fleurus, 2002, illustration de Laurent Blondel, «La grande encyclopédie Fleurus Terre», p. 96; (d.) PhotoDisc. P. 232: (h. et b.) PhotoDisc; (m.) W.Ming/UNEP / Alpha Presse. P. 233: (h. et b.) PhotoDisc; (m.) © PAUL DARROW/Reuters/CORBIS. P. 236: © Ulf Andersen /Gamma/PONOPRESSE. P. 238: CP PHOTO/stf/Jacques Boissinot. P. 240: Angèle Delaunois. P. 241: PhotoDisc. P. 242: PhotoDisc. P. 243: (d.) © Bettmann/CORBIS; (g.) photoDisc. P. 246: akg-images. P. 247: (g.) © Bettmann/CORBIS; (d.) Bernard Pellen. P. 249: © Reuters/Corbis. P. 251: © Scott T. Smith/CORBIS.

TABLE DES MATIÈRES

1

2

3

4

AUTRES LIEUX, AUTRES TEMPS 110

5

CIEL ET TERRE 134

RENDEZ-VOUS

Bêtes étranges, monstres fabuleux,
animaux maléfiques qui hantent les forêts,
les mers, les marécages, les déserts,
les cavernes et même les lieux habités...
Créatures de cauchemar qui sèment la mort...
Pourtant, si l'on vous prouvait qu'il en existe
une, quelque part, dans un lac du Québec,
vous feriez tout pour aller la VOIR
de vos yeux...

Maisons abandonnées, manoirs lugubres,
châteaux isolés, villas sinistres...
autant de lieux propices au mystère!
Qui y entre s'en repent!
Et pourtant, ces demeures vous fascinent...
Vous ne pouvez pas vous empêcher
d'y mettre le nez... Pourquoi?

Serait-ce, par hasard,
que vous AIMEZ avoir peur?...

THÈME

avec la PEUR

SOMMAIRE

FRAYEURS, le moment de vérité

Certains la jugent ridicule, d'autres la croient réservée aux femmes… La peur crée toutes sortes d'idées reçues. Où est le vrai, où se cache le faux ? Mise au point avec le psychiatre Alain Braconnier.

La peur est une faiblesse

FAUX. Elle est même une force ! Elle nous prévient du danger : sans elle, pas de survie. Elle nous aide à progresser : on avance à force de défis lancés à nos peurs. Enfin, elle nous permet de cerner nos forces, nos faiblesses, mais aussi nos désirs qui n'osent s'exprimer à travers les mots.

La peur est un moteur

VRAI. L'adrénaline sécrétée a des effets dopants. Avoir le trac avant de monter sur scène ou devant une feuille blanche est une sensation qui favorise la mise en éveil de tous les sens et la concentration. C'est lorsque ces angoisses se poursuivent dans le temps et augmentent en intensité que la peur devient paralysante.

On peut n'avoir peur de rien

FAUX. Même si l'on apprend à dompter certaines peurs, la vie ne cessera jamais de nous confronter à des situations angoissantes car douloureuses (maladies, séparation, deuil), lourdes d'enjeux (examens, compétitions) ou inconnues (premières relations sexuelles). *Quid* alors de ces «héros» que rien ne semble effrayer ? D'abord, la peur étant subjective, chacun lui donne ses limites en fonction de sa personnalité. Ensuite, flirter avec le danger est une autre façon de gérer ses peurs: derrière le courage apparemment sans limite de certains, il y a la volonté de se mesurer à la peur pour avoir le sentiment de la maîtriser. C'est ce que nous faisons depuis notre enfance. Des contes effrayants qu'on adorait écouter aux films d'angoisse dont on se délecte, il y a le désir de reprendre le dessus sur cette émotion dite incontrôlable.

Les hommes ont moins peur que les femmes

FAUX. C'est dans la façon de l'exprimer qu'ils se distinguent. Les filles n'hésitent pas à manifester leurs angoisses,

EST-CE QUE L'ESPÈCE HUMAINE AURAIT SURVÉCU SI ELLE N'AVAIT PAS CONNU LA PEUR ? ET DONC LA PRUDENCE ? ET DONC LA RUSE ?

les hommes ont tendance à court-circuiter leurs émotions. Cette différence s'explique autant du point de vue psychologique qu'historique: «Un garçon, ça n'a pas peur», a-t-on longtemps répété aux petits hommes, qui n'ont eu d'autre choix que d'intégrer cette règle. Ils ont les mêmes peurs, mais les gèrent plutôt par l'action. Ce qui explique que les accros du risque soient majoritairement des hommes.

On peut guérir de ses peurs excessives

VRAI. De nombreuses méthodes existent pour en finir avec les phobies. Une compagnie d'aviation, par exemple, organise des stages pour les phobiques de l'avion: simulations de vol, explications du fonctionnement de l'engin et des principes de sécurité. La psychanalyse, quant à elle, préconise une recherche des causes intimes de nos angoisses. Mais tant que nos phobies ne nous gâchent pas la vie, inutile de se précipiter chez le psy ! Apprendre à se relaxer et à respirer, prendre le temps de relativiser nos peurs (où est le danger face à un chien s'il est tenu en laisse ?...) peut permettre de prévenir les crises de panique.

Anne Eyrolle, «Petites peurs et grandes phobies», dossier coordonné par Anne Laure Gannac, *Muze* (www. muze.fr), octobre 2004, p. 56-57.

LE CORPS DANS TOUS SES ÉTATS...

OU COMMENT LE CORPS RÉAGIT À LA PEUR

Lorsqu'on se sent en danger, notre corps répond toujours de la même manière. Voici quelques repères pour comprendre ce trouble intérieur. Et le repérer chez les autres...

CERVEAU

Devant le danger, il envoie des messages qui courent le long des nerfs.

PUPILLES

Elles se dilatent pour laisser passer le maximum de lumière, permettant ainsi une meilleure vision de loin et dans l'obscurité.

BOUCHE SÈCHE

Les glandes salivaires ralentissent leur activité pour économiser l'énergie au profit du cœur et des muscles.

PEAU

Selon les cas, la peau du visage rougit (le sang afflue) ou blanchit (le sang va irriguer les muscles).

MUSCLES

Ils se contractent et se tendent.

SUEURS FROIDES

Des glandes sont stimulées, entraînant une sudation surtout dans la paume des mains, la plante des pieds et le front.

CHAIR DE POULE

La contraction tétanique de certains muscles provoque le hérissement des poils.

CŒUR

Il s'affole et bat la chamade (en un dixième de seconde, le rythme cardiaque peut monter à 180 battements par minute). En fait, le cœur envoie le sang vers les muscles, pour qu'ils soient prêts à réagir.

POUMONS

Les bronches se dilatent, la respiration s'accélère pour augmenter l'oxygénation du sang.

D'après «Et vous, avez-vous peur au tableau ?», *Géo Ado, Le plaisir d'explorer*, Prisma Presse, n° 3, novembre 2002, p. 46.

LA PEUR EST UNIVERSELLE

La mouche se sauve quand l'araignée se pointe. Le nageur accélère à l'approche d'un requin. Mais face à un danger, quand la peur les gagne, hommes et animaux ressentent-ils la même chose ?

Incontestablement, la peur est universelle. Et pour cause: elle permet de faire de vieux os ! Tous les animaux connaissent la peur, qu'ils soient invertébrés (vers, crustacés, insectes...) ou vertébrés (poissons, reptiles, oiseaux ou mammifères...). Peur d'être mangé, de se noyer, d'être étouffé, de tomber, d'avoir faim... Bref, la peur d'y passer ! Véritable système d'alarme, la peur permet aux êtres vivants d'éviter le trépas au premier contact avec un danger.

Mais la peur version mouche n'est pas la peur version nageur. Chez l'insecte, elle correspond à un simple réflexe de survie. La présence d'un danger enclenche une série de comportements automatiques pour échapper au prédateur, mais ceci sans réflexion véritable.

Chez l'être humain, on retrouve ces comportements automatiques (tremblements, frissons, sursauts, etc.). Mais s'ajoute à cela une composante liée à l'imagination. Le cerveau d'un être humain est capable d'interpréter ce qu'il voit. Ainsi, la peur naît plus de l'imagination et de l'anticipation de ce qui peut arriver que de la situation réelle. L'être humain pioche dans son vécu personnel pour nourrir ses frayeurs. Par ailleurs, un homme, confronté à une même menace, réagira différemment en fonction du contexte. Face à un requin «en liberté», le nageur sentira le sang se glacer dans ses veines; mais zigzaguant dans un aquarium, le méchant poisson se transforme en belle créature de l'océan, et la peur bleue, en émerveillement.

© David Pouilloux, «La peur dans tous ses états», *Science et Vie junior*, n° 119, août 1999, p. 66.
Texte légèrement modifié à des fins pédagogiques.

Les MONSTRES existent-ils VRAIMENT ?

Imaginez-vous une lampe de poche à la main dans un grenier obscur et poussiéreux, ou encore, entendant un étrange bruit de glissement, une nuit, au moment où vous descendez l'escalier. Vous arrivez vite à cette terrible conclusion : quelque chose vous guette. Et ce « quelque chose » pourrait être un monstre.

Peut-être n'avez-vous jamais rencontré de monstre, ou trouvé la preuve de leur existence, mais regardez-vous aux bons endroits ? Oubliez les cimetières, les caves, les routes désertes et laissez libre cours à votre imagination. C'est là que se cachent les bêtes.

LES MONSTRES, UNE NÉCESSITÉ

On ne peut échapper aux monstres. Ils vivent dans notre imagination et font partie de notre monde depuis des générations. Chaque culture a créé ses monstres et a donné vie à toutes sortes de créatures bizarres dans les récits et les légendes les plus insolites. [...] Ces histoires ont été utilisées pour expliquer les événements catastrophiques ou pour prouver la préséance du bien sur le mal. [...]

Peut-être ne croyez-vous plus aux monstres. Vous n'avez donc plus besoin de vérifier sous votre lit ou derrière l'armoire ce qui pourrait s'y cacher. Les cours de sciences vous ont probablement enseigné qu'il y a une explication rationnelle pour tout ce qui se produit dans la nature et que les monstres n'en font pas partie. Alors, pourquoi existe-t-il autant d'histoires de monstres ?

Pour comprendre la raison pour laquelle les gens ont inventé les monstres, vous devez remonter loin dans le temps, avant les sites Web, la télévision et les films, et avant les livres et l'école. Oui, il s'agit d'une très vieille histoire !

EXPLIQUER LA NATURE

Il y a très longtemps, les gens ne pouvaient expliquer tous les phénomènes de la nature. Ainsi, lorsqu'ils observaient le ciel orageux, ils se questionnaient sur l'origine du tonnerre et des éclairs. Un être génial, quelque part dans la préhistoire, a trouvé une réponse : chaque éclair provenait de la bouche d'un dragon, alors que le tonnerre était provoqué par le formidable claquement de ses ailes. Un tremblement de terre devenait le résultat du passage d'une créature gigantesque. Et l'énorme vague s'abattant sur une plage était imputable au coup de queue d'un serpent de mer furieux.

DES CRAINTES OBSCURES

Les monstres ont aussi été utiles pour aider les gens à comprendre la mort. [...]

45 En effet, blâmer un monstre pour une maladie ou une mort soudaine aidait les gens à affronter leurs craintes les plus obscures.

DES MONSTRES ET DES LÉGENDES

50 Les créatures étranges faisaient partie des histoires fabuleuses appelées «mythes» (mot provenant du grec *mythos* qui signifie «histoire» ou «légende»). Transmis d'une génération de conteurs à une autre, les 55 mythes étaient célébrés en poésie et en chanson, de même qu'en art et en danse au cours de cérémonies spéciales.

Les légendes racontent que vers 325 av. J.-C., Alexandre le Grand (roi de la Macédoine) aperçut des monstres marins lorsqu'il explorait les profondeurs de l'océan dans une cloche de plongée en verre.

Le plus ancien bestiaire connu, un recueil d'histoires de monstres et d'animaux fantastiques, a été écrit voilà plus de mille ans.

Toutes les sociétés ont créé leurs propres légendes telles que des récits fantastiques 60 sur la création du monde, des fables expliquant la vie et la mort, des légendes de déesses et de dieux, de héros braves et courageux, de personnages rusés et de monstres à plusieurs têtes.

Les personnages mythologiques vivaient au sommet des montagnes, à l'intérieur des volcans, dans des mondes sous-marins ou des salles immenses au plus haut des cieux.

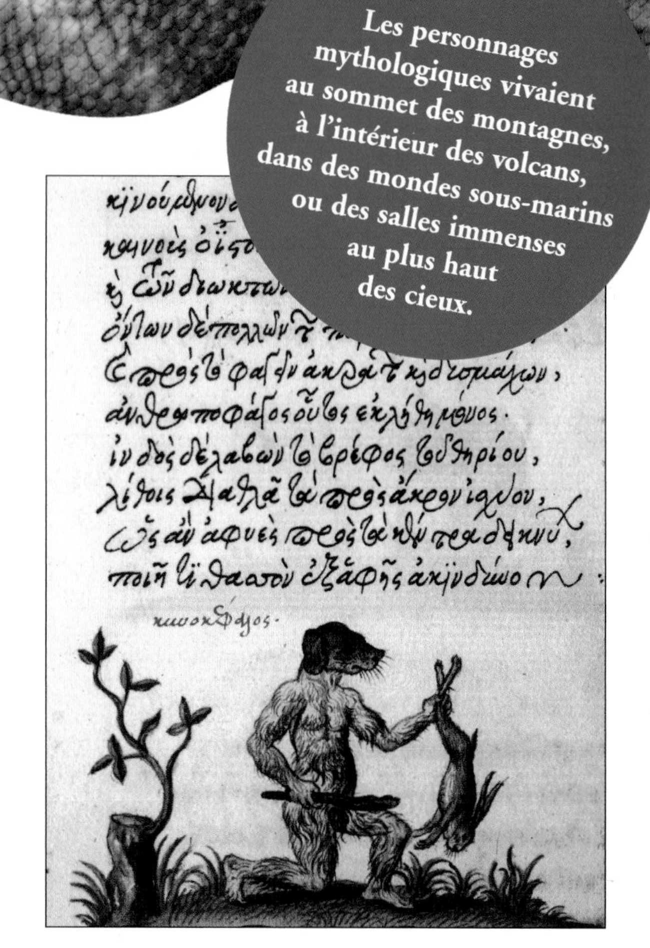

Même s'il y avait peu de communication entre les sociétés à ces époques révolues (les voyages aériens étaient réservés aux oiseaux), certains mythes de différentes cultures étaient similaires. Les peuples de l'Égypte antique comme les premières civilisations de l'Afrique occidentale racontaient l'histoire d'un être créant des humains à partir d'argile. Des mythes japonais et hindous racontent comment la Terre a été créée à la suite du soulèvement des océans, et plusieurs légendes mettent en vedette des serpents, des géants ou des dragons.

LE POUVOIR DES MYTHES

Les mythes étaient liés aux croyances religieuses d'une société, ce qui les rendait plus importants que les autres histoires. Les gens étaient convaincus de l'authenticité des mythes. C'est précisément cette croyance généralisée qui conférait aux mythes leur pouvoir.

[...]

DE NOUVEAUX MONSTRES SUPPLANTENT LES ANCIENS

Au cours des siècles, les chercheurs ont découvert ce qui cause le tonnerre et la foudre, les ouragans et les vagues. Mais d'autres histoires de monstres sont apparues – des histoires de vampires suceurs de sang, de créatures des profondeurs obscures, de bêtes poilues à moitié humaines, d'animaux fabuleux et de fées redoutables. Les monstres sont partout: dans les films, les jeux vidéo, les cartes à échanger et les boîtes de céréales. Les gens auraient donc encore besoin des monstres pour faire face à l'inconnu. Et parfois, avouons-le, nous aimons avoir peur. Et quiconque raffole des films d'épouvante sait que les monstres peuvent aussi faire mourir de rire.

Laura Buller, *Monstres et légendes, Dragons et autres créatures étranges...*, Montréal, Hurtubise HMH, 2003, p. 6 à 13.
Texte légèrement modifié à des fins pédagogiques.

Décidé à venir à bout d'une bête maléfique, Sherlock Holmes a tendu un piège à l'animal. Ses amis Watson (le narrateur) et Lestrade l'accompagnent tandis que sir Henry sert d'appât vivant.

LE CHIEN DES BASKERVILLE

Un bruit de pas pressés rompit le silence de la nuit. Tapis parmi les grosses pierres, nous regardions avidement en face de nous la masse frangée d'argent. Les pas devenaient plus sonores et, à travers le brouillard, comme à travers un rideau, marchait l'homme que nous attendions[1]. Il regarda autour de lui d'un air surpris lorsqu'il entra enfin dans la nuit qu'éclairaient les étoiles. Il avança alors plus rapidement le long du sentier, passa tout près de l'endroit où nous nous tenions et remonta la longue pente qui se trouvait derrière nous. Tout en marchant, il ne cessait de regarder pardessus l'une ou l'autre de ses épaules, comme un homme qui éprouve une inquiétude.

— Chut ! s'écria Holmes, et j'entendis le bruit sec d'un revolver qu'on arme. Attention ! Il arrive !

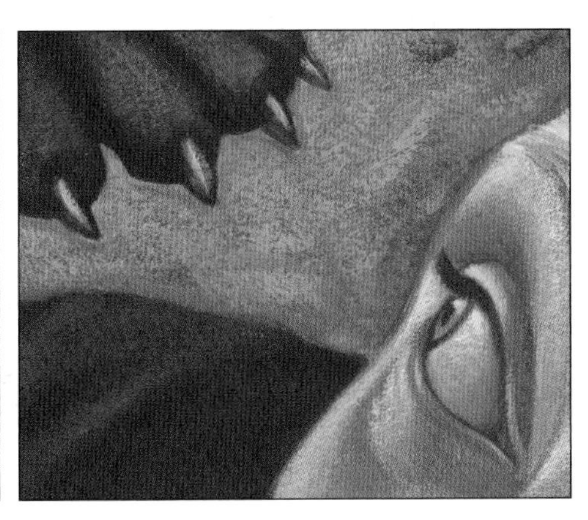

De quelque part, au milieu de cette masse de brouillard qui glissait vers nous, on entendait un piétinement faible et continu. Le nuage était maintenant à moins de cinquante mètres de l'endroit où nous nous trouvions et tous les trois nous le regardions fixement, nous demandant quelle chose horrible allait en sortir. J'étais tout à côté de Holmes et un instant j'observai son visage. Il était pâle et triomphant. Ses yeux brillaient au clair de lune, mais soudain ils semblèrent s'exorbiter, il regardait devant lui avec fixité, comme figé, et ses lèvres s'entrouvrirent d'étonnement. Au même instant, Lestrade poussa un cri de terreur et se jeta la face contre terre. D'un bond je fus debout, mais ma main restait inerte sur mon revolver, car mon esprit était paralysé par la vue de l'être monstrueux qui, sortant des ombres du brouillard, avait bondi vers nous. Un chien ! un chien énorme, noir comme la suie, mais un chien comme jamais yeux humains n'en ont vu. Du feu sortait de sa gueule, ses yeux brillaient d'un sombre éclat, son museau et ses fanons étaient soulignés de flammes vacillantes. Jamais esprit déséquilibré ne put, en son délire, imaginer quelque chose de plus sauvage, de plus terrifiant, de plus infernal, que cette forme sombre et cette face sauvage qui, jaillies du mur du brouillard, se révélaient à nous.

1. Il s'agit de sir Henry.

En bonds prodigieux, l'énorme bête sautait le long du sentier, suivant de près les pas de notre ami. Nous fûmes à tel point paralysés par cette apparition que nous la laissâmes passer avant d'avoir recouvré notre sang-froid. Alors Holmes et moi, nous fîmes 30 tous les deux feu en même temps, et l'animal poussa un hurlement hideux qui prouva qu'un d'entre nous au moins l'avait touché. Il ne s'arrêta pas, pourtant, mais bondit encore de l'avant. Au loin, sur le sentier, on voyait sir Henry qui regardait en arrière; son visage était livide dans le clair de lune; il avait levé les mains avec horreur et, impuissant, considérait, médusé, la bête effrayante qui le poursuivait.

35 Mais ce cri de douleur que le chien avait poussé avait dispersé nos craintes. S'il était vulnérable, il était mortel, et si nous pouvions le blesser, nous pouvions le tuer. Jamais je n'ai vu un homme courir comme Holmes cette nuit-là. Je passe pour bon coureur, mais Holmes me devança d'aussi loin que je devançai le petit détective professionnel. Devant nous, pendant que nous remontions à toute vitesse, nous entendions sir Henry 40 crier à perdre haleine et le chien pousser de profonds rugissements. J'étais arrivé à temps pour voir la bête bondir sur sa victime, la bousculer pour la jeter à terre, puis s'élancer à sa gorge. Mais l'instant d'après, Holmes avait logé les cinq balles de son revolver dans le flanc de l'animal. Avec un dernier hurlement d'agonie, en essayant vicieusement de mordre une dernière fois le vide, il roula sur le dos, de ses quatre 45 pattes battit furieusement l'air, puis retomba, inerte, sur le flanc. Je me baissai, tout haletant, et j'appuyai mon revolver sur sa tête qu'entouraient de faibles feux; mais il ne fut pas nécessaire de presser la détente: le chien géant était mort.

Sir Henry gisait, inanimé, à l'endroit où il était tombé: nous lui arrachâmes son col et Holmes eut quelques mots de soulagement quand nous vîmes qu'il n'y avait pas 50 trace de blessure et que le sauvetage avait eu lieu à temps. Déjà les paupières de notre ami frémissaient et il faisait un faible effort pour bouger. Lestrade lui glissa sa gourde à eau-de-vie entre les dents et, bientôt, deux yeux effarés nous regardaient.

— Mon Dieu! murmura-t-il. Qu'est-ce que c'était? Dieu du ciel, qu'est-ce que c'était?

55 — Quoi qu'il en soit, il est mort, dit Holmes. Une fois pour toutes et pour toujours, nous avons supprimé le fantôme de la famille.

Rien que par sa taille et sa puissance, c'était une bête terrible que celle qui se trouvait étendue là devant nous. Ce n'était pas un pur limier, non plus qu'un pur mâtin; mais il semblait que ce fût un mélange des deux, maigre, sauvage et aussi gros 60 qu'une petite lionne. Même maintenant, dans la tranquillité de la mort, ses énormes mâchoires semblaient laisser échapper une flamme bleuâtre et ses petits yeux profonds et cruels étaient cerclés de feu. Je posai ma main sur son museau luisant, et, en la retirant, mes doigts dans l'obscurité brillaient d'un sombre éclat.

Sir Arthur Conan Doyle,
Le chien des Baskerville,
traduit de l'anglais par
Lucien Maricourt, 1947.

Arthur Conan Doyle

L'écrivain britannique Arthur Conan Doyle (1859-1930) est le «père» de Sherlock Holmes, le plus grand détective de tous les temps.

À L'ASSAUT DU DRAGON

Alors, un affreux hurlement a déchiré le silence !

Un cri vraiment effroyable, perçant comme une aiguille, assourdissant comme le tonnerre !

Puis une tête hideuse a jailli de la fosse. Elle rappelait celle d'un crocodile, en beaucoup plus gros, et elle était hérissée de cornes. Les yeux, ronds et jaunes, nous fixaient avec malveillance. La gueule était ouverte sur des dents longues et recourbées.

Le dragon était là, devant nous ! Sans l'ombre d'un doute, c'était un *monstre.* Il représentait tout ce que l'on pouvait détester en ce monde: laideur, répulsion, méchanceté !

Maintenant que la bête nous avait aperçus, son instinct lui dictait certainement une seule chose: nous anéantir !

Soudain, le feu qui éclairait la caverne s'est éteint. Tout est devenu obscur.

Sentant le danger, Pégase a ouvert ses ailes et il a bondi au-dessus du gouffre. Au même instant, un claquement a retenti derrière nous: les mâchoires du dragon s'étaient refermées sur le vide.

Tandis que mon destrier prenait de la hauteur, je regardais en bas dans l'espoir de distinguer quelque chose. Lorsque les flammes se sont ranimées, j'ai vu une sorte de plateau derrière la fosse.

Sur ce plateau, un corps était étendu !

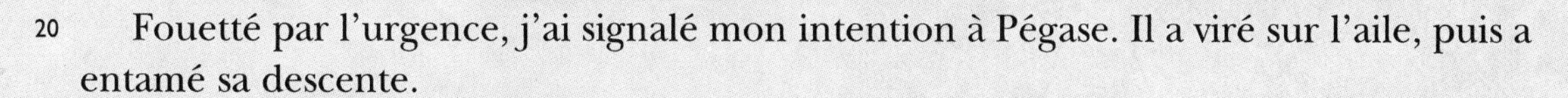

20 Fouetté par l'urgence, j'ai signalé mon intention à Pégase. Il a viré sur l'aile, puis a entamé sa descente.

La tête du dragon, surgie de nulle part, nous a coupé la route. Mon cheval a bifurqué si brusquement que j'ai failli tomber. Aussitôt après, il a évité de justesse un jet de feu craché par le monstre.

25 L'affreux cri a retenti de nouveau. Et un autre jet de feu a forcé Pégase à changer sa trajectoire.

Quand on s'est posés sur le plateau, j'ai sauté à terre et je me suis élancé à travers la fumée. J'aurais voulu appeler Jo, mais ma gorge et mes poumons me faisaient trop souffrir.

30 Le hurlement du dragon a explosé dans mes oreilles. J'ai fait volte-face. Sa tête se dressait à quelques mètres de moi ! En voyant sa gueule s'ouvrir, je me suis jeté au sol à toute vitesse.

Le jet de feu a balayé le plateau, me permettant d'apercevoir Jo, pas très loin devant moi. J'ai couru vers elle. Mais le monstre, qui n'en finissait plus de cracher des 35 flammes, m'a obligé à reculer.

Mon dos a heurté un mur de pierre. Il n'y avait plus d'issue ! J'ai brandi le pieu, que je n'avais toujours pas lâché.

Le dragon a étiré le cou dans ma direction en ouvrant la gueule toute grande. Un galop s'est alors fait entendre. J'ai bondi sur Pégase à l'instant où il s'arrachait du sol.

40 Ma monture a virevolté autour de l'ennemi. Hurlant de rage, le monstre se tordait le cou dans tous les sens.

Cela a duré longtemps. Enfin, le dragon a incliné la tête avant de s'immobiliser, complètement étourdi. Tandis que Pégase achevait un dernier cercle, de toutes mes forces, j'ai enfoncé le pieu dans l'œil qui me regardait.

45 Le dragon a laissé échapper un gémissement interminable, où se mêlaient l'étonnement et la souffrance. Même si la plainte était celle d'un monstre, elle n'en était pas moins bouleversante. Car elle exprimait cette immense peur de la mort que je connaissais trop bien à présent.

Sans délai, on est retournés sur le plateau.

50 Jo était couchée sur le dos, les yeux fermés. Elle paraissait dormir. Toutefois, si elle respirait encore, son souffle était trop faible pour soulever sa poitrine.

Son pouls était imperceptible.

55 J'ai rapidement défait ses liens. Puis je l'ai soulevée et déposée sur le dos de Pégase.

Denis Côté, *L'île du savant fou*, Montréal, La courte échelle, 1996, p. 67 à 71.

Denis Côté

Denis Côté est né à Québec en 1954. Il a été enseignant et libraire avant d'écrire des romans pour la jeunesse. En puisant son inspiration dans le fantastique et la science-fiction, il nous fait voyager dans un univers hors du temps.

THÉSÉE ET LE MINOTAURE

— Ce ne sont pas des chambres ! Minos, le traître, nous a jetés en prison !

Aussitôt, du fond du souterrain, leur parvint un effroyable rugissement.

Le sang des jeunes ne fit qu'un tour, et plusieurs éclatèrent en sanglots.

— Nous ne sortirons pas d'ici vivants, direntils en tremblant.

La bête avait senti la chair humaine et ne cessait plus de rugir et de hurler, et Thésée eut beaucoup de peine à calmer ses compagnons. Ils avaient beau l'admirer, aucun d'eux ne croyait qu'il réussirait à les sauver.

— Vous n'avez pas le choix, je suis votre seul espoir, leur dit-il en sortant de la mie de pain le poignard et la pelote[1], puis fixant le bout du fil au linteau de la porte. Alors essayez de bien suivre mes instructions cette fois. Ne bougez pas d'ici et, surtout, assurez-vous que le fil ne se détache pas.

Ayant dit cela, il s'avança dans les profondeurs du souterrain en tenant dans une main le poignard et, dans l'autre, la pelote de fil qu'il déroulait à mesure qu'il avançait, en se disant: «Mon père avait raison. Dédale[2] lui-même s'y serait égaré.» En effet, l'architecte avait à un tel point brouillé les pistes et les indices, en multipliant les directions et les détours, que Thésée aurait eu grand-peine à revenir jusqu'au seuil. Le cours du Labyrinthe suivait une direction, revenait sur lui-même, pour aboutir sur un autre réseau d'innombrables couloirs où chaque issue débouchait sur d'autres voies, toutes différentes et pleines de pièges.

«J'espère que je ne perdrai pas le fil», songea le jeune prince en avançant à pas prudents, s'arrêtant à chaque angle, l'oreille à l'affût et la main sur la garde de son poignard, puis s'enfonçant de nouveau dans l'enchevêtrement des corridors où le monstre affamé l'attendait en rugissant de plus belle.

1. Thésée a emporté avec lui un pain dans lequel sont cachés un poignard et une pelote de fil remis par Ariane, une jeune fille amoureuse de lui.
2. Personnage de la mythologie grecque, Dédale est un architecte. Il a construit le Labyrinthe dans lequel le Minotaure est enfermé.

Pan Bouyoucas

Pan Bouyoucas est un écrivain d'origine grecque qui vit au Québec depuis 1963. Il est à la fois traducteur, critique de cinéma et auteur de romans et de pièces de théâtre.

Puis soudain, ce fut le silence. Thésée s'arrêta net. Jusque-là, les rugissements du Minotaure[3] lui avaient servi de boussole. Mais maintenant qu'il 45 n'entendait rien, il ne savait plus quelle direction prendre. Il ferma les yeux, pour mieux humer l'air, en espérant y débusquer l'odeur du monstre. Quand enfin il la perçut, il rouvrit les yeux et découvrit que le monstre était devant lui. Sa sur- 50 prise fut telle, et telle sa répugnance à la vue de ce corps d'homme surmonté d'une tête de taureau, qu'il ne put s'empêcher de tressaillir.

Le Minotaure se jetait déjà sur lui, les mâchoires grandes ouvertes, s'attendant à une vic- 55 time aussi impuissante et désemparée que celles dont il s'était jusque-là repu. Mais Thésée en avait vu d'autres. Il bondit sur le côté et les mâchoires du monstre ne happèrent que de l'air.

Hurlant de rage, le Minotaure recula de 60 quelques pas, puis se lança de nouveau sur Thésée, mais cette fois la tête baissée, pour enfoncer ses cornes dans le ventre du jeune prince. Thésée comprit qu'il ne pourrait longtemps esquiver les coups. Il lui fallait sauter à son 65 tour sur la bête, pour la saisir et l'égorger, mais pour cela, il lui fallait se servir de ses deux mains. Mais sa gauche tenait toujours le fil d'Ariane, et il n'osait le lâcher. S'il le perdait, il ne pourrait jamais retrouver la sortie. Et, pendant que le 70 monstre se ruait vers lui cornes baissées, il décida de retenir le fil avec ses dents. Mais à peine en avait-il glissé le bout entre ses mâchoires, qu'il sentit une corne lui déchirer la peau. Préoccupé par le fil, il ne s'était pas suffisamment écarté, et 75 le Minotaure l'avait blessé à la cuisse.

La douleur qu'il ressentit fut si vive que Thésée tomba à genoux, tandis que les horribles mâchoires s'ouvraient de nouveau, cette fois à quelques pouces de son visage. D'instinct, 80 Thésée brandit son bras droit, et son poignard s'enfonça dans la gorge de la bête au moment où elle s'apprêtait à lui croquer la tête. Le Minotaure se figea en laissant échapper un terrible beuglement, puis, manquant d'air, il s'affaissa. 85 Thésée en profita pour lui donner un coup au cœur qui l'acheva. La bête expira en échappant un sifflement. Un sifflement qui troubla Thésée autant qu'il le soulagea ! Il aurait juré qu'en rendant l'âme, le monstre lui avait dit : « Merci ». Il le 90 fixa un moment puis, oubliant sa douleur à lui, il se pencha sur l'homme-taureau pour lui fermer les yeux.

Pan Bouyoucas, Stéphane Jorisch, *Thésée et le Minotaure*, Montréal, Les 400 coups, 2002, p. 34 à 42.

3. Le Minotaure est un monstre mi-homme, mi-taureau enfermé dans le Labyrinthe par Minos, le roi de Crète. On le nourrissait de chair humaine.

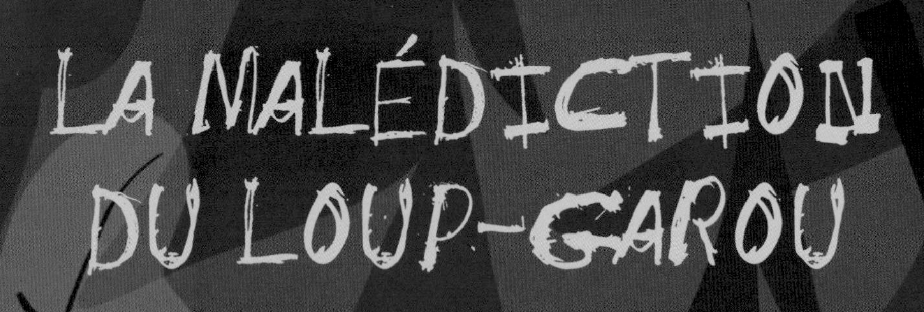

LA MALÉDICTION DU LOUP-GAROU

Ce soir la lune est pleine, fiévreuse et tourmentée;
Un chien hurle à la mort sous l'étrange clarté;
Un grand brouillard laiteux ajoute à l'irréel,
Irradiant la forêt d'un blanc surnaturel...
5 Une ombre se faufile, et l'on entend crisser
Les griffes de la nuit, sur le ciel damassé...
Un accès de folie, je me sens attiré
Par une force obscure à travers les fourrés...
J'écarte les feuillages, réprime un cri d'effroi...
10 (Surtout ne pas bouger... bien garder son sang-froid...)
Devant moi, se produit une innommable chose:
Un homme, sous mes yeux, là, se métamorphose!
Je vois pousser ses crocs et son pelage roux...
Il devient animal... non, pire! Un loup-garou!
15 Et petit à petit j'observe s'allonger
Ses oreilles pointues et sa gueule enragée!
Il m'a vu, c'est trop tard! Vite, vite! Courons!
Les ronces me déchirent les joues, mais courons!
Ne pas se retourner... il se rapproche encore...
20 Je suis en nage... allez... juste un dernier effort...
Bon sang... quand finira la poursuite infernale...
Mais je sens sur mon cou son haleine... son hal...

Yann Walcker, *Le manoir des horreurs*,
Éditions Gallimard Jeunesse Musique, 1999, p. 16.

Yann Walcker

L'auteur, compositeur et interprète Yann Walcker est né à Paris en 1973. Attiré par la chanson, il se tourne très tôt vers l'écriture et la composition. La musique et les mots sont indissociables dans son univers.

La vengeance de la momie

Elle a la voix des morts, tremblante et caverneuse,
Pour tout accoutrement jaunâtres bandelettes,
Un terrible rictus, sourire des squelettes,
4 Et son regard trahit quelque lueur haineuse…

Elle a quitté l'Égypte à bord d'un sarcophage,
Et son royal cadavre empli de fleurs séchées,
Cachant sous sa dépouille un crochet de boucher,
8 Échoua quelque part, vers ces noirs marécages…

Ainsi fuyez toujours car dans l'ombre hideuse,
– Rusée comme un cobra, affamée tel un lynx,
Enfant damnée des Dieux, des Pharaons, des Sphinx –,
12 Vous guette à chaque instant la momie baladeuse…

Yann Walcker, *Le manoir des horreurs*,
Éditions Gallimard Jeunesse Musique, 1999, p. 22.

UN HÉRITAGE PAS VOLÉ

Au mois de décembre dernier, un fermier de Red-Lake (Minnesota), nommé Allen Brice, fut prévenu qu'un de ses proches parents, propriétaire d'une scierie distante d'environ dix milles, était à la dernière extrémité et désirait le voir avant de mourir pour lui léguer une partie de sa fortune.

5 [...] Allen Brice fut bientôt prêt. Il fit seller un cheval, s'arma d'un fusil pour chasser au retour, passa deux revolvers à sa ceinture, se couvrit chaudement et mit le pied à l'étrier.

En ce moment, sa fillette Nelly vint se fourrer dans ses jambes, et avec la câlinerie des enfants gâtés, demanda à l'accompagner. Soit qu'il voulut complaire à la gamine, soit qu'il comptât sur une part plus grosse s'il montrait au mourant un autre membre 10 de sa famille, Allen Brice consentit à emmener Nelly. [...]

Désireux de gagner du temps et d'abréger son trajet, car la mort est une mégère qui n'attend pas, le Yankee guida sa monture dans un sentier débouchant sur la route. Le voyage se poursuivit pendant une demi-heure sans le moindre incident. Tout à coup, le cheval dressa les oreilles et tressaillit en poussant un hennissement plaintif.

«Père !… écoute !…» dit Nelly.

Allen Brice prêta l'oreille. Il entendit des hurlements prolongés s'élevant comme un vent furieux au milieu des arbres et des taillis dans lesquels s'engageait le sentier. Il comprit qu'une bande de loups affamés l'entourait.

Certes, le fermier était courageux et ne craignait pas grand-chose en ce bas monde, mais il eut conscience de sa situation, et tout son sang reflua vers le cœur. Il jeta un regard désespéré sur son enfant qui répétait toujours:

«Père… écoute !… écoute… !»

Les hurlements formaient le plus sauvage concert que jamais oreille humaine ait entendu. Quatre loups énormes sortirent d'un fourré et s'approchèrent. Le cheval rua; le Yankee lui enfonça ses éperons dans les flancs pour presser sa course; mais l'animal était un de ces bons et gros auxiliaires de ferme qui font toute leur besogne au pas et ne connaissent pas d'autre allure.

Rester en selle, c'était se perdre. Allen Brice descendit en toute hâte et plaça l'enfant à ses côtés. Se sentant libre, le cheval s'enfuit lourdement; mais il n'alla pas loin. Les loups se précipitèrent sur lui et le déchirèrent. Quinze autres carnassiers s'étaient joints aux quatre premiers.

Cette diversion permit à Allen Brice de reprendre un peu de sang-froid. Il se préparait à grimper sur un arbre lorsqu'une nouvelle bande de loups survint et l'entoura. Alors, décidé à tout oser pour sauver sa fille et défendre chèrement sa vie, il coucha Nelly à terre, lui recommanda de ne pas bouger, s'arc-bouta sur elle de ses deux jambes, et fit bravement face aux carnassiers.

Il déchargea son fusil et tua deux loups; puis les revolvers au poing il attendit… Intimidés, les féroces animaux tentèrent de s'emparer de Nelly qui, les yeux hagards et frissonnante de terreur, restait accroupie. Les plus hardis s'approchèrent à moins d'un mètre, et leur haleine fétide passa comme un souffle empesté sur le visage de l'enfant… Ils n'allèrent pas plus loin. Les revolvers s'abattirent, et chaque fois, les balles trouèrent des crânes, brisèrent des gueules, percèrent des flancs décharnés, cassèrent des pattes.

Aux hurlements de la colère, aux bramements de la faim, se mêlaient de rauques gémissements de douleur et d'agonie. La neige se couvrait de larges taches de sang.

45 Cependant, le nombre des loups augmentait sans cesse. Il en arrivait de toutes parts. Pour un bandit qui tombait foudroyé, il en surgissait dix autres. Allen Brice devait infailliblement succomber dans cette lutte inégale, lorsqu'on accourut à son secours. C'étaient les domestiques et les voisins de son parent qui venaient à ses devants pour l'engager à se presser, car l'état du malade empirait, et le testament n'était 50 pas encore fait. Pour gagner du temps, ils avaient pris, eux aussi, le sentier qui raccourcissait le trajet, et entendant des coups de feu ils s'étaient hâtés...

Domestiques et voisins formaient une troupe de huit hommes parfaitement armés et montés sur des chevaux fringants. Ils se groupèrent autour du fermier, et quelques décharges générales eurent promptement raison des cinquante à soixante loups occu-55 pant encore le sentier. Plus de vingt cadavres restèrent sur le sol.

Désormais rassurée, la petite Nelly reçut force caresses, non seulement de son père, mais aussi de ses sauveurs, qui s'empressèrent de retourner sur leurs pas. Allen Brice arriva assez tôt pour apprendre qu'il héritait de trente mille dollars. Néanmoins, lorsqu'il parle de cette fortune, il regarde longuement sa fillette et dit:

60 «Voilà un héritage que je n'ai pas volé!»

Xavier Eysses, *Le Journal des voyages*, 1885,
paru dans Geneviève Carbone, *La peur du loup*,
Paris, © Gallimard, coll. «Découvertes Gallimard»,
p. 158-159.

LE LIVRE DONT VOUS ÊTES LA VICTIME

L'impasse des Martyres est certainement l'une des plus étroites et sinistres ruelles de la Vieille Ville. En s'y engageant, 5 on ne peut s'empêcher d'éprouver un sentiment bizarre, une vague inquiétude. À peu de distance du mur décrépi du fond, suspendue à la façade 10 d'une maison à colombages, une enseigne en fer forgé, représentant un diable hilare qui tient un livre ouvert, signale la fameuse librairie.

15 — Il faut vraiment avoir l'esprit tordu pour ouvrir une boutique dans un endroit pareil, murmure Camille.

[…] Au-dessus de la porte, 20 un panneau en fer noir indique en lettres rouges :

LIBRAIRIE DU STYX
Spécialiste des peurs
et des mystères

La vitrine, sans éclairage, est presque vide. Trois ouvrages sont présentés sur des degrés que recouvre un drap de velours pourpre : *L'Enfer* de Dante, une *Anthologie des serial killers* et un livre sur la sorcellerie au Moyen Âge. Le regard de Camille est attiré par une vieille lithographie poussiéreuse qui paraît avoir été oubliée là plutôt qu'exposée à la curiosité des passants ; elle représente deux adolescents, un garçon et une fille, s'intéressant à la vitrine d'un magasin. L'une des silhouettes lui ressemble diablement, quant à l'autre…

— Alex, je n'ai pas trop envie d'entrer là-dedans. On s'en va ?

— Non. Mais si tu veux, je te retrouve au café de la Poste… Dans dix minutes. D'accord ?

Camille fronce les sourcils. Ce n'est pas le genre de réponse auquel elle est habituée. En général, il ne vient même pas aux garçons l'idée de la contrarier.

— D'accord, je viens, finit-elle par lâcher. Après tout, ce n'est qu'une librairie.

[…]

Il pousse la porte vitrée, provoquant le tintement discordant d'un carillon. Le pied hésitant, ils descendent trois marches et découvrent avec étonnement une vaste salle voûtée, aux recoins obscurs et au plafond soutenu 45 par des arcs brisés. Les rayonnages sont disposés avec un apparent désordre labyrinthique. Au fond se dresse un comptoir en bois brun derrière lequel est tirée une lourde tenture de velours sombre, au centre de laquelle sont brodés d'étranges signes cabalistiques.

L'odeur de papier moisi assaille d'abord les deux jeunes visiteurs, comme 50 dans une salle d'archives jamais aérée. Suit l'impression déplaisante d'avoir pénétré dans l'antre d'un vieux sorcier. Il y règne une fraîcheur de crypte qui les fait frissonner. La lumière, jaunâtre, émise par des lampes de style art-déco ressemblant à de gros champignons en pâte de verre, ne parvient pas à éclairer toute la salle, laissant dans l'obscurité d'inquiétantes pro- 55 fondeurs. Les livres qui remplissent les étagères sont de plus en plus anciens à mesure qu'ils avancent vers le comptoir. Les araignées ont tissé leurs toiles un peu partout, alors que la poussière est bizarrement absente. La brève apparition d'un gros cafard au bas d'un rayonnage tire une grimace à Camille, qui se rapproche d'instinct de son ami.

60 […]

— Ça doit être le rayon des romans d'horreur, dit-elle.

Et ses yeux tombent sur *Le Cauchemar de Camille.* Réticente mais curieuse, elle prend l'ouvrage en main, et déloge du coup une grosse araignée noire qui s'enfuit à toutes pattes.

65 — Brrr ! frissonne la jeune fille en reculant brusquement.

Elle ouvre le livre, parcourt le début d'un paragraphe :

« Sais-tu, jolie Camille, dans quel engrenage tu viens de mettre le doigt ? Peut-être crois-tu qu'il t'est encore possible de reculer, d'échapper à cette épouvantable histoire dans laquelle ton ami t'a incitée à entrer ? Autant vouloir remonter le temps. »

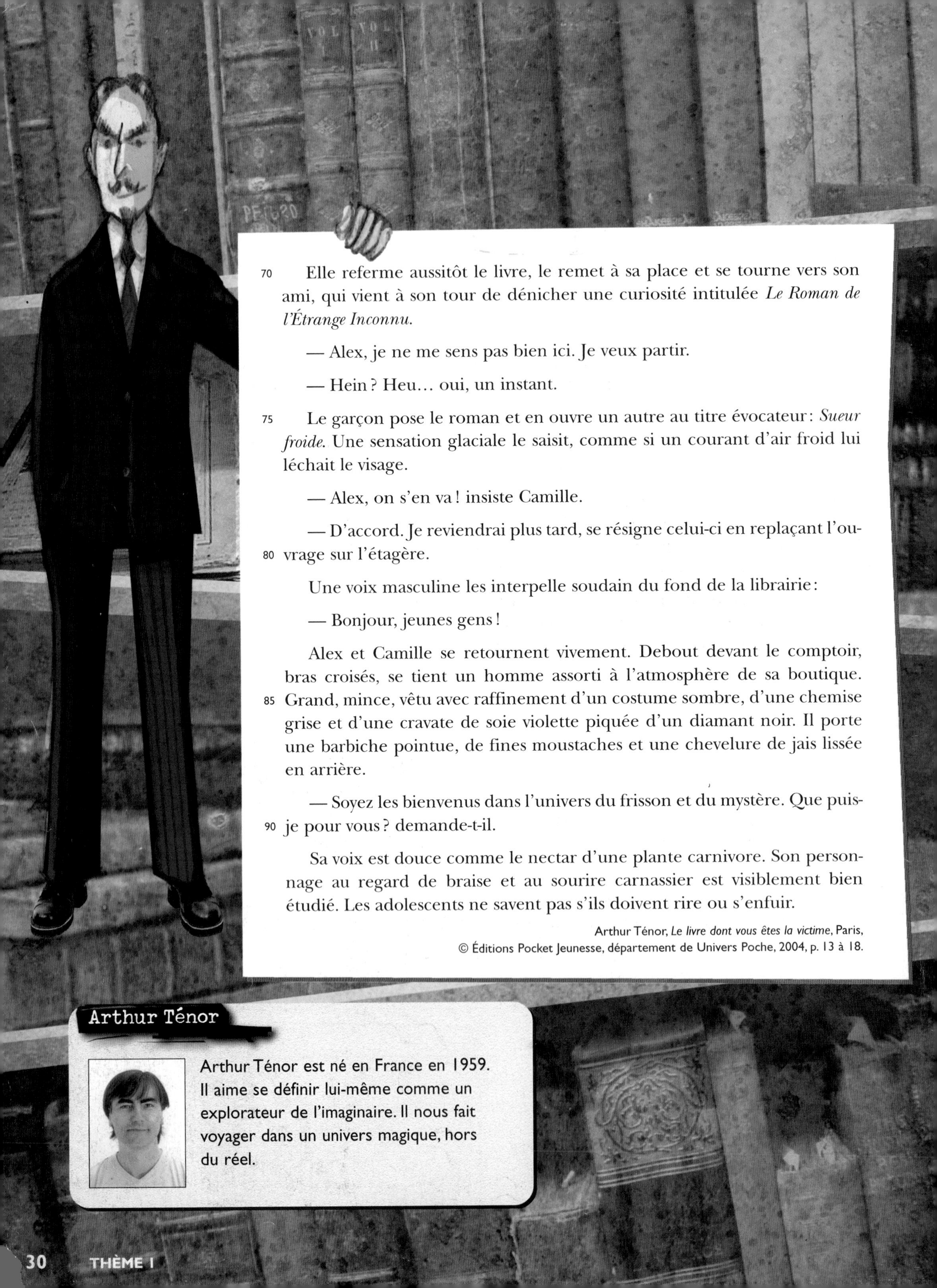

Elle referme aussitôt le livre, le remet à sa place et se tourne vers son ami, qui vient à son tour de dénicher une curiosité intitulée *Le Roman de l'Étrange Inconnu.*

— Alex, je ne me sens pas bien ici. Je veux partir.

— Hein ? Heu... oui, un instant.

Le garçon pose le roman et en ouvre un autre au titre évocateur : *Sueur froide.* Une sensation glaciale le saisit, comme si un courant d'air froid lui léchait le visage.

— Alex, on s'en va ! insiste Camille.

— D'accord. Je reviendrai plus tard, se résigne celui-ci en replaçant l'ouvrage sur l'étagère.

Une voix masculine les interpelle soudain du fond de la librairie :

— Bonjour, jeunes gens !

Alex et Camille se retournent vivement. Debout devant le comptoir, bras croisés, se tient un homme assorti à l'atmosphère de sa boutique. Grand, mince, vêtu avec raffinement d'un costume sombre, d'une chemise grise et d'une cravate de soie violette piquée d'un diamant noir. Il porte une barbiche pointue, de fines moustaches et une chevelure de jais lissée en arrière.

— Soyez les bienvenus dans l'univers du frisson et du mystère. Que puis-je pour vous ? demande-t-il.

Sa voix est douce comme le nectar d'une plante carnivore. Son personnage au regard de braise et au sourire carnassier est visiblement bien étudié. Les adolescents ne savent pas s'ils doivent rire ou s'enfuir.

Arthur Ténor, *Le livre dont vous êtes la victime*, Paris,

Arthur Ténor

Arthur Ténor est né en France en 1959. Il aime se définir lui-même comme un explorateur de l'imaginaire. Il nous fait voyager dans un univers magique, hors du réel.

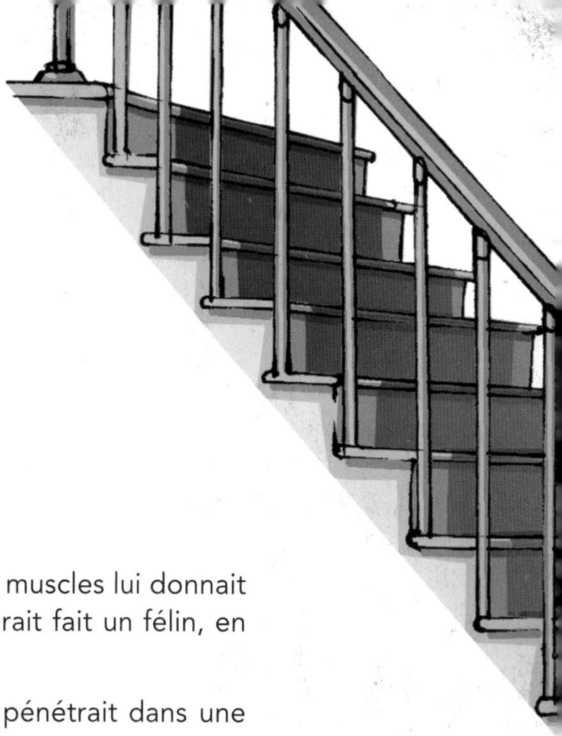

PRISE AU PIÈGE

Diva franchit le seuil, un peu nerveuse. Une tension dans ses muscles lui donnait l'impression de rebondir à chaque pas, lentement, comme l'aurait fait un félin, en silence.

Elle adorait ce frisson qui la parcourait chaque fois qu'elle pénétrait dans une maison inconnue, le soir. Les découvertes, le silence, le risque…

Elle fit quelques pas, puis posa sa main sur la rampe de l'escalier qui montait. Sa main était moite, et la rampe lui parut spongieuse. Diva commença à gravir les marches, sans même regarder où en étaient le Bull et Furet[1]. Toujours cette curieuse sensation de souplesse. Ce que ça pouvait faire, les nerfs !

Déjà elle n'entendait plus les autres, et seul le bruit ouaté de ses semelles sur les marches était perceptible. Et celui de sa respiration. Et les battements de son cœur.

Du calme !

Il n'y avait personne, il n'y avait que ses copains, en bas.

1. Le Bull et Furet sont les amis avec lesquels Diva a entrepris la visite de la maison de Müller, un vieil homme mystérieux.

Chaque marche gravie plongeait Diva un peu plus dans l'obscurité. Y avait-il une porte tout en haut ? Il était bien long, cet escalier ! Les autres qu'elle avait vus, en bas, l'étaient-ils tout autant ? Pourquoi bâtir une maison pleine d'escaliers ? Pour rebuter les intrus ?

20 En tout cas, si jamais elle ou ses copains trouvaient des animaux prisonniers dans cette maison, le vieux le payerait cher, ça oui !

Mais pourquoi sautait-elle si vite aux conclusions ? Le vieux n'avait peut-être rien à voir là-dedans. Même s'il n'aimait pas les chiens. Même s'il était un peu bizarre et habitait une maison pleine d'escaliers.

25 La maison de Müller était le seul endroit dans les environs du terrain de balle qu'ils n'avaient pas ratissé. L'idée de la fouiller, l'idée de Furet, semblait donc logique. Furet, un jeune qui promettait. Et quel regard !

Diva gardait toujours une main sur la rampe, et l'autre tendue vers l'avant, dans le noir. Ses doigts touchèrent du bois, une porte. Elle effleura la poignée, tendit 30 l'oreille. Il n'y avait vraiment aucun bruit dans cette maison, pas le moindre craquement, ni même un son en provenance des étages inférieurs, où les copains s'affairaient pourtant. [...]

La porte s'ouvrit en douceur sur un gouffre de noirceur. Ne pouvant évaluer les dimensions de la pièce, Diva fut prise d'un vertige, comme celui qu'on éprouve en 35 entrant dans une très grande église. Elle fit un premier pas mal assuré, mais recula vivement en balayant son visage. Un fil d'araignée ! Qui pendait au-dessus de l'entrée. Cochonnerie !

Diva remarqua un petit carré grisâtre tout en haut, avec juste devant un objet long et mince qu'elle ne put identifier. Cela ressemblait à une fenêtre donnant sur 40 le toit, mais tellement sale qu'elle occultait la lueur de la lune. Diva chercha un interrupteur le long du cadre de porte pour faire de la lumière. Elle n'en trouva aucun. Elle fit un autre pas.

Son pied ne rencontra que le vide.

Diva bascula vers l'avant en poussant un cri. Sa main se referma douloureuse- 45 ment sur la poignée de la porte, et pendant quelques secondes ses jambes ballottèrent dans le vide, cherchant un appui qui n'existait pas. Sa main, malgré toute la volonté de Diva, finit par s'ouvrir. Elle chuta dans l'obscurité. Un long hurlement déchira sa gorge.

Quelque chose d'élastique ralentit sa chute, puis la stoppa. Cela oscilla quelques 50 secondes sous le poids de Diva. Elle sentait deux cordes tendues qui la soutenaient et la retenaient en place, l'une au milieu de son dos, l'autre juste en bas des fesses. En se tortillant pour voir de quoi il s'agissait, Diva s'aperçut qu'elle ne pouvait se retourner. Ses vêtements étaient collés aux cordes ! Solidement collés ! Elle se démena avec plus de vigueur.

55 En cherchant à gauche et à droite les points d'attache, Diva ne vit que les traits blanchâtres des cordes qui se perdaient dans le noir. Ses yeux s'habituaient à l'obscurité ; en regardant vers le haut, Diva vit d'autres reflets semblables, certains à la verticale, d'autres plutôt en diagonale, parfois se croisant. Elle frissonna.

Elle fit de nouveaux efforts pour décoller ses vêtements, mais l'absence d'un
60 point d'appui pour s'arc-bouter l'empêchait de déployer toute sa force. D'un ultime coup de reins elle tenta de se retourner. Diva put agripper une corde de la main gauche, mais ses vêtements restèrent englués. Elle poussa un juron; sa main ne pouvait plus lâcher la corde ! Collée !

Son cœur se mit à battre plus fort. Diva se débattit, mais il n'y avait rien à faire;
65 elle ne put que faire osciller l'ensemble des cordes dont elle voyait les reflets. Il lui faudrait sortir de ses vêtements pour se libérer.

Libérer ? Mais sous les cordes, trouverait-elle un plancher ? Elle était tombée de quelle hauteur, tout à l'heure ? Haut, très haut. Diva tourna la tête vers le bas, et ne vit que ténèbres. Elle rassembla toute la salive qu'elle put dans sa bouche, puis
70 cracha, et attendit le bruit de l'impact sur le sol.

Aucun bruit. Nouveaux frissons.

Avec des gestes précipités, Diva détacha sa chemise de sa seule main valide, arrachant même un bouton. Elle sortit son épaule droite et put enfin se redresser, mais glissa soudain hors du vêtement. Seule sa main engluée l'empêcha de se
75 retrouver la tête en bas, suspendue à la corde qui lui collait aux fesses.

Un énorme soubresaut agita toutes les cordes. Le mouvement était si ample que Diva n'en finissait plus d'osciller mollement, de haut en bas, sans rien voir autour. Son sang se glaça.

Comme son regard croisait la petite fenêtre au plafond, une ombre jaillit et
80 masqua toute lumière. Autre secousse…

… sur la toile.

L'ombre se dressa sur ses nombreuses pattes, laissant passer un peu de lumière sous son ventre. Elle se déplaça, d'après ce que Diva pouvait juger, jusqu'à l'objet fuselé qui l'intriguait depuis tout à l'heure. La forme sombre se mit alors à gonfler,
85 à enfler, à grandir. La blême lueur de la fenêtre traça le contour d'une gigantesque araignée.

La bête s'élança vers Diva à une vitesse affolante.

Diva hurla.

Soudain, une voix puissante comme le tonnerre roula dans l'air.

Claude Bolduc, *Dans la maison de Müller*, Montréal, Médiaspaul (Jeunesse-pop./Fantastique, n° 101), 1995, p. 43 à 47.

Claude Bolduc

Claude Bolduc avoue avoir le goût des émotions fortes. Sa passion pour la littérature fantastique l'a mené à l'écriture bien qu'il dise ne s'être jamais imaginé écrivain. Il est né à Québec en 1960 et a commencé sa carrière d'auteur en écrivant des nouvelles… fantastiques !

ALORS UNE LONGUE PATTE VELUE ME FRÔLA LA MAIN...

OU

LES PLUS GROSSES ARAIGNÉES DU MONDE NE SONT PAS MES AMIES

Nous autres magiciens avons presque toujours de bonnes relations avec les animaux, grands ou petits. Nous les traitons du moins avec respect. Et puis, qui sait si un jour nous ne pourrions pas avoir besoin de leur aide. Mais il y en a certains, je dois l'admettre, qui me retournent l'estomac. Par exemple, ces araignées que j'ai rencontrées au Brésil, où m'avaient invité des sorciers d'Amazonie.

Représente-toi une araignée velue, dont le corps mesure 8 cm et qui fait plus de 30 cm, pattes déployées. Ce monstre est capable d'avaler des grenouilles, des crapauds, des souris et même un serpent venimeux, le Fer-de-lance. Elle vit dans l'obscurité humide de la grande forêt amazonienne où l'on entend ses sifflements et ses cliquetis. Elle s'enfouit dans le tapis végétal de la forêt, où elle n'aime pas qu'on la dérange. Qui s'y frotte s'y pique (les poils de ses pattes sont pires que des orties), et peut même se faire mordre. Cette tarentule (*Theraphosa blondi*), c'est la Goliath, qu'on n'oublie jamais si on a eu le malheur de la rencontrer. Les Indiens l'adoraient comme une divinité.

D'autres variétés de tarentules, que les Anglais appellent araignées-loups, vivent dans le désert aussi bien que dans la jungle. Certaines espèces tissent d'énormes toiles, où viennent se prendre même des oiseaux. Les tarentules vivent longtemps. On en connaît une qui a atteint trente ans. Certains prétendent qu'on peut les domestiquer. Pour ma part, je n'ai jamais essayé de le faire.

Le livre secret de l'apprenti sorcier, traduction française de Philippe-Étienne Raviart, Paris, © Groupe Fleurus, septembre 2004 pour les éditions en langue française, p. 70.

Phobies

Les phobies les plus courantes sont l'agoraphobie (peur de la foule), la claustrophobie (peur d'être enfermé), la zoophobie (peur des animaux), la phobie sociale (timidité extrême) ou encore l'hématophobie (peur du sang).

La maison

C'est une demeure entourée d'arbres
Sise près d'une colline,
Où les branches chuchotent
De sombres légendes maléfiques;
5 Sur des poutres si anciennes
Qu'elles exhalent le souffle des morts,
Rampent des vignes sauvages, vertes et froides,
Trouvant une étrange nourriture;
Et aucun homme ne connaît les sucs qu'elles aspirent
des profondeurs de leur couche humide et visqueuse.

10 Dans le jardin poussent
De grandes et magnifiques fleurs,
Dont chaque corolle blafarde répand
Dans l'air un parfum;
Mais le soleil de l'après-midi
15 Avec ses rayons obliques et rouges
Semble assombrir ce tableau
Pour le regard curieux,
Et au-dessus de la senteur des fleurs
s'élèvent les odeurs des jours sans nombre.

Les herbes folles ondulent
20 Sur la terrasse et la pelouse,
Préservant les souvenirs vagues
De choses qui ont disparu;
Les dalles des allées
Sont recouvertes d'une croûte et mouillées,
25 Et un esprit étrange s'y promène
Lorsque le soleil rouge s'est couché.
Alors l'âme de celui qui regarde est assaillie
d'images imprécises qu'il oublierait volontiers.

C'était par un jour brûlant du mois de juin
Je me trouvais près de cette maison
30 Et les rayons dorés de l'heure du midi
Dardaient et brillaient sur la verdure.
Pourtant je frissonnai de froid,
Recherchant fiévreusement la lumière,
Tandis qu'une scène se déroulait devant moi…
35 Et ma vue franchissant les siècles
Contempla le temps où j'avais vécu ici autrefois
jaillissant tel un éclair au sein de la nuit.

Howard Phillips Lovecraft, *The House*,
traduit de l'américain par François Truchaud.

Howard Phillips Lovecraft

Howard Phillips Lovecraft (1890-1937) est considéré comme le précurseur de la science-fiction. Les textes de cet écrivain américain sont souvent marqués d'une profonde inquiétude.

LA PEUR EST INNÉE... ET ACQUISE

Tout petit déjà, on a peur du monde qui nous entoure. Existe-t-il un gène de la peur qui se réveille dès notre naissance ?

Il n'existe pas de «gène de la peur». Mais des insectes aux primates – y compris l'homme –, il semble que la peur soit gravée au cœur de l'ADN, la grosse molécule contenant le pro-5 gramme de fonctionnement des êtres vivants. Sous quelle forme, alors? En fait, un tas de gènes participent à la construction du système nerveux où se fabrique la peur. De ce point de vue, la peur est biologique, c'est-à-dire inté-10 grée dès notre naissance.

Des études menées par des ethnologues ont montré que le nourrisson, tout comme le jeune chimpanzé, craint spontanément les araignées et les reptiles. Comme si les animaux de forme 15 très éloignée de la nôtre et doués d'un mode de déplacement très différent déclenchent des peurs instinctives. Sélectionnées au cours de l'évolution, ces peurs permettent notre survie. Autres exemples: un bruit violent ou une perte 20 d'équilibre brutale enclenchent une peur réflexe avant même d'en connaître l'origine.

D'autres peurs sont, au contraire, apprises au cours d'expériences vécues: les «peurs acquises» grâce à la «plasticité» du cerveau. Imaginez un 25 ourson qui rencontre pour la première fois un porc-épic. Le petit animal, que l'ours débutant pensait être une proie facile, lui envoie une volée d'aiguillons dans la truffe. À la prochaine rencontre avec un porc-épic, l'ours évitera de le 30 taquiner.

L'être humain est le champion incontesté de l'apprentissage de la peur. Parents, professeurs, livres, télé, journaux... De partout il apprend à craindre sorcières, prises électriques, tueurs en 35 série, chômage, sida ou arme nucléaire... Des peurs souvent purement humaines. La sardine ne craint pas le chômage! C'est que l'être humain sait se faire peur tout seul. Contrairement aux animaux, il a conscience de lui-40 même (je suis un être humain, j'ai quinze ans, je dois travailler pour réussir mes examens, etc.). Capable de se projeter dans le futur, il imagine mille maladies, accidents, échecs, etc. Et, pire que tout: il voit arriver sa mort prochaine, 45 inévitable et imprévisible. Où? Quand? Comment? Chez les humains, la peur de mourir face à un danger réel est à distinguer de la peur de la mort, plus philosophique, inconnue des autres êtres vivants.

David Pouilloux, «La peur dans tous ses états», *Science et Vie junior*, n° 119, août 1999, p. 67-68.
Texte légèrement modifié à des fins pédagogiques.

PEUT-ON MOURIR DE PEUR ?

Combien de scénaristes ont-ils fait mourir de peur leurs héros ? Difficile à dire. En tout cas, une chose est sûre : quand on est fragile du cœur, les émotions fortes, comme la peur, sont à déconseiller. En effet, la frayeur s'accompagne généralement d'une brutale augmentation du rythme cardiaque. Objectif : apporter davantage de sang oxygéné aux organes afin de préparer le corps à se défendre ou à fuir. Problème : le cœur d'un cardiaque peut lâcher si la montée est trop brutale.

En cas de frayeur longue et intense, une personne en bonne santé cardiaque peut décéder à la suite d'un choc vagal : dans ce cas-ci, c'est le système nerveux qui disjoncte, commandant l'arrêt de la respiration et du cœur. C'est ce qui se passe pour certaines espèces de gazelles, qui meurent de trouille dans la gueule de la lionne avant même qu'elle plante ses crocs. Un arrêt cardiaque « naturel » qui, semble-t-il, serait destiné à raccourcir la durée de souffrance de l'animal lors de sa mise à mort.

En fait, pour l'être humain, les conséquences négatives qui peuvent suivre une peur intense sont plutôt d'ordre psychologique. Attentat, guerre, prise d'otage, agression, accident de la route… ne s'oublient pas. Une fois l'événement vécu, une fois la vie « normale » retrouvée, la peur est toujours là. La victime est en état d'alerte et de stress permanent. La nuit, elle fait des cauchemars. Le jour, les images de l'événement traumatisant reviennent en boucle dans sa tête. Les médecins appellent cela le « stress post-traumatique ».

David Pouilloux, « La peur dans tous ses états », *Science et Vie junior*, n° 119, août 1999, p. 69. Texte légèrement modifié à des fins pédagogiques.

À VOTRE

THÈME 2

SANTÉ !

Des aliments savoureux, des aliments santé
qu'on découvre et qu'on apprécie.
Une table bien garnie,
autour de laquelle sont réunis
les gens qu'on aime…

Jouer dehors, nager, courir,
dévaler des montagnes enneigées,
marcher en forêt, grimper des escaliers,
savourer une victoire d'équipe…

Bien manger et être en forme,
des plaisirs essentiels à la vie.

SOMMAIRE

4 PORTIONS
FACILE

15 ml (2 c. à soupe) d'huile d'olive
ou de beurre

1 oignon haché

2 branches de céleri en dés

1 boîte (796 ml/28 oz) de tomates en dés*

12 champignons tranchés

Sel et poivre

500 g (1 lb) de spaghetti

500 ml (2 tasses) et plus de gruyère
ou de cheddar râpé

* Pour une sauce encore plus savoureuse, utiliser les tomates en dés aux fines herbes et épices.

Carrés de spaghetti

1

Dans une casserole, chauffer l'huile et faire revenir l'oignon et le céleri à feu moyen-doux 5 min jusqu'à ce que les légumes soient tendres. Ajouter les tomates, les champignons. Saler et poivrer. Laisser mijoter à découvert 20 min.

2

Pendant ce temps, faire cuire les pâtes dans une grande quantité d'eau bouillante salée. Les égoutter quand elles sont encore croquantes; les pâtes ne doivent pas être parfaitement cuites car elles vont poursuivre leur cuisson au four.

3

Mélanger la sauce tomate avec les pâtes dans un plat carré allant au four. Parsemer de fromage râpé.

4

Cuire au four à 180 °C (350 °F) 20 min.

Sortir du four et laisser reposer 5 min avant de découper en carrés pour servir.

Chrystine Brouillet, *C'est moi qui l'ai fait !*,
Flammarion Québec, 2001, p. 58-59.

4 GRANDS VERRES
FACILE
RAPIDE

Granité à la pastèque

1 l (4 tasses) de morceaux de pastèque épépinée*

1 lime (jus seulement)

5 ml (1 c. à thé) de sucre, si désiré

* Aussi appelée «melon d'eau» pour sa teneur en eau (plus de 90%). C'est le fruit idéal pour se rafraîchir.

Placer les morceaux de pastèque dans un récipient ou un sac en plastique et mettre au congélateur.

Lorsque les morceaux sont gelés, broyer au mélangeur tous les ingrédients, 1 min, jusqu'à l'obtention d'une consistance neigeuse.

Verser dans les verres. Servir tel quel ou décorer de tranches de lime ou de citron ou d'une feuille de menthe.

SERVIR

Pour rendre cette boisson encore plus attrayante, décorer d'une fleur comestible, par exemple, une violette, une pensée ou une capucine. S'assurer qu'elle a été cultivée biologiquement, sans herbicide ni produits chimiques.

AUTREMENT

Pour transformer ce granité en punch pour au moins 8 personnes, ajouter un litre (4 tasses) de *Ginger Ale*.

Chrystine Brouillet, *C'est moi qui l'ai fait!*, Flammarion Québec, 2001, p. 120-121.

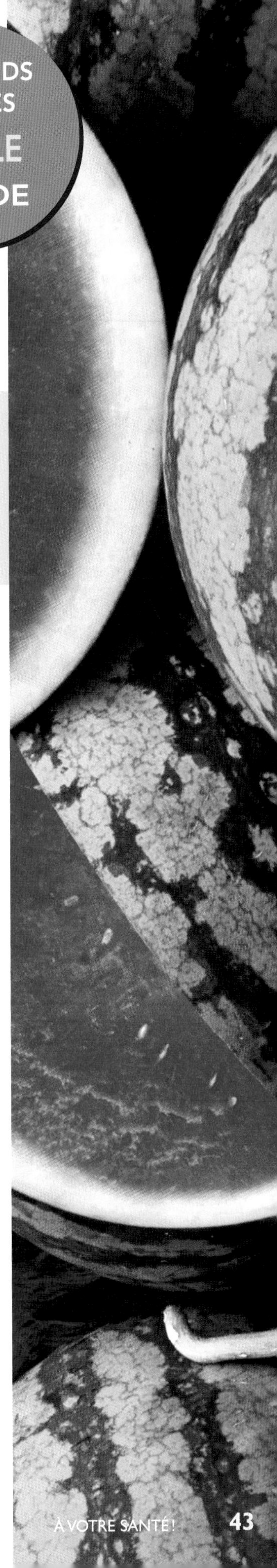

L'APPÉTIT EN QUESTION

Manger, c'est vital et la plupart du temps, c'est très agréable ! Surtout quand on est avec des gens qu'on aime, qu'on découvre des goûts ou qu'on retrouve les plats qui nous régalent. L'appétit, les sensations de faim, de soif, de satiété nous guident dans nos choix; parfois tout se dérègle: on perd l'appétit, on ne se nourrit plus, on fait n'importe quoi, on se gave ou on s'affame. C'est vraiment sérieux, car ça peut devenir grave; il faut en parler avec une personne proche et surtout consulter un médecin, un nutritionniste ou un diététicien. Ils analysent la composition des repas et notre comportement devant les aliments, ils nous aident à conserver ou à retrouver une alimentation équilibrée. Les goûts et les dégoûts, les excès ou les privations qu'on s'impose, les fringales ou le manque d'appétit en disent long sur nous, car l'alimentation est loin d'être une simple histoire d'estomac !

UN PEU DE TOUT

Contrairement au koala qui ne mange que des feuilles d'eucalyptus, nous avons une alimentation variée, et qui doit être équilibrée. Il faut choisir les aliments qui apportent à l'organisme les substances nécessaires à tous nos besoins et en déterminer aussi les quantités. Il est important d'avoir des journées équilibrées et de ne pas sauter les heures de repas. Notre corps a ses rythmes: rythmes du sommeil, rythmes d'activité, rythmes des repas. Prendre ses repas à des heures régulières participe au bon fonctionnement de la digestion, et de l'assimilation.

BESOIN D'ÉNERGIE

L'organisme a besoin d'énergie, même quand on dort, pour la respiration, le fonctionnement du cerveau, la circulation du sang, la digestion, la thermorégulation (le maintien au même niveau de la température). À la puberté, les besoins d'énergie augmentent; une alimentation différente de celle des enfants ou des adultes devient nécessaire. Manger de tout en bonnes quantités est indispensable au menu d'un organisme en pleine croissance; c'est durant cette période que se constitue le capital osseux de toute une vie.

■ SUR LA BALANCE

Le poids de forme, celui où l'on se sent bien dans son corps et dans sa peau, n'est pas toujours facile à trouver et à conserver. Qu'est-ce qui fait grossir ? En général, si les facteurs génétiques jouent un rôle, ce sont aussi les mauvaises habitudes alimentaires qui déclenchent la prise de poids. Plusieurs erreurs en sont à l'origine : les plus courantes sont un petit-déjeuner insuffisant, des grignotages, un dîner trop copieux, un repas pris à toute allure et un excès d'aliments riches en produits gras, surtout en graisses cachées (fromage gras, chocolat...), en sucres simples (desserts et boissons trop sucrés, friandises, sucre ajouté, etc.). Mais d'autres paramètres sont à mettre dans la balance : le manque d'exercice, le stress, les idées noires ou certains problèmes personnels qui pèsent lourd parfois. Essayer de maigrir sans respecter les règles de la diététique et faire des régimes sauvages peut entraîner des déséquilibres graves et presque toujours une

prise de poids plus importante que celle du départ. On entre alors dans un cycle dit du yoyo et il est très difficile d'en sortir sans l'aide d'un spécialiste. Pour conserver son poids de forme, le mieux est donc de prendre des repas équilibrés, de bien mâcher les aliments et d'avoir une activité physique régulière.

[...]

■ À CHACUN SES CALORIES

Au cours d'un repas, les calories de chaque plat s'additionnent. Le total des repas de la journée indique notre ration quotidienne. En général, les garçons et les filles jusqu'à l'âge de neuf ans ont besoin de consommer à peu près le même nombre de calories, environ 2 200 par jour. À partir de dix ans jusqu'à dix-neuf ans, les garçons consomment de plus en plus de calories par rapport aux filles, par exemple 2 300 calories pour les filles et 3 100 pour les garçons. Certaines activités nécessitent plus d'énergie. Faire du sport ou une promenade permet de brûler plus de calories qu'une séance de cinéma ou un après-midi télé. Inutile, donc, de sortir à tout bout de champ sa calculette. On sait qu'on consomme le bon nombre de calories quand le poids reste stable.

[...]

■ LE SPORT, UN ALLIÉ DE POIDS

Rien de mieux, de plus motivant qu'un peu de sport pour se réconcilier avec un corps qu'on trouve trop encombrant, quand on ne s'apprécie pas tel qu'on est, qu'on évite de se regarder. On redécouvre alors sa souplesse, sa vivacité, ses muscles qu'on croyait endormis. Mais trois petites séances valent mieux qu'un après-midi trop fatigant. Il suffit d'ajouter au sport pratiqué dans le cadre scolaire un rendez-vous avec des copains pour un jeu de ballon, quelques longueurs à la piscine ou bien une course à petites foulées...

Catherine Dolto et collab., *Dico Ado : Les mots de la vie*, Paris, Gallimard Jeunesse, coll. « Giboulées », 2001, p. 160 à 162, 166 et 174.

— Si nous allions nous préparer à souper ? proposa-t-il.

— À dîner ! rectifia Georgette. En France, on ne soupe pas. On dîne.

— Et le midi, qu'est-ce qu'on fait ? demanda Isabelle.

— On déjeune ! répondit sa grand-mère.

— Mais alors, le matin, on ne mange pas !

— On petit-déjeune !

— On quoi ?

— On prend le petit-déj.

Claude D'Astous, *Les fées d'Espezel*, Saint-Laurent, Éditions Pierre Tisseyre, 2003, p. 13.

ISSA, enfant des sables

Avec une patience infinie, Adouna posa son enfant sur le sol. Elle s'étira les reins, essuya le sable agglutiné à ses paupières, puis elle réajusta sur son visage le voile de lin indigo.

Son enfant demeurait dans la positon où elle l'avait laissé, debout, tourné du côté du soleil qui montait, très vite, dans le ciel. Il était planté là, ventre enflé, corps maladroit sur ses jambes frêles. Le vent mordait la frange des dunes rouges et soulevait des flammèches de sable qui ondulaient comme des petits serpents. L'enfant n'avait pas bougé, fragile, rivé au sol dès que sa mère s'arrêtait pour se reposer. Son regard se fixa sur les serpents de sable qui couraient dans la lumière vive. Il avança d'un pas, s'arrêta et regarda sa mère. Il ne demandait rien, il n'attendait rien.

[...]

Okoboé était là-bas, sur le flanc sombre d'une courte dune. Il allait droit, de son grand pas régulier, s'arrêtant parfois pour replacer la courroie de la guerba qui lui sciait les épaules. Il la surveillait comme la prunelle de ses yeux car, sans l'eau, ils n'avaient aucune chance. Okoboé traçait le chemin dans un dédale d'étendues caillouteuses entrecoupées d'oueds et de dunes ; il faisait le guide, devant, comme font tous les hommes bleus. Il n'avait pas besoin de se retourner pour savoir exactement où étaient la femme et l'enfant. Quand il remettait la guerba en place, il prolongeait sa halte et les observait discrètement, sans appesantir son regard. Il n'avait pas à s'entremettre. D'ailleurs, il était bien trop pris avec son outre pour être d'une aide efficace. Plus tard, peut-être, quand le soleil serait plus haut et qu'Adouna, épuisée, le demanderait. Pour l'heure, elle avait sa fierté: l'enfant était à elle, il n'était pas question de s'en séparer, sous prétexte de fatigue.

[...]

Okoboé sortit le morceau de pain qui lui restait et le posa sur la guerba pour qu'Adouna le mange dès qu'elle l'aurait rejoint. Merveilleuse Adouna ! Elle avait le cœur aussi large que celui de son père. Okoboé lui savait gré d'avoir pris d'elle-même la décision qu'il n'osait pas lui proposer : partir vers le Nord, retourner au pays touareg en espérant que le destin y serait plus favorable. Elle n'avait pas hésité, elle avait laissé sa tribu derrière elle, chassant sans doute l'espoir de revoir un jour les siens. « Des oiseaux qui émigrent, aimait à dire Zarza, aucun ne sait se réhabituer à son ancien nid. » Elle allait être une étrangère, sentir le regard défiant d'une autre famille. Saurait-elle l'apprivoiser ? Et lui, Okoboé, allait-il faire mentir le proverbe de Zarza ? Était-ce de la folie de rentrer ainsi au pays en croyant pouvoir y revivre après cinq longues années d'absence ?

Adouna approchait. Okoboé alla à sa rencontre. Il vit à son regard qu'il ne l'offenserait pas en lui prenant l'enfant. Il reçut dans ses bras le petit corps qui lui parut sans poids. La masse pesante de la peau de bouc faisait place à quelque chose de léger comme la chair d'un oiseau. Il le tint tout contre sa poitrine, sa main calant la nuque pour que la tête ne ballotte pas. Une peine soudaine lui étreignit la gorge. Au rêve de voir Issa marcher un jour à ses côtés, s'était substituée la vision fulgurante de son arrivée au village, Issa à demi mort dans les bras. Pour la première fois de sa vie,

Okoboé avait peur pour son fils. Il doutait de pouvoir protéger ce petit d'homme à la respiration tremblée. Se maintenir en vie était une bien grande aventure pour Issa. Au moment de le prendre contre lui, Okoboé avait croisé ses yeux étrangement fixes. C'était la première fois qu'il saisissait chez son fils ce regard de grande lucidité et d'indifférence, qu'il avait vu s'installer parmi la marmaille de Warka à mesure que s'imposait la sécheresse. Bien sûr, il l'avait vu maigrir comme tous les autres enfants. Les orbites s'étaient creusées et des poils tout gris s'étaient levés sur sa petite tête, mais Okoboé s'était dit qu'après quelques bons plats de tô ou de foura, tout redeviendrait comme avant. L'important était que son enfant garde le désir de vivre jusqu'au moment où il pourrait de nouveau manger le mil et boire le lait. Mais Issa avait-il gardé la volonté de résister ? Okoboé voyait qu'il ne réclamait plus, qu'il ne pleurait plus. Il était arrivé au moment où survivre ne coûte plus de douleur, seulement une incompréhensible fatigue qui fait ce regard de lucidité grise et d'indifférence.

Il y avait trop longtemps qu'Adouna n'avait pu mélanger la farine et le caillé de chèvre. Au début, elle s'était lamentée comme toutes les femmes de Warka. Puis elle avait appris à se taire. À quoi cela eût-il servi de vociférer dans ce monde immobile que la pluie avait déserté, condamnant la végétation, les sources et les troupeaux ? Il n'y avait plus qu'une grande lumière violente partout sur le pays et cette brume jaune sur l'horizon, causée par l'haleine du désert qui aspirait si haut le sable. Okoboé avait entendu les anciens parler des grandes sécheresses de jadis qui décimaient les hommes et les troupeaux. Il avait reçu leurs histoires comme celles d'un autre temps, un temps lointain qui ne pouvait pas revenir, semblable à celui des légendes. Et voici qu'ils entraient de nouveau dans ce temps-là, comme si rien ne changeait sur la terre africaine, comme si tout pouvait sans cesse ressurgir, ces forces du chaos que les dieux créateurs n'avaient fait qu'engourdir. « Nous aussi, se dit Okoboé, nous avons perdu le grand et le petit bétail. Et nous perdons nos vieux et nos enfants. Même les lézards et les scorpions cachés sous les pierres endurent la soif. Et nous les hommes, qui sommes plus grands que les lézards, il nous faut de l'eau pour survivre, des légumes, du mil. Et de la viande quelquefois. Nous sommes trop grands, trop compliqués, voilà pourquoi nous sommes fragiles. Nous ne savons pas courir le reg comme le font les gazelles pour trouver à manger. Nous ne savons pas nous enfouir dans les sables pour endurer et patienter, comme le font les vipères, les lézards et les scinques. Nous avons dû sacrifier nos troupeaux, et maintenant nous restons seuls, avec nos points d'eau qui tarissent et nos enfants qui meurent. »

Pierre-Marie Beaude, *Issa, enfant des sables*,
Paris, Gallimard Jeunesse, coll. « Folio junior », 2002, p. 7-8 et 14 à 17.

Pierre-Marie Beaude

Pierre-Marie Beaude est un spécialiste d'histoire et de cultures anciennes. Grand voyageur, cet écrivain français né en 1941 cultive une vraie passion pour le désert, qui est, pour lui, une grande source d'inspiration.

Le SUCRE... c'est BON !

Gâteaux, bonbons, sirops, confitures… le sucre, c'est bon ! Presque tous, adultes et enfants, nous aimons le sucre. Justement parce que c'est sucré.

Le goût sucré est la première saveur que découvrent les bébés; ils y sont sensibles même dans le ventre de leur maman. Une heure après notre naissance, nous préférons déjà sa douce saveur à toutes les autres.

Mais gare aux bonnes joues et aux bonnes fesses de ceux qui en abusent !

LE SUCRE DE PAR LE MONDE

Les sucres des fruits et du miel sont des sucres naturels. Le sucre est aussi présent dans toutes les plantes vertes; mais sa production est plus facile à partir de la canne à sucre qui pousse dans les pays tropicaux et de la betterave cultivée dans les pays tempérés.

D'AUTRES SUCRES

À travers le monde, de nombreuses autres plantes sont utilisées pour en extraire du sucre : au Pakistan, on se sert des **dattes** pour faire du sucre; au Canada, on extrait du tronc de l'**érable** une sève avec laquelle on fabrique un sirop, le sirop d'érable, si bon sur les crêpes; en Thaïlande, on tire le sucre de la **palme** ou des **noix de coco**.

DU TONUS POUR LE CORPS ET L'ESPRIT

Le sucre est un concentré d'énergie. Il est le principal élément de la famille des sucres rapides. Rapidement assimilé par le corps humain, c'est un combustible indispensable à l'organisme : il redonne du tonus aux muscles, et au cerveau.

DU SUCRE PARTOUT

Le sucre se concentre dans les fleurs, mais aussi et surtout dans les racines et les tiges des plantes.

On le retrouve dans le miel, la confiture, le chocolat, encore dans le lait, le blé, le riz, les carottes, les pommes de terre et dans tous les fruits.

Safia Amor, *Les aliments, mode d'emploi*, Paris, Flammarion, coll. « Castor Doc », 2000, p. 101-102.

La racine de la betterave sucrière, très développée, contient une chair ferme et si sucrée qu'on utilise son jus pour fabriquer du sucre.

; ses quatre
…ts dans une
… de bois, en
…e grande ville.

CHARLIE et la CHOCOLATERIE

La maison était beaucoup trop petite pour abriter tant de monde et la vie y était tout sauf confortable. Deux pièces seulement et un seul lit. Ce lit était occupé par les quatre grands-parents, si vieux, si fatigués. Si fatigués qu'ils n'en sortaient jamais.

D'un côté, grand-papa Joe et grand-maman Joséphine. De l'autre, grand-papa 5 Georges et grand-maman Georgina.

Quant à Charlie Bucket et à ses parents, Mr. et Mrs. Bucket, ils dormaient dans l'autre pièce, par terre, sur des matelas.

En été, ce n'était pas bien grave. Mais en hiver, des courants d'air glacés balayaient le sol, toute la nuit. Et cela, c'était effrayant.

10 Pas question d'acheter une maison plus confortable, ni même un autre lit. Ils étaient bien trop pauvres pour cela.

Mr. Bucket était le seul, dans cette famille, à avoir un emploi. Il travaillait dans une fabrique de pâte dentifrice.

Assis sur un banc, il passait ses journées à visser les petits capuchons sur les tubes 15 de dentifrice. Mais un visseur de capuchons sur tubes de dentifrice est toujours très mal payé, et le pauvre Mr. Bucket avait beau travailler très dur et visser ses capuchons à toute vitesse, il ne parvenait jamais à gagner assez pour acheter seulement la moitié de ce qui aurait été indispensable à une si nombreuse famille. Pas même assez pour nourrir convenablement tout ce petit monde. Rien que du pain et de la margarine 20 pour le petit-déjeuner, des pommes de terre bouillies et des choux pour le déjeuner, et de la soupe aux choux pour le repas du soir. Le dimanche, ils mangeaient un peu mieux. C'est pourquoi ils attendaient toujours le dimanche avec impatience. Car ce jour, bien que le menu fût exactement le même, chacun avait droit à une seconde portion.

25 Bien sûr, les Bucket ne mouraient pas de faim, mais tous – les deux vieux grands-pères, les deux vieilles grands-mères, le père de Charlie, la mère de Charlie, et surtout le petit Charlie lui-même – allaient et venaient du matin au soir avec un sentiment de creux terrible dans la région de l'estomac.

Et c'est Charlie qui le ressentait plus fort que tous les autres. Ses parents avaient beau se priver souvent de déjeuner ou de dîner pour lui abandonner leur part, c'était toujours insuffisant pour un petit garçon en pleine croissance. Il réclamait désespérément quelque chose de plus nourrissant, de plus réjouissant que des choux et de la soupe aux choux. Mais ce qu'il désirait par-dessus tout, c'était… du CHOCOLAT.

En allant à l'école, le matin, Charlie pouvait voir les grandes tablettes de chocolat empilées dans les vitrines. Alors il s'arrêtait, les yeux écarquillés, le nez collé à la vitre, la bouche pleine de salive. Plusieurs fois par jour, il pouvait voir les autres enfants tirer de leurs poches des bâtons de chocolat pour les croquer goulûment. Ce qui, naturellement, était pour lui une véritable torture.

Une fois par an seulement, le jour de son anniversaire, Charlie Bucket avait droit à un peu de chocolat. Toute la famille faisait des économies en prévision de cette fête exceptionnelle et, le grand jour arrivé, Charlie se voyait offrir un petit bâton de chocolat, pour lui tout seul. Et, chaque fois, en ce merveilleux matin d'anniversaire, il plaçait le bâton avec soin dans une petite caisse de bois pour le conserver précieusement comme une barre d'or massif ; puis, pendant quelques jours, il se contentait de le regarder sans même oser y toucher. Puis, enfin, quand il n'en pouvait plus, il retirait un tout petit bout de papier, du coin, découvrant un tout petit bout de chocolat, et puis il prenait ce petit bout, juste de quoi grignoter, pour le laisser fondre doucement sur sa langue. Le lendemain, il croquait un autre petit bout, et ainsi de suite, et ainsi de suite. C'est ainsi que Charlie faisait durer plus d'un mois le précieux cadeau d'anniversaire qu'était ce petit bâton de chocolat à deux sous.

Mais je ne vous ai pas encore dit ce qui torturait plus que toute autre chose l'amateur de chocolat qu'était le petit Charlie. Et cette torture-là était bien pire que la vue des tablettes de chocolat dans les vitrines ou le spectacle des enfants qui croquaient leurs confiseries sous son nez. Vous n'imaginerez pas de plus monstrueux supplice :

55 Dans la ville même, bien visible depuis la maison où habitait Charlie, se trouvait une ÉNORME CHOCOLATERIE !

Imaginez un peu !

Et ce n'était même pas une chocolaterie ordinaire. C'était la plus importante et la plus célèbre du monde entier ! C'était la CHOCOLATERIE WONKA, propriété d'un 60 monsieur nommé Mr. Willy Wonka, le plus grand inventeur et fabricant de chocolat de tous les temps. Et quel endroit merveilleux, fantastique ! De grandes portes de fer, un haut mur circulaire, des cheminées crachant des paquets de fumée, d'étranges sifflements venant du fond du bâtiment. Et dehors, tout autour des murs, dans un secteur de près d'un kilomètre, l'air embaumait d'un riche et capiteux parfum de 65 chocolat fondant !

Deux fois par jour, sur le chemin de l'école, puis au retour, le petit Charlie Bucket passait devant les portes de la chocolaterie. Et, chaque fois, il se mettait à marcher très très lentement, le nez en l'air, 70 pour mieux respirer cette délicieuse odeur de chocolat qui flottait autour de lui.

Oh ! comme il aimait cette odeur !

Et comme il rêvait de faire un tour à l'intérieur de la chocolaterie, pour voir à quoi elle ressemblait !

Roald Dahl, *Charlie et la chocolaterie*, traduit de l'anglais par Élizabeth Gaspar, Paris, Gallimard Jeunesse, coll. « Folio junior, édition spéciale », 1987, p. 13 à 18.

1

L'écrivain anglais Roald Dahl (1916-1990) aime l'aventure. Pilote de chasse pendant la Seconde Guerre mondiale, il échappe de peu à la mort quand son appareil s'écrase
à la suite de cet accident qu'il
re. Comme ses personnages,
ossède deux grandes qualités :
t l'imagination.

Le rêve d'une championne

À l'heure où les vaches sont encore dans leur enclos, Marie-Claire s'éloigne sur le chemin. Elle suit la route de terre derrière la maison familiale, où de tendres pâturages, suivis d'un grand champ de blé, mènent à la forêt. Pendant un moment, on peut suivre l'allure rapide de la jeune fille. Puis, elle devient petite, toute petite, à peine plus grosse qu'une tête d'épingle. Enfin, elle atteint la ligne où le vert foncé des sapins contraste subitement avec la pâleur des grandes tiges blondes.

Marie-Claire aime se retrouver seule parmi les arbres. Elle s'installe à l'orée de la forêt et scrute, de loin, le village de Saint-Omer, qui est, comme tous les petits villages côtiers, dominé par le clocher pointu de son église. De son poste d'observation, Marie-Claire pense à son avenir. En fait, c'est plus qu'une pensée; c'est une vision claire et précise de ce que sera sa vie, un déroulement d'événements sur l'écran géant de son esprit, qui lui procure des sensations aussi intenses que le feraient ces événements s'ils étaient vécus. Ce film de sa vie est son rêve, un rêve que Marie-Claire reprend, jour après jour, semaine après semaine, jusqu'à en être complètement imbibée.

Je quitterai très tôt mon village, dès que j'aurai terminé ma cinquième secondaire. Je ne suis pas malheureuse ici, à Saint-Omer, mais mes projets exigeront que j'aille vivre ailleurs : à Rimouski, à Québec, ou encore à Montréal. Je rêve de devenir une championne olympique. Pas dans n'importe quelle discipline, mais dans celle qui exige force, grâce et concentration : le plongeon !

Je devrai travailler très fort. D'abord ici, encore quelques années. J'irai plonger tous les jours dans l'unique piscine intérieure de la région. Il n'y aura pas de plate-forme de 10 mètres, mais, l'été, je pourrai peut-être m'inscrire à des stages à la ville. Lorsque je quitterai Saint-Omer, j'irai habiter à proximité d'un bassin de dimension olympique, c'est certain. Je choisirai le meilleur entraîneur du Québec, ou encore mieux, c'est lui qui me choisira, car il aura remarqué que j'ai beaucoup de talent et du cœur au ventre. Je m'entraînerai plusieurs heures par jour afin de devenir la meilleure.

Je ne pourrai pas vivre la même vie que les autres jeunes de mon âge, mais quelle importance ? Il me faudra toujours bien manger, ne pas fumer, me coucher tôt et faire passer mon chum après le plongeon. Peut-être que je n'aurai pas de chum, non plus. À moins de trouver un gars qui soit assez patient pour accepter le rythme de vie infernal d'une plongeuse olympique. En fait, il sera toujours temps de penser aux amours plus tard. Toute ma vie du moment s'ajustera à mon projet olympique.

Je gravirai les échelons un à un. D'abord, le championnat provincial, puis, national et, enfin, international. Le parcours sera laborieux, parsemé de sacrifices, mais un jour je serai récompensée. Mes parents assisteront à toutes les compétitions et seront fiers de moi. À Saint-Omer, les gens soutiendront ma carrière dès le début. Ils organiseront une fête en mon honneur afin d'amasser l'argent nécessaire à la poursuite de mon rêve. Et lorsque je partirai pour les Jeux Olympiques – vers l'Allemagne, le Japon ou les États-Unis –, une délégation d'admirateurs viendra me saluer à l'aéroport.

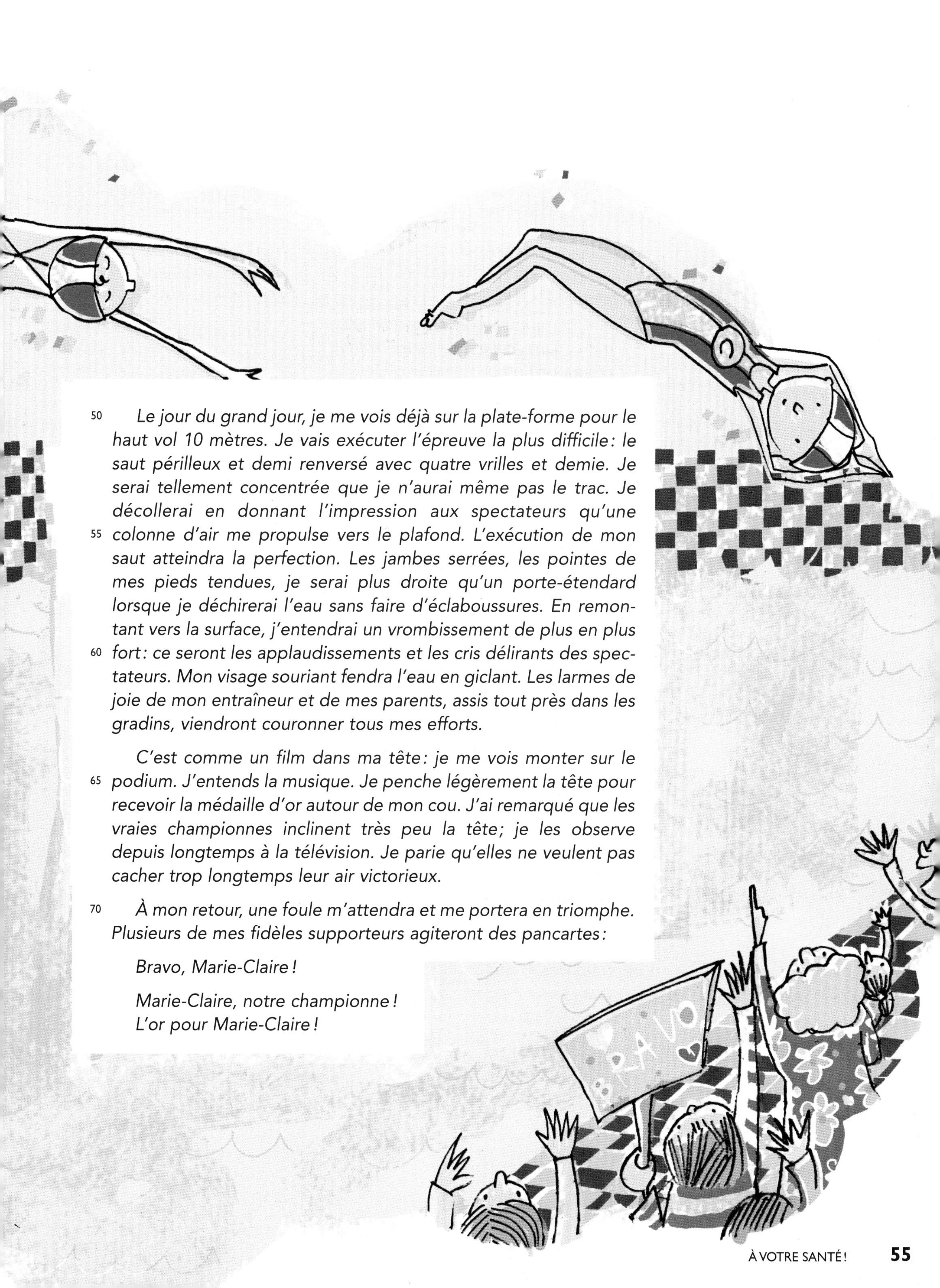

50 *Le jour du grand jour, je me vois déjà sur la plate-forme pour le haut vol 10 mètres. Je vais exécuter l'épreuve la plus difficile : le saut périlleux et demi renversé avec quatre vrilles et demie. Je serai tellement concentrée que je n'aurai même pas le trac. Je décollerai en donnant l'impression aux spectateurs qu'une* 55 *colonne d'air me propulse vers le plafond. L'exécution de mon saut atteindra la perfection. Les jambes serrées, les pointes de mes pieds tendues, je serai plus droite qu'un porte-étendard lorsque je déchirerai l'eau sans faire d'éclaboussures. En remontant vers la surface, j'entendrai un vrombissement de plus en plus* 60 *fort : ce seront les applaudissements et les cris délirants des spectateurs. Mon visage souriant fendra l'eau en giclant. Les larmes de joie de mon entraîneur et de mes parents, assis tout près dans les gradins, viendront couronner tous mes efforts.*

C'est comme un film dans ma tête : je me vois monter sur le 65 *podium. J'entends la musique. Je penche légèrement la tête pour recevoir la médaille d'or autour de mon cou. J'ai remarqué que les vraies championnes inclinent très peu la tête ; je les observe depuis longtemps à la télévision. Je parie qu'elles ne veulent pas cacher trop longtemps leur air victorieux.*

70 *À mon retour, une foule m'attendra et me portera en triomphe. Plusieurs de mes fidèles supporteurs agiteront des pancartes :*

Bravo, Marie-Claire !

Marie-Claire, notre championne !
L'or pour Marie-Claire !

75 Marie-Claire rêve tant et si bien que sa tête est engourdie et son cœur bat très fort. À cet instant précis, l'avenir l'attend avec mille bonheurs. Ses journées de rêverie le lui promettent.

C'est dans un état euphorique que Marie-Claire quitte son rêve et la forêt pour reprendre le chemin de la maison. Les odeurs de la terre, qui sont toujours plus 80 enivrantes à la fin de la journée, la grisent. Elle respire à pleins poumons et étire ses bras vers le ciel. Les journées de grand vent, elle attend que le souffle violent soit tombé pour ne pas avoir à peiner dans la petite montée qui longe le champ des vaches.

Peu à peu, l'euphorie s'évapore et Marie-Claire reprend contact avec la réalité. Son avenir lui tourne le dos et le présent l'envahit. Se rapprochant de la maison, elle 85 attend encore quelques minutes. Puis, elle emprunte la rampe de bois que son père a installée pour elle après l'accident. Très lentement, sans hâte, elle y fait tourner les roues de son fauteuil roulant. Marie-Claire n'avance que vers la fin d'une autre journée de rêve, comme elle le fera tous les jours du reste de sa vie.

Son père pousse la porte, qu'il maintient ouverte de son bras tendu. Le sourire aux 90 lèvres, il accueille sa fille.

— Salut, championne !

Elle déteste qu'il l'appelle ainsi.

Andrée-Anne Gratton,
«Le rêve d'une championne»,
dans Nadia Ghalem (dir.),
Les nouvelles du sport,
Gatineau, Éditions Vents d'Ouest,
2003, p. 115 à 122.

Chantal Petitclerc

COURSE EN FAUTEUIL ROULANT

1992, 1996, 2000 : 11 médailles paralympiques aux Jeux olympiques de Barcelone, d'Atlanta et de Sydney.
2004 : 5 médailles d'or et 3 records du monde aux Jeux paralympiques d'Athènes.

Andrée-Anne Gratton

Andrée-Anne Gratton est une jeune auteure montréalaise. Pour elle, écrire des romans est une façon de redonner aux autres le plaisir qu'elle a connu, enfant, lorsqu'elle dévorait des livres.

Danse, Olga, danse !

— Et un-deux-trois ! Et un-deux-trois ! Jambes tendues, dos droit, ventre rentré, pieds en dehors… et quoi d'autre encore ! J'en ai marre, moi, de la danse, vraiment marre, ronchonne Olga à l'attention de son amie Céline.

— Et un-deux-trois ! Laisse-moi travailler ! Moi, j'adore ça la danse, et à la maison je ne peux plus m'entraîner depuis que maman a enlevé la barre.

— Quelle chance ! La mienne ne rêve que d'une chose : que je sois danseuse. C'est son obsession, et je n'ai vraiment pas le choix.

— Mais elle a raison. Tu es douée, super douée même ! D'ailleurs, regarde-toi dans la glace : tu ressembles à une véritable étoile de l'Opéra.

— Encore heureux : une heure de danse par jour depuis sept ans, soit sept fois trois cent soixante-cinq jours = deux mille cinq cent cinquante-cinq heures de travail, sans compter les heures de cours du mardi soir et les répétitions du samedi avant les galas quand la Polkanof l'exige ! Pitié ! Stop ! Je n'en PEUX PLUS !

— Mais, grâce à la danse, ton corps est fin et souple comme un élastique ; tu peux même mettre tes deux pieds derrière la tête !

— Et alors, je ne veux pas travailler dans un cirque ! Ça me fait une belle jambe tout ça…

— Tu l'as dit : deux belles jambes même, un corps sculpté et une démarche à faire craquer tous les garçons. Je t'envie, tu sais…

— Zut, je ne suis pas une poupée Barbie ! Quand j'ai commencé la danse à cinq ans, rien ne me plaisait autant. J'étais prête à souffrir, je me sentais légère, belle, aérienne. Maman m'achetait de beaux justaucorps avec des collants et des chaussons assortis. Tout le monde m'admirait et m'applaudissait. J'essayais de me surpasser pour leur faire plaisir, le rêve, quoi ! Mais maintenant, je cale, ça ne m'intéresse plus. Le problème, c'est que maman refuse de comprendre.

— Et un-deux-trois… Et un-deux-trois…, reprend Céline, imperturbable.

— Moi, ça me barbe, j'arrête. Continue, je te regarde dans la glace.

Marie Tenaille, « Danse, Olga, danse ! », dans *Comme une fleur, 6 histoires de danse*, Paris, © Éditions Fleurus, coll. « Z'Azimut », 2000, p. 143 à 145.

ALEXANDRE DESPATIE : CHAMPION À 13 ANS !

Le meilleur enseignement se dégage souvent des défaites que l'on subit. Moi, j'ai eu la chance de recevoir une sage leçon alors que je n'avais que 13 ans.

Tout le monde a entendu parler de mes succès aux Jeux du Commonwealth de 1998. J'avais 13 ans, je ne pesais pas 50 kg et j'avais triomphé devant des hommes qui me dépassaient d'une tête. Non seulement j'avais gagné la médaille d'or, mais je l'avais remportée haut la main, par 47 points sur le médaillé d'argent.

Les images des Jeux de Kuala Lumpur ont été montrées des dizaines et des dizaines de fois. Moi qui entre dans l'eau sans éclaboussures; une note de 10 à mon cinquième plongeon; mes coéquipiers Philippe Comtois et Myriam Boileau qui hurlent dans les estrades; mon entraîneur, Michel Larouche, qui exulte; l'Australien Robert Newbery, médaillé d'argent et deux fois plus gros que moi, qui me soulève de terre... Des images qui ont été diffusées, rediffusées encore et encore.

[...]

25 De bien beaux moments pour un élève du secondaire qui avait retardé sa rentrée scolaire.

Mais la leçon de vie est arrivée peu de temps après.

En décembre de la même année, j'ai connu
30 une belle victoire devant mes parents et amis en gagnant la compétition CAMO-Invitation au complexe sportif Claude-Robillard, ma deuxième maison depuis 1990. Les médias locaux sont tous présents pour suivre la petite
35 vedette. Après les fêtes a lieu le long voyage vers la Nouvelle-Zélande où je dois me mesurer aux meilleurs de ma discipline à la Coupe du monde FINA. Il me faudra prouver que je ne suis pas qu'un feu de paille. Toutefois, la grande
40 vedette redevient vite un gamin de 13 ans.

À Wellington, j'ai terminé au 17e rang! La vedette a non seulement été incapable de faire face à des hommes mais n'a même pas été le meilleur représentant de sa propre ville, puisque
45 Christopher Kalec a terminé au 14e rang.

Si j'avais reçu un coup de poing au visage, je n'aurais pas été plus sonné. Après mon triomphe aux Jeux du Commonwealth, je me mesurais aux meilleurs du monde pour la première fois et
50 j'étais convaincu que tout irait bien. Le choc a donc été difficile à encaisser. Il ne faut pas oublier que j'avais toujours 13 ans et qu'à cet âge, quand on est à Wellington et que maman est à Laval, je vous jure que la caresse mater-
55 nelle est loin. Très loin.

Michel, mon entraîneur, a bien essayé de me réconforter, mais, en même temps, il ne m'a pas flatté non plus. Il savait comment s'y prendre avec moi et il ne m'a pas caché la vérité: à
60 savoir que je n'avais pas bien plongé. Un point c'est tout.

Cependant, entre les préliminaires et la finale – à laquelle je ne participerais évidemment pas –, j'ai pu m'entraîner sur la même
65 tour. Vous ne pouvez pas vous imaginer à quel point cela s'est bien déroulé. Le garçon qui avait échoué aux préliminaires était bien différent de celui qui venait d'exceller au cours de cet entraînement. Je n'étais donc pas
70 désespéré.

Heureusement que cet entraînement s'était bien déroulé parce qu'après la compétition, le brouillard qui couvrait la ville de Wellington nous a obligés à faire neuf heures de route pour
75 nous rendre à Auckland, d'où nous sommes partis pour l'interminable voyage de retour.

Imaginez si l'entraînement avait été mauvais...

Comme mon piètre résultat de la Coupe du monde ne changeait rien à mon statut, j'ai
80 poursuivi la saison sans changement au programme. Et, deux mois plus tard, au Grand Prix FINA de Rostock, en Allemagne, je méritais le bronze. Puis, en mai, je terminais au quatrième rang des étapes du Grand Prix FINA de Montréal
85 et de Juarez, au Mexique.

La suite est connue: à 15 ans, j'ai terminé au quatrième rang aux Jeux olympiques de Sydney et, en 2003, je suis devenu champion du monde à Barcelone. D'autres bien beaux moments
90 dans ma vie.

Même si j'ai mis quelques mois à l'avouer, c'est incontestablement à Wellington que j'ai reçu la leçon de ma vie.

Les chemins de l'excellence: souvenirs inédits de personnalités sportives québécoises, Montréal, Éditions du Trécarré, 2004, p. 40-41.

JE L'AI ÉCHAPPÉ BELLE !

Écrire, c'est du sport.

R.S.

J'avais douze ans à l'époque. J'étais pensionnaire au collège. Je jouais au hockey comme tous les jeunes de mon âge et j'ambitionnais de faire partie de l'équipe peewee du collège, ce qui m'aurait permis de sortir justement du collège, de voir du pays et des filles aussi, bien entendu. Je patinerais cheveux au vent, je compterais des centaines de buts, je les éblouirais toutes. Ou à tout le moins une. Je n'étais pas très exigeant dans ce temps-là.

À l'époque, il n'est pas inutile de le rappeler, on jouait sur des patinoires extérieures, défiant le vent glacial sans casque protecteur. Ah ! oui, petit détail technique, il fallait arroser la patinoire, les soirs de grands froids et y passer la gratte 10 lorsqu'il y avait eu une bordée de neige. Quant à la zamboni (pas très loin de l'Australie), oubliez ça !

Toujours est-il que c'était le frère Jean-Jacques Olivier de la Dauversière dit de La Vérendrye qui nous faisait passer le grand test pour faire partie de l'équipe officielle du collège. Son acolyte, le révérend frère Marcel Marie de La Salle dit de Repentigny 15 les Bains, était là aussi avec son calepin et son œil mauvais.

C'est ainsi que, par un bel après-midi ensoleillé de décembre, quatre-vingts jeunes imploraient le Destin avec un grand D. On patinait comme des fous. On s'époumonait comme des diables dans l'eau bénite. On faisait des virages à quatre-vingt-dix degrés sur un dix cents. On freinait comme des ambulances devant l'urgence. Bref, on 20 donnait notre 110 % bien avant l'émission du même nom. J'avais terminé la routine demandée et je restais là, essoufflé sur le bord de la bande, à regarder les autres s'esquinter. Je n'étais pas le meilleur, certes, mais je n'étais pas le pire non plus. Je convoitais le numéro 11 ; je rêvais à l'uniforme et à l'équipement presque neufs que j'aurais et aux merveilleuses sorties que je ferais.

25 Mes statistiques personnelles jouaient cependant contre moi : je n'avais marqué qu'un seul but l'année précédente… et dans un filet désert en plus, mais, heureusement, les statistiques locales restaient muettes sur cette précision. J'étais défenseur, il faut le dire et, à la défense, on compte forcément moins de buts. Par contre, on se fatigue moins et ça me permettait du même coup de piquer des jasettes avec mon ami 30 Barsalou, le gardien de but.

Après la sélection, j'ai passé la nuit au dortoir avec mes soixante-dix-neuf compagnons – après, ça me faisait tout drôle de dormir seul dans une chambre ! Plusieurs dormaient sur leurs deux oreilles, mais moi, je gardais les yeux ouverts en invoquant le petit Jésus et tous les saints que je connaissais afin qu'ils intercèdent en ma faveur. 35 Je vous épargne cette liste divine.

Le lendemain, les yeux cernés jusqu'aux coudes, je suis descendu au réfectoire. À l'entrée, il y avait la liste des heureux élus. J'ai lu et relu la feuille cent fois pour constater que mon nom n'y apparaissait pas. L'humiliation totale ! Une injustice flagrante, un oubli monstrueux… Je suis allé voir le frère Jean-Jacques Olivier de la Dauversière dit de La Vérendrye pour lui demander des explications et pour faire pencher la balance de mon côté. Il a été implacable.

— Écoutez, monsieur Soulières, m'a-t-il dit d'un ton autoritaire et qui n'admettait aucune réplique, votre coup de patin est trop mou et vos virages à droite sont désolants d'inhabileté et de lenteur. À votre place, j'abandonnerais illico le hockey pour me consacrer au ping-pong ou aux quilles.

Je suis resté bouche bée.

En effet, que répondre à ça ?

Rien. J'ai retenu mes larmes jusqu'au cours de maths.

●○●

Aujourd'hui cependant, je crie victoire !

Je l'ai échappé belle. En effet, si j'avais été choisi pour faire partie de l'équipe peewee du collège, mon destin aurait été inexorablement scellé. Je serais passé au niveau Bantam, puis Midget, Midget AAA, j'aurais joué pour l'équipe du cégep pour passer, haut le patin, à la ligue de hockey junior majeure du Québec, la LHJMQ si on veut abréger. Et un jour, vous le devinez bien, j'aurais inévitablement été choisi comme première recrue pour le Canadien de Montréal, moi qui avais le CH tatoué sur le cœur depuis l'âge de six ans.

À titre de première recrue, j'aurais signé un contrat fabuleux de trois millions de dollars – US, bien sûr –, et par année *of course*, et tout ça assorti d'un boni d'un million à la signature.

Aujourd'hui, avec la valse des millions dans le sport professionnel, on a oublié la réelle signification de cette somme. Un million de dollars, c'est le salaire d'une seule personne, un prof parmi mes amis, mettons, qui gagne 50 000 $ par année durant vingt ans ! Imaginez trois millions, maintenant ! Il faudra donc à ce même prof, qui est 65 encore mon ami, soixante rentrées scolaires, mille huit cents élèves, deux *burn-out* et un nombre incalculable de parties de ballon-chasseur pour gagner ce salaire.

Mais qu'aurais-je fait de tout cet argent, je vous le demande ? Des fois c'est trop !

La belle vie... peut-être. Mais j'aurais aussi dormi avec un autre gars dans la même chambre à Denver, à Chicago, à Boston et ce pendant des années. J'aurais dû respecter 70 le couvre-feu de 22 heures. Je me serais vu forcé d'acheter des chemises à 600 $, des complets à 3 000 $ et une voiture de 125 000 $. Quelle misère !

Mais la gloire est éphémère. On m'aurait bientôt fait jouer sur le banc durant deux matchs d'affilée, peut-être cinq. Je me serais blessé à l'épaule, au dos, à la « laine », comme Maurice Richard, j'aurais souffert d'une « turbite », comme Boum Boum 75 Geoffrion, je me serais étiré des muscles, cassé le nez, un doigt, trois ou quatre fois, j'aurais le visage massacré... enfin plus massacré que celui que je porte aujourd'hui, j'aurais eu quatre commotions cérébrales au bas mot, et cinq blessures au bas-ventre, je me serais battu sur la patinoire, sur le banc et dans les bars, j'aurais les deux yeux au beurre noir, on m'aurait crié chou ! chou ! aux douches ! J'aurais joué sur le quatrième 80 trio, j'aurais pris des stéroïdes annabolo... anaboli... anna na na hey hey Good-bye !... en tout cas de drôles de substances et de sirops pour être plus performant, car il y a des soirs où le corps, trop fatigué, nous lâche. J'aurais bafouillé des explications moitié en anglais moitié en français et le reste dans une autre langue que je ne comprendrais pas moi-même et j'aurais probablement fini ma carrière comme dépisteur à Hearst ou 85 au fin fond de l'Alaska.

Ouf ! que je l'ai échappé belle !

Merci, frère Jean-Jacques Olivier de la Dauversière dit de La Vérendrye.

Par contre, pour les quilles, je me prépare fébrilement et je compte devenir, dans quelques années, le meilleur joueur du centre d'accueil !

Robert Soulières

Robert Soulières est né en 1950 à Montréal. Son grand sens de l'humour trouve toujours à s'exprimer dans ses nombreux romans et nouvelles. Il partage son temps entre l'édition, l'écriture et l'animation dans les écoles.

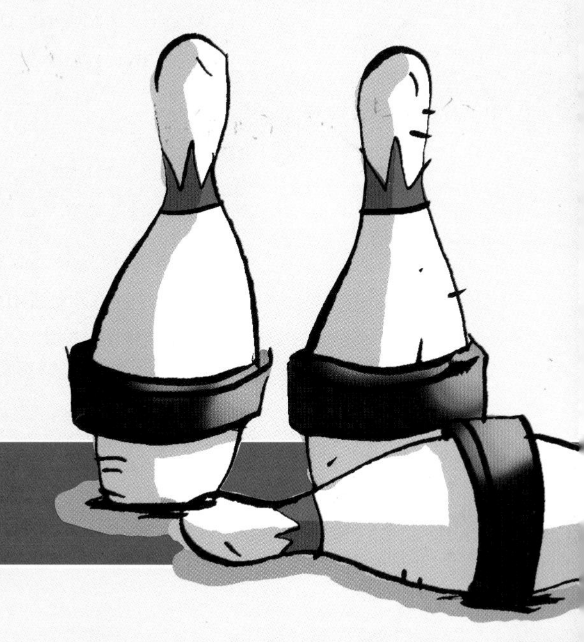

LE SPORT FAIT-IL GRANDIR ?

Lorsqu'on s'y adonne sérieusement, faire du sport rime normalement avec sommeil régulier et nutrition équilibrée. Deux facteurs indispensables pour une croissance harmonieuse. D'abord parce que l'on grandit dans les bras de Morphée[1]. Le jour les os se fortifient, ils prennent de l'épaisseur, alors que la nuit ils augmentent en longueur, car c'est à ce moment-là essentiellement que l'hormone de croissance est larguée dans le flot sanguin par petites giclées toutes les 20 secondes. Ensuite, parce que des carences en calcium, en vitamine D, en sels minéraux… n'aident pas à prendre de la hauteur. Cela est patent dans les pays où les enfants sont sous-alimentés : en Inde, par exemple, dans les années 1970, l'écart de taille entre les garçons de sept ans issus de classes sociales pauvres et ceux issus de classes favorisées atteignait 12 cm !

À propos, serait-ce dans l'assiette que l'on trouve le secret du petit format des gymnastes ? Les acrobaties étant plus faciles quand on ne pèse pas lourd, les meilleures gymnastes sont choisies petites et légères. Pour garder leur légèreté, elles sont au régime minceur strict. Compte tenu de leur entraînement (grand consommateur d'énergie), elles ne mangent pas assez. Or, pour satisfaire l'hypothalamus, qui déclenche la puberté, on a besoin de se nourrir suffisamment. À l'adolescence, impossible de prendre 10 kg et 25 cm en picorant deux grains de riz à chaque repas. À cette restriction alimentaire s'ajoute le stress des compétitions et de l'entraînement : l'hypotha-

1. Ce qui signifie que l'on grandit la nuit. Dans la Grèce antique, Morphée était le dieu des songes, fils de la nuit et du sommeil.

lamus boudeur se met alors en grève et la puberté ne se déclenche pas au moment où elle devrait avoir lieu.

Alors finalement, la gymnastique, le patinage ou la danse classique, empêcheraient-ils de grandir ? Non, car il ne s'agit que d'un simple retard, de deux à quatre ans. Ces sportives de compétition gardent ainsi une taille d'enfant... jusqu'au moment où la puberté se déclenche enfin. Elles grandissent alors normalement (mais parfois leur carrière s'arrête !) et atteignent la taille prévue par le grand livre de leurs gènes.

Si le sport ne fait ni grandir ni rapetisser, attention tout de même à la musculation ! Il faut savoir que ce sont les os qui grandissent tout d'abord ; à la suite de quoi les muscles prennent leur forme. L'allongement des muscles est en réalité dû à celui des os sur lesquels ils s'attachent et non l'inverse. Mais quand l'entraînement est trop intense et que les os sont encore en croissance, la musculation peut faire des dégâts. Durant cette période, les muscles et leurs tendons sont plus solides que les os en croissance (qui ne sont pas complètement ossifiés). C'est la loi du plus fort qui s'applique et tout se passe comme dans le proverbe « tant va la cruche à l'eau qu'à la fin elle se casse ». Au-delà d'une certaine limite d'entraînement, crac ! c'est l'accident : un bout d'os est arraché et ça fait rudement mal. [...]

Bref, pour éviter ces accidents, une seule règle : avant la puberté, pas de travail musculaire avec des appareils ou des charges à soulever mais seulement contre le poids de son propre corps ! Ho hisse !

Emmanuel Cuzin et Cécile Lestienne, « Le sport fait-il grandir ? », *Science et Vie junior*, n° 139, avril 2001, p. 86-87. Texte légèrement modifié à des fins pédagogiques.

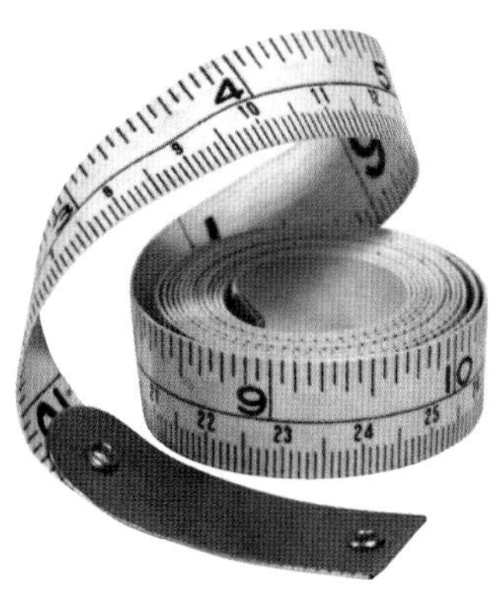

Diététique et santé

La consommation moyenne de nourriture par personne est de 1,8 kilo par jour, ce qui donne 657 kilos par an.

Les principales vitamines

La **vitamine A** (foie, beurre, jaune d'œuf, carotte...) entretient la vision et protège la peau.

Les **vitamines B** (beurre, viandes, poissons, produits laitiers, céréales...) agissent sur l'équilibre nerveux.

La **vitamine C** (fruits, légumes) augmente la résistance aux infections et à la fatigue. Elle joue aussi un rôle dans l'ossification.

La **vitamine D** (lait, beurre, foie de poisson, huiles végétales) aide l'organisme à fixer le calcium et favorise ainsi le développement du squelette.

Les principaux sels minéraux

Le **calcium** (lait, fromages, légumes et fruits frais) est le principal constituant du squelette et des dents.

Le **phosphore** (viandes, poissons, œufs) entre dans la composition des os et aide à la formation des cellules nerveuses du cerveau.

Le **fer** (persil, foie, haricots, légumes...) transporte l'oxygène, absorbé en respirant, des poumons vers toutes les parties du corps.

Le **magnésium** (le chocolat en contient beaucoup !) permet de lutter contre la fatigue.

Le **sodium** (contenu dans le sel) permet au corps de garder l'eau que nous buvons.

Les oligoéléments

Les oligoéléments sont des éléments présents en toute petite quantité, mais vitaux.

Parmi eux, il y a le **zinc**, indispensable à la croissance et à la cicatrisation des plaies, l'**iode**, le **cuivre**, ou le **fluor** pour avoir de belles dents...

Safia Amor, *Les aliments, mode d'emploi*, Paris, Flammarion, coll. « Castor Doc », 2000, p. 152-153.

SCHUSS[1]

Fabien n'avait jamais aimé la neige. Trop froide à son goût. Et beaucoup trop mouillée. Bien sûr, ce n'était pas désagréable de voir en décembre la ville ressembler à un décor de Noël, et bien sûr ce n'était pas tout à fait désagréable non plus de rouler quelquefois au milieu d'une carte postale, avec montagnes blanches, ciel bleu, route
5 noire et chalets de bois, quand toute la famille partait en vacances de printemps.

1. Le mot «schuss» vient de l'allemand. On l'emploie pour parler d'une descente à skis effectuée en suivant la plus grande pente et sans ralentir.

Mais ces courtes félicités s'évanouissaient dès qu'il fallait affronter la neige et la toucher. Alors, que Fabien le veuille ou non, venait toujours un moment où son père l'obligeait à chausser les skis. En expliquant qu'il voulait faire de lui un futur champion.

Champion de luge dans le pré du curé, Fabien l'aurait admis sans trop de peine. 10 On s'assoit sur un engin de plastique d'une stabilité en général très correcte, on glisse sur des pentes bénignes qui restent toujours au soleil, on s'emmitoufle dans des lainages qui dégagent bien vite une fumée rassurante quand on commence à se sentir au chaud, on dévale quelques mètres en poussant des hurlements en compagnie d'une bande de copains qui éclatent de rire pour un rien, et personne ne songe à gagner la 15 moindre course. Quand tout est fini, on rentre au chalet boire un chocolat chaud, on regarde un feuilleton idiot à la télé, on glisse très doucement dans une somnolence béate. La luge est un sport confortable.

Pas le ski.

Fabien détestait le ski. Il devait enfiler des combinaisons intégrales qui lui rap- 20 pelaient les grenouillères de sa petite sœur, serrer la mentonnière d'un casque qui ressemblait à celui d'un cosmonaute de carnaval, chausser des croquenots articulés comme une carapace de homard, régler des fixations qui comportaient les mêmes ressorts que ceux des instruments de torture nickelés chez le dentiste, s'attacher aux pieds ces longues lattes aussi discrètes que des trompes d'éléphant, et terminer 25 l'opération en manœuvrant de petits leviers qui claquaient avec un bruit de piège à loup.

Fabien était cependant un fils obéissant. Il s'équipait en silence, et ne protestait même pas quand son père lui détaillait les délices et les peurs de la piste rouge qu'ils allaient affronter ensemble. Il ne disait pas un mot. Il contemplait tristement les fixa- 30 tions de ses skis, et constatait une fois encore leur ressemblance avec l'appareil dentaire qu'on lui avait installé à l'automne et qui faisait ricaner toutes les filles de la classe.

Son père appréciait le silence de Fabien, le félicitait de son attention, et ils prenaient tous deux le tire-fesses. Le père exultait, Fabien non.

35 Ensuite, tout était simple. Quand on souffre, autant écourter l'épreuve. Sitôt que son père donnait le signal du départ, Fabien filait. Obstacles, dévers, bosses, peu importait, il fonçait, et arrivait en bas le premier.

Son père décida que Fabien était décidément bâti pour devenir un champion de descente.

40 Et ce furent les leçons particulières, le froid aux pieds, les exercices spécifiques, le froid aux doigts, les entraînements interminables, le froid au nez. Flocons, étoiles, chamois d'argent, chamois d'or, compétition. Cadets, juniors. Sélection régionale, nationale. Espoirs. Équipe de France. Championnats, courses, titres. [...]

Fabien obéissait à son père, à ses entraîneurs, à la fédération. On l'emmenait dans 45 un avion, on l'emmenait dans un hôtel, on l'emmenait tout en haut d'une piste, il suivait. On le lâchait sur la pente, il se hâtait d'en finir, il gagnait. On applaudissait. Il exhibait ses spatules aux caméras pour honorer son contrat publicitaire, il souriait à la foule quand on lui remettait une coupe ou une médaille, il répondait quelques phrases convenues aux journalistes qui l'interrogeaient, il embrassait son père qui 50 l'accompagnait dans tous ses déplacements, puis il courait se réchauffer dans sa chambre d'hôtel.

Quand on le sélectionna pour la descente des Jeux olympiques, à Kitzbühel, Fabien s'inquiéta d'abord de savoir si l'hôtel serait bien chauffé. Puis il s'enquit des prévisions météorologiques. On annonçait un temps de saison. Il s'attendit au pire.

55 Il connaissait la piste Streif et il la redoutait. Déjà, en temps normal, la Streif était gelée. Avec ça, les organisateurs y abusaient de la Steinbach, une sale machine qui injecte de l'eau en vrille dans les sous-couches de la neige de façon à glacer le revêtement. Mais avec le temps sibérien qui était prévu, la Streif serait une vitre du haut en bas. Quelque chose comme un carrelage en pente sur lequel les carres n'accroche-
60 raient jamais.

Fabien en prit son parti. La course serait rapide, il en aurait fini plus tôt.

Il s'entraîna dans un froid épouvantable. Dès qu'on sortait le museau de la cabane de départ, là-haut, au Hahnenkamm, la glace vous saisissait. Quand on plongeait dans la souricière de la Mausefalle, entre les arbres noirs et serrés, on avait l'impression
65 d'être congelé sur place. Ensuite, c'était pire.

Fabien écourta les entraînements. Son père debout au bord de la piste criait des encouragements, battait la semelle, se donnait de grandes claques sur les omoplates pour tenter de se réchauffer, hurlait, s'époumonait, s'enrouait. Prenait froid. Bronchite. Fièvre. Au lit.

70 Il fit venir Fabien le matin de la compétition.

— Petit, fais-moi plaisir, gagne.

— Oui papa.

— Je te regarderai à la télévision. Je serai avec toi.

— Oui papa.

75 Pour la première fois de sa carrière, Fabien allait prendre le départ d'une course hors de la présence de son père. Il gagna l'aire de départ par le Hahnenkammbahn, dans la cabine baptisée Killy[2]. Un bon présage.

Le sommet était dans le brouillard. Le froid coupait, mordait, déchirait. Fabien prit sa place dans la cabane de départ. Ferma les yeux. Se récita la Streif. Le saut dans le
80 vide, un droite-gauche immédiat, la Mausefalle, un trou quasi vertical, 70 % de pente, angle droit à gauche, le mur du Steilhang, un peu de répit, voie étroite, décontracter les muscles, et tout de suite l'Alte Schneise, le Seidamsprung, le Lärchensshuss, l'Hausbergkante et le dévers vertigineux, puis le schuss d'arrivée, les muscles en bois, les poumons en feu, le cœur en tambour de machine à laver.

85 Jamais de sa vie il n'avait eu aussi froid. Ni aussi hâte d'en terminer avec une épreuve.

Il s'élança. Plongea dans le noir de la forêt. Ne pas penser. Réciter la piste. Il entendait le bruit des carres par-dessus les hop-hop du public. Position de vitesse. Ne pas se rappeler tous les accidents sur la Streif. Un centimètre d'écart et adieu. La foule criait.
90 Fabien fonçait.

2. La cabine est baptisée Killy en hommage à Jean-Claude Killy, champion de ski français.

À mi-course, il avait près d'une seconde d'avance.

Aller plus vite. Rester groupé dans les sauts. Souplesse. Force. Puissance. Une patinoire en pente.

À l'Hausbergkante, il avait plus d'une seconde d'avance.

Le vent glacial. Le ciel bas. Une déchirure dans la lumière. Un bout de soleil. L'ouverture, enfin. Là-bas la station, l'arrivée, le schuss de gala.

C'est alors qu'on le vit ralentir.

Sur les écrans de télévision qui transmettaient la course dans le monde entier, on vit Fabien se redresser, et personne ne comprit qu'à cet instant précis, au moment où un rayon de soleil miraculeux venait soudain le caresser sur cette piste si gelée que les carres brûlaient, il avait fermé les yeux un centième de seconde et s'était imaginé en train de surfer sur des vagues tièdes et moelleuses au large de Tahiti.

Et jamais personne ne le crut quand il expliqua qu'il avait perdu la course parce qu'il avait entendu des vahinés jouer de l'ukulélé sur les pentes de Kitzbühel.

Jean-Noël Blanc, *Tête de moi*,
Paris, Gallimard, 2002, p. 97 à 102.

Jean-Noël Blanc

Né en France en 1945, Jean-Noël Blanc travaille en architecture et en urbanisme. Il s'intéresse également au sport. Sa passion du vélo et du football se retrouve d'ailleurs dans ses romans et ses nouvelles.

Sur la TRACE des PERSONNAGES

Astérix et Zorro, Blanche-Neige et Ma Dalton, Croc-Blanc, Frankenstein, Guenièvre, Hermione, Matilda, le petit Nicolas, Robin des bois, Rose Latulipe, Rapunzel…
La liste des personnages n'en finit pas de s'allonger.

Méchantes belles-mères ou aventurières intergalactiques, vampires assoiffés ou justiciers masqués, valeureuses princesses ou bandits de grand chemin, les êtres d'encre et de papier habitent les contes, les romans, les bandes dessinées.

Suivez-les au fil des pages…

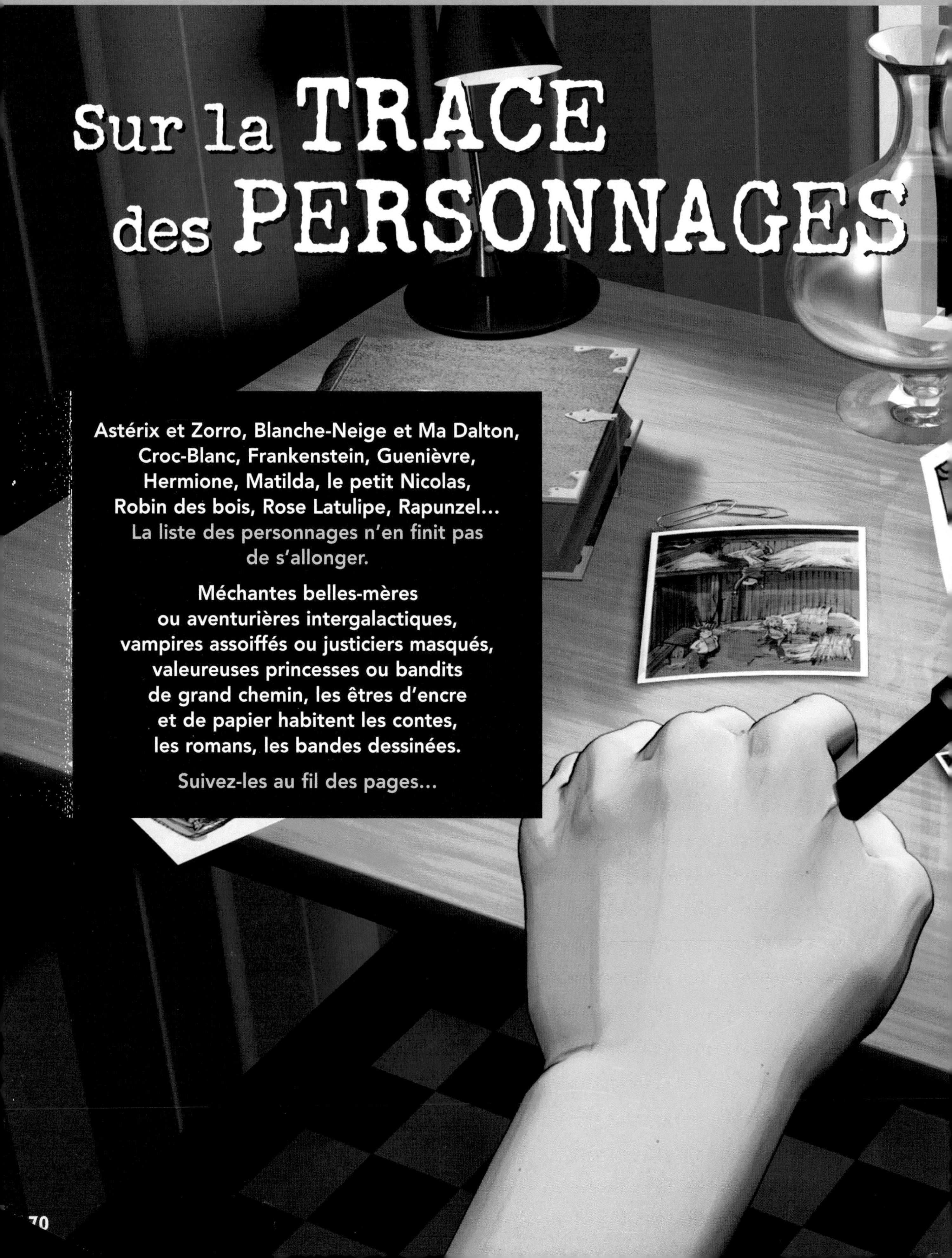

THÈME 

SOMMAIRE

Lucky Luke est né en 1947 sous la plume du Belge Maurice de Bevere, dit Morris, qui a dessiné et écrit les 31 premières aventures de ce héros. Par la suite, René Goscinny a scénarisé plus d'une trentaine d'histoires.

UN HOMME D'AFFAIRES, MONSIEUR BURKE, PRÉPARE UN SPECTACLE SUR L'OUEST ET SES HÉROS.

Lucky Luke, La légende de l'Ouest, Lucky Comics, 2002, par Morris & Nordmann, p. 22-23.

Anne...
La maison aux pignons verts

Anne habitait Green Gables depuis quinze jours lorsque Mme Rachel Lynde entreprit une visite d'inspection. Mme Rachel, soyons honnêtes, n'était pas à blâmer pour ce retard. Une grippe particulièrement violente et inattendue s'était abattue sur elle, confinant cette bonne créature entre ses quatre murs depuis la dernière fois où elle s'était rendue à Green Gables. Mme Rachel n'était pas souvent malade, et son mépris pour les gens qui l'étaient se manifestait sans ambiguïté, mais la grippe, déclara-t-elle, ne ressemblait à aucune autre maladie terrestre; on ne pouvait qu'y entrevoir l'une de ces rares interventions de la Providence. Dès que son médecin lui eut permis de mettre le pied dehors, elle se précipita à Green Gables, dévorée par la curiosité, pour mieux reluquer cette orpheline qu'avaient adoptée Matthew et Marilla, et à propos de laquelle couraient à Avonlea tant de bruits et de rumeurs diverses.

[...]

Anne était dans le verger lorsque Mme Rachel arriva; elle se promenait, flânant à sa guise dans l'herbe épaisse et luxuriante illuminée par les rayons rougeoyants du soleil couchant. Notre brave dame eut donc le loisir de décrire à Marilla par le menu chacun des symptômes de sa maladie, mettant un entrain si évident dans le récit de ses douleurs et de ses battements de pouls que son interlocutrice fut persuadée que même la grippe devait avoir ses bons côtés. Lorsqu'elle eut épuisé le sujet, Mme Rachel en vint à la véritable raison de sa visite.

20 — J'ai entendu raconter d'étranges choses à propos de vous et de Matthew.

— Je présume que vous n'êtes guère plus surprise que moi, dit Marilla. J'en reviens à peine moi-même.

— Quel dommage que cette erreur se soit produite[1], compatit Mme Rachel. Et vous n'auriez pas pu la renvoyer ?

25 — Je pense que nous aurions pu, mais nous avons décidé de ne pas le faire. Matthew avait pris la petite en amitié. Et je dois dire que je l'aime bien, quoique je lui reconnaisse des défauts. La maison a déjà une allure différente. C'est une petite créature fort intelligente.

Marilla, lisant sur le visage de Mme Rachel une désapprobation évidente, avait 30 spontanément surenchéri, se risquant même à dépasser sa pensée.

— C'est là une lourde responsabilité dont vous vous êtes chargés, fit Mme Rachel d'une voix morose, étant donné que vous n'avez pas la moindre expérience des enfants. Vous ne savez rien d'elle, ni des tendances qu'elle peut avoir, je présume, et on ne peut guère prévoir comment une telle enfant va tourner. Mais je ne veux pas 35 vous décourager, soyez-en persuadée, Marilla.

— Je ne suis pas du tout découragée, fut la réponse fort sèche de Marilla. Quand je prends une décision, c'est pour de bon. Je suppose que vous aimeriez faire la connaissance d'Anne. Je vais l'appeler.

Anne arriva aussitôt en courant, les yeux bril- 40 lants de tout le plaisir glané au fil de sa promenade dans le verger; mais, décontenancée de se trouver abruptement en présence d'une étrangère, elle s'arrêta, hésitante, près de la porte. C'était, sans nul doute, une petite à l'allure curieuse, dans sa robe 45 de tiretaine, courte et trop étroite, rescapée de l'orphelinat, qui conférait à ses jambes maigres et nues une longueur démesurée. Ses taches de rousseur étaient encore plus nombreuses et évidentes; elle ne portait pas de chapeau et le vent avait décoiffé 50 ses cheveux, les laissant dans un stupéfiant désordre où ils apparaissaient plus roux que jamais.

— Eh bien, ce n'est sûrement pas pour votre apparence qu'on vous a choisie, c'est sûr et certain, commenta pesamment Mme Rachel, qui, personne 55 charmante et populaire au demeurant, se faisait un devoir de toujours dire ce qu'elle pensait sans crainte ni subtilité. Elle est très maigre et très ordinaire, Marilla. Venez donc ici, mon enfant, laissez-moi vous regarder. Doux Jésus, a-t-on jamais vu 60 pareilles taches de rousseur ? Et elle a des cheveux couleur carotte ! Venez ici, mon enfant, allons, venez !

1. Matthew et Marilla attendaient un orphelin pour les aider à la ferme, mais c'est une orpheline, Anne, qui s'est présentée.

Anne s'approcha, mais pas tout à fait comme s'y attendait Mme Rachel. D'un seul bond, elle avait traversé la cuisine, et la voilà qui se dressait devant Mme Rachel, le visage cramoisi, les lèvres tremblant de colère, toute sa petite silhouette grêle emportée par un courroux dévastateur.

— Je vous déteste, s'écria-t-elle, d'une voix coupée par l'émotion, trépignant sur place. Je vous déteste, je vous déteste, je vous déteste, chaque déclaration de rage haineuse s'accompagnant d'un coup de talon supplémentaire sur le plancher. De quel droit dites-vous que je suis maigre et laide ? De quel droit parlez-vous de mes cheveux roux et de mes taches de rousseur ? Vous êtes une bonne femme mal élevée, grossière, insensible !

— Anne ! s'écria Marilla, consternée.

Mais Anne, sans sourciller, continuait de faire face à Mme Rachel, la tête bien droite, les yeux étincelants, les poings serrés, tendue par une indignation passionnée qui roulait autour d'elle comme les éclats d'un orage.

— De quel droit pouvez-vous dire des choses pareilles sur moi ? répéta-t-elle avec véhémence. Vous aimeriez, vous, que l'on dise des choses pareilles sur vous ? Vous aimeriez qu'on vous lance que vous êtes une grosse bonne femme maladroite, sans doute dépourvue de la moindre lueur d'imagination ? Je me moque bien de vous vexer en disant cela ! Je veux que vous soyez vexée. Vous m'avez bien vexée, moi, beaucoup plus que personne ne l'a fait auparavant. Même l'ivrogne de mari de Mme Thomas ne s'en est jamais pris à moi de cette façon. Et je ne vous pardonnerai jamais, vous m'entendez, jamais, jamais !

Et paf ! et vlan ! Coups de talon…

— A-t-on jamais vu pareil caractère ? s'exclama, horrifiée, Mme Rachel.

— Anne, montez dans votre chambre et n'en bougez pas jusqu'à ce que je vienne, émit Marilla, recouvrant péniblement l'usage de la parole.

Anne, fondant en larmes, se précipita jusqu'à la porte du couloir, la claqua derrière elle avec une force telle que les pots d'étain accrochés au mur de la véranda se mirent à s'entrechoquer bruyamment par solidarité; comme un tourbillon, elle traversa le couloir et grimpa l'escalier. Au-dessus, le claquement atténué d'une porte fit comprendre que la porte du pignon avait été refermée avec la même violence.

[…] Ce matin de septembre à l'air vif, Anne et Diana descendaient d'un pas allègre le sentier des bouleaux et semblaient les deux petites filles les plus heureuses d'Avonlea.

— Je parie que Gilbert Blythe sera à l'école aujourd'hui, dit Diana. Il a passé l'été chez ses cousins au Nouveau-Brunswick et il n'est revenu à la maison que samedi soir. Il est *terriblement* beau, Anne. Et il taquine les filles comme ce n'est pas permis. Il nous rend la vie impossible.

Au ton de Diana, on sentait qu'elle ne détestait pas qu'on lui rende ainsi la vie impossible.

— Gilbert Blythe ? demanda Anne. Est-ce que ce n'est pas lui qui a son nom inscrit sur le mur du porche, avec celui de Julia Bell à côté, et un énorme « Prenez note » juste au-dessus ?

— Oui, répondit Diana en hochant la tête, mais je suis persuadée qu'il n'aime pas Julia Bell autant que ça. Je l'ai entendu dire qu'il étudiait les tables de multiplication en lui regardant les taches de rousseur.

— Oh, ne me parle pas de taches de rousseur, supplia Anne. Ce n'est pas très délicat, alors que j'en ai autant. Je pense qu'il n'y a rien de plus stupide que d'écrire des remarques de la sorte sur les murs, à propos des filles et des garçons. J'aimerais bien voir ça, que quelqu'un ose afficher mon nom à côté de celui d'un garçon. Bien sûr, il faut dire, s'empressa-t-elle d'ajouter, qu'il y a peu de chances que ça se produise.

— Tu es bête, dit Diana, dont les yeux noirs et les tresses brillantes troublaient à tel point les cœurs des écoliers d'Avonlea que son nom figurait sur plusieurs porches, dans une demi-douzaine d'annonces publiques. Et ne sois pas trop sûre que ton nom ne sera jamais inscrit nulle part. Charlie Sloane est *follement épris* de toi. Il a dit à sa mère – sa mère, te rends-tu compte – que tu étais la fille la plus intelligente de l'école. C'est encore mieux que d'être belle à regarder.

— Non, je ne suis pas de cet avis, fit Anne, féminine jusque dans l'âme. J'aimerais mieux être belle qu'intelligente. Et je déteste Charlie Sloane. Je ne peux pas supporter un garçon qui roule de gros yeux. Si jamais quiconque inscrivait mon nom quelque part à côté du sien, je ne m'en remettrais *jamais*, Diana Barry. Mais, oui, il faut avouer que c'est agréable d'être la première de la classe.

— À partir de maintenant, tu auras Gilbert dans ta classe, dit Diana, et il a l'habitude d'être le premier de sa classe, cela, je peux te l'affirmer. Il travaille encore sur le quatrième livre, bien qu'il ait presque quatorze ans. Il y a quatre ans son père était 140 malade et a dû se rendre en Alberta pour des raisons de santé; Gilbert l'a accompagné. Ils sont restés là-bas trois ans, et Gil a à peine fréquenté l'école pendant ces années-là. Tu verras, désormais, qu'il sera difficile de demeurer toujours la première, ma pauvre Anne.

— Cela ne me dérange pas, répondit Anne aussitôt. Au fond, je ne me sentirais 145 guère fière d'être la première d'une classe de garçons et de filles de neuf ou dix ans à peine. J'ai eu à me lever, hier, pour épeler «ébullition». Josie Pye était la première, et devine quoi? Elle a regardé dans son livre. M. Phillips ne l'a pas vue – il contemplait Prissy Andrews – mais je l'ai bien vue, moi. Je me suis contentée de lui lancer un regard méprisant et glacial; elle en est devenue rouge comme une pivoine, et, après cela, elle 150 a épelé le mot de travers.

— Ces filles Pye n'arrêtent pas de tricher, fit Diana, indignée, alors qu'elle et Anne escaladaient la barrière à la limite de la grand-route. Gertie Pye, hier, a glissé sa bouteille de lait à la place de la mienne, dans le ruisseau. As-tu déjà vu ça? Depuis, moi, je ne lui parle plus.

155 Lorsque M. Phillips se retrouva au fond de la classe à écouter religieusement le latin de Prissy Andrews, Diana murmura à l'intention d'Anne:

— C'est Gilbert Blythe qui est assis de l'autre côté de l'allée, en face de toi, Anne. Jette-lui un coup d'œil, et dis-moi si tu ne le trouves pas beau.

Anne obéit et le regarda. Elle en avait justement l'occasion, car le dit Gilbert Blythe, 160 avec force concentration, était occupé à épingler sur le dossier du banc la longue

Anne… La maison aux pignons verts est un phénomène littéraire au Japon. C'est sous le titre *Akage no An* (c'est-à-dire *Anne aux cheveux roux* en japonais) que le livre est traduit pour la première fois en 1952. Le Japon est alors peuplé d'orphelins à cause des deux bombes atomiques lâchées sur le pays à la fin de la Seconde Guerre mondiale. L'histoire de cette fillette sans parents, qui trouve enfin l'amour et la compréhension, leur va droit au cœur.

tresse dorée de Ruby Gillis, assise immédiatement devant lui. C'était un grand gars aux cheveux bruns bouclés, aux yeux coquins couleur noisette, et à la bouche relevée par un rictus espiègle. À ce moment précis, Ruby Gillis décidait d'apporter au maître d'école le résultat d'une addition; elle retomba sur son siège avec un petit cri, croyant qu'on lui avait arraché les cheveux. Tout le monde se tourna vers elle et M. Phillips lui lança un regard si sévère que la pauvre Ruby se mit à pleurer. Gilbert, lui, avait fait disparaître l'épingle et, le plus naturellement du monde, feignait d'étudier son histoire. Pourtant, lorsque les choses se furent calmées, il adressa à Anne un clin d'œil d'une irrésistible drôlerie.

— Je pense que ton Gilbert Blythe est *beau*, en effet, confia Anne à Diana, mais je le trouve aussi très effronté. Ce ne sont pas de bonnes manières que de faire un clin d'œil à une fille qu'on ne connaît pas.

Rien de particulier ne se passa avant l'après-midi. M. Phillips était retourné dans le coin pour expliquer à Prissy Andrews un problème d'algèbre, et les écoliers s'en trouvaient livrés à eux-mêmes: ils mangeaient des pommes vertes, échangeaient des murmures, dessinaient sur leur ardoise, et faisaient courir le long de l'allée des attelages de grillons, attachés à des fils. Gilbert Blythe, lui, tentait d'attirer l'attention d'Anne et n'y réussissait guère, car Anne, à ce moment-là, avait complètement oublié non seulement l'existence de Gilbert Blythe et des autres, mais aussi celle de l'école d'Avonlea tout entière. Le menton posé sur les mains, les yeux amarrés à l'extrémité bleue du Lac-aux-Miroirs que l'on pouvait apercevoir par la fenêtre de l'ouest, elle avait gagné un merveilleux pays de rêve, désormais attentive aux merveilles oniriques de ses seules visions.

Gilbert Blythe, lui, n'avait pas l'habitude d'échouer lorsqu'il s'efforçait d'attirer
185 l'attention d'une fille. Elle *devait* le regarder, cette Shirley aux cheveux roux, au petit menton pointu et aux grands yeux qui n'avaient rien de commun avec ceux des autres filles de l'école d'Avonlea.

Gilbert tendit son bras de l'autre côté de l'allée, empoigna l'une des longues tresses rousses d'Anne et la leva à la hauteur de son épaule en lançant d'une voix stridente,

190 — Poils de carotte ! Poils de carotte !

Alors, oui, Anne daigna le regarder, mais de quelle façon !

Elle fit plus que le regarder, d'ailleurs. Elle fut debout en un instant, toute rêverie évanouie. Elle foudroya Gilbert d'un regard brillant de colère et de larmes.

— Détestable, méchant garçon ! s'exclama-t-elle, d'une voix passionnée. Comment
195 osez-vous ?

Et puis – paf ! Anne assena un grand coup d'ardoise sur la tête de Gilbert, la brisant tout net – l'ardoise, non la tête – en deux morceaux.

À l'école d'Avonlea, on appréciait fort les scènes. Celle-ci était particulièrement réjouissante. Tout le monde poussa un « Oh » où se mêlaient l'horreur et la délec-
200 tation. Diana en resta bouche bée. Ruby Gillis, qui avait des tendances hystériques, se mit à pleurer. Tommy Sloane laissa échapper son équipage de grillons et demeura bouche bée, les yeux rivés sur la scène.

M. Phillips descendit l'allée à grands pas et posa une main lourde sur l'épaule d'Anne.

— Anne Shirley, qu'est-ce que cela signifie ? fit-il, en colère.

205 Anne n'avait rien à répondre. C'était trop lui demander, à elle, une petite fille distinguée, que de condescendre à raconter à toute l'école qu'on l'avait appelée « poils de carotte ». Ce fut Gilbert qui, courageusement, expliqua.

— C'est ma faute, M. Phillips. C'est moi qui l'ai provoquée.

Mais M. Phillips ne prêtait aucune attention à Gilbert.

210 — Je n'aime pas voir une de mes élèves s'abandonner ainsi à ses humeurs et faire montre d'un esprit aussi vindicatif, émit-il d'un ton solennel, comme si le simple fait d'appartenir à sa classe eût dû suffire à extirper les mauvaises passions du cœur de tous

ces petits mortels imparfaits. Anne, vous irez vous mettre debout sur l'estrade en avant, devant le tableau noir, et vous y resterez tout l'après-midi.

215 Anne eût infiniment préféré une fessée à une telle punition, qui écorchait sa sensibilité déjà passablement éprouvée. Le visage blême, le regard fixe, elle obéit, M. Phillips prit une craie et écrivit sur le tableau, au-dessus de sa tête: «Ann Shirley[1] a très mauvais caractère. Ann Shirley doit apprendre à maîtriser son mauvais caractère», et puis il lut ces phrases à voix haute, afin que même les petits, en première année, qui ne 220 savaient pas encore lire, fussent en mesure de les comprendre.

Anne demeura debout, l'inscription au-dessus de sa tête, tout le reste de l'après-midi. Elle ne pleura pas, elle ne baissa pas la tête. Le feu que la colère avait allumé en elle la soutint dans son humiliation. Les yeux débordant de ressentiment, les joues rouges du feu de la passion, elle affronta 225 aussi bien le regard sympathique de Diana que les hochements de tête indignés de Charlie Sloane et les sourires malicieux de Josie Pye. Quant à Gilbert Blythe, elle n'eut pas un regard pour lui! Elle ne jetterait 230 *jamais* plus les yeux sur lui! Elle ne lui adresserait plus jamais la parole!

Lucy Maud Montgomery, *Anne... La maison aux pignons verts*, traduit de l'anglais par Henri-Dominique Paratte, Montréal, Éditions Québec/Amérique, 1986, p. 64 à 66 et 104 à 107.

1. M. Philipps orthographie le prénom d'Anne sans «e».

Lucy Maud Montgomery

L'œuvre de la romancière canadienne Lucy Maud Montgomery (1874-1942) a enthousiasmé bien des générations tant la joie de vivre qui se dégage de ses romans est communicative. Grâce à *Anne... La maison aux pignons verts*, Lucy Maud Montgomery a fait découvrir l'Île-du-Prince-Édouard au monde entier.

BLACK BEAUTY

Une nuit, quelques jours après le départ de James, j'avais fini mon dîner et j'étais profondément endormi sur ma paille lorsque je fus soudainement réveillé par la cloche de l'écurie qui sonnait brutalement. J'entendis la porte de la maison de John s'ouvrir, puis le bruit de ses pas qui se dirigeaient vers le château. Il fut de 5 retour en un rien de temps, déverrouilla la porte de ma stalle et s'écria en entrant:

— Allez, réveille-toi, Beauty, c'est le moment ou jamais de montrer de quoi tu es capable!

Avant même que j'aie eu le temps de réaliser ce qui arrivait, il avait fixé la selle sur mon dos, et la bride sur ma tête. Il courut chercher son manteau et me conduisit 10 au grand trot devant la porte du château. Le maître nous attendait, une lampe à la main.

— À présent John, dit-il, hâtez-vous. La vie de votre maîtresse est en jeu, il n'y a pas un instant à perdre. Vous remettrez cette lettre au docteur White puis vous ferez reposer votre cheval et reviendrez aussi vite que vous pourrez!

15 — Oui, monsieur, dit John.

Une seconde plus tard, il était sur mon dos.

Le jardinier, qui vivait dans le pavillon, avait entendu sonner la cloche et tenait la porte ouverte. Nous traversâmes le parc, le village, et descendîmes la colline

jusqu'au péage. John appela d'une voix forte et commença à marteler la porte de
20 coups; l'homme sortit et se dépêcha d'ouvrir la barrière.

— Gardez-la ouverte pour le docteur, dit John, voici l'argent.

Nous étions déjà partis. Devant nous, le long de la rivière, s'étendait un long ruban de route toute droite. John me dit alors:

— Maintenant, Beauty, à toi!

25 Je fis de mon mieux. Cravaches et éperons furent inutiles: pendant deux milles, je galopai aussi vite que mes sabots me le permettaient. Je suis persuadé que même mon grand-père, qui gagna la course de Newmarket, n'aurait pu aller plus vite! Lorsque nous arrivâmes au pont, John me retint un peu et me caressa le cou:

— Bravo Beauty! Tu es une brave bête! dit-il.

30 Il était prêt à me faire ralentir, mais mon ardeur était si vive que je repartis aussi vite qu'avant; l'air était glacé, la lune brillait, cette chevauchée me plaisait. Nous traversâmes un village, puis une sombre forêt. Nous franchîmes une colline et, après une course de huit milles, nous entrâmes dans la ville et nous atteignîmes la place du marché. Rien ne troublait le silence, excepté le martèlement de mes sabots sur

35 les pavés. Tout le monde dormait. L'horloge de l'église sonnait trois heures lorsque nous fûmes à la porte du docteur White. John fit retentir deux fois la sonnette, et frappa ensuite à la porte comme un dément. Une fenêtre s'ouvrit tout à coup et le docteur, un bonnet de nuit sur la tête, apparut:

— Que voulez-vous?

40 — Madame Gordon est très malade, monsieur, et mon maître vous demande de venir immédiatement; il pense qu'elle mourra si vous n'y allez pas. Voici une lettre.

— Attendez, dit le docteur, j'arrive.

Il ferma la fenêtre et réapparut bientôt à la porte.

— Malheureusement, dit-il, mon cheval est sorti toute la journée; il est fourbu. 45 Et mon fils, qu'on vient d'appeler, a pris l'autre. Que faire ? Puis-je me servir de votre cheval ?

— Il vient de galoper pratiquement tout le chemin pour venir ici, monsieur, et j'espérais pouvoir lui donner un peu de repos. Mais s'il n'y a pas d'autre solution, je pense que mon maître n'y trouvera rien à redire.

50 — Très bien, fit le docteur, je serai prêt dans un instant.

John s'approcha de moi et me caressa le cou. J'avais très chaud. Le docteur sortit, muni d'une cravache.

— Vous n'en aurez pas besoin, monsieur, dit John. Black Beauty galopera jusqu'à épuisement, s'il le faut ! Mais prenez-en soin, monsieur, si vous le pouvez; je 55 n'aimerais vraiment pas qu'il lui arrive quelque chose !

— Non, John, non, dit le docteur, espérons-le !

Une minute plus tard, John était déjà loin derrière nous.

Inutile de vous raconter notre retour, si ce n'est que le docteur était plus lourd que John et moins bon cavalier. Je fis cependant de mon mieux. L'homme du péage 60 tenait la barrière ouverte. Arrivé à la colline, le docteur me fit ralentir.

— Maintenant, mon brave ami, reprends un peu ton souffle, me dit-il.

Je lui fus reconnaissant de me le proposer, car j'étais à bout de forces. Ce moment de répit m'aida à poursuivre mon chemin et nous arrivâmes bientôt à la propriété. Joe se tenait à la porte du pavillon et mon maître à celle de la maison, 65 car il nous avait entendus arriver. Il ne prononça pas une parole. Le docteur le suivit à l'intérieur tandis que Joe me conduisait à l'écurie. J'étais content d'être rentré, mes jambes tremblaient et je n'avais plus que la force de me tenir debout et de haleter. Mon corps était couvert de sueur et fumait comme une bouilloire sur le feu [...]. Il me frotta bien les jambes et la poitrine mais, croyant que j'avais déjà assez 70 chaud et que cela ne me plairait pas, il omit de me recouvrir d'une bonne couverture bien chaude. Il me donna ensuite un plein seau d'eau à boire : elle était glacée et me parut délicieuse, aussi vidai-je le seau. Puis il m'apporta du foin et de l'avoine. Enfin, pensant avoir fait ce qu'il fallait, il s'en alla. Rapidement, je commençai à frissonner et à trembler; je sentis une froideur mortelle m'envahir. Mes jambes devinrent 75 douloureuses, ainsi que mes reins et ma poitrine. [...] Ce n'est que bien plus tard dans la nuit que j'entendis la porte s'ouvrir. Je poussai un profond gémissement de souffrance. En une seconde, John était agenouillé à côté de moi. Je ne pouvais pas lui dire comment je me sentais, mais il parut comprendre instantanément. Il me couvrit de deux ou trois couvertures, puis courut chercher de l'eau chaude avec 80 laquelle il me prépara un gruau qu'il me fit boire. Puis je m'endormis.

[…]

J'étais très malade. Une forte inflammation avait saisi mes poumons et je ne pouvais respirer sans souffrir. John me soigna nuit et jour. Il se levait deux ou trois fois par nuit pour venir me voir. Mon maître venait souvent lui aussi me rendre visite.

85 — Mon pauvre Beauty, dit-il un jour, mon bon cheval, tu as sauvé la vie de ta maîtresse. Oui, tu lui as sauvé la vie, Beauty !

Je fus très heureux d'apprendre cette nouvelle. Je me rappelai alors certains propos du docteur : il avait affirmé que si nous avions tardé davantage, il serait arrivé trop tard. John raconta à mon maître qu'il n'avait jamais vu un cheval galoper
90 de la sorte, comme si j'avais su qu'une vie en dépendait. Bien sûr que je le savais, quoi que John pût en penser.

Anna Sewell, *Black Beauty*, traduit de l'anglais par Dominique Boutel, Paris, Gallimard Jeunesse, coll. « Chefs-d'œuvre universels », 2000, p. 73 à 77.

Anna Sewell

Anna Sewell (1820-1877) est une écrivaine anglaise. Paralysée à la suite d'un accident, elle se consacre à l'écriture. Lors de sa publication, le roman *Black Beauty* provoque un scandale, car l'auteure ose y dénoncer les mauvais traitements infligés aux chevaux dans l'Angleterre de l'époque.

LE RAT DE VILLE ET LE RAT DES CHAMPS

Autrefois le Rat de ville
Invita le Rat des champs,
D'une façon fort civile,
4 À des reliefs d'ortolans.

Sur un tapis de Turquie
Le couvert se trouva mis.
Je laisse à penser la vie
8 Que firent ces deux amis.

Le régal fut fort honnête ;
Rien ne manquait au festin :
Mais quelqu'un troubla la fête
12 Pendant qu'ils étaient en train.

À la porte de la salle
Ils entendirent du bruit :
Le Rat de ville détale ;
16 Son camarade le suit.

Le bruit cesse, on se retire :
Rats en campagne aussitôt,
Et le citadin de dire :
20 « Achevons tout notre rôt.

— C'est assez, dit le rustique ;
Demain vous viendrez chez moi.
Ce n'est pas que je me pique
24 De tous vos festins de roi ;

Mais rien ne vient m'interrompre :
Je mange tout à loisir.
Adieu donc : fi du plaisir
28 Que la crainte peut corrompre ! »

Jean de La Fontaine, *Fables*,
Livre 1, Fable 9.

Jean de La Fontaine

Dans les *Fables* de l'écrivain français Jean de La Fontaine (1621-1695), les animaux parlent comme des humains. La conclusion de ces petits récits prend toujours la forme d'une morale à retenir.

Tara Duncan

Dissimulée derrière une grosse botte de foin, Tara retenait sa respiration. Son poursuivant pouvait arriver d'un instant à l'autre.

Un craquement dans la vieille grange l'avertit : il était là. Il était entré ! Elle se blottit un peu plus au milieu de la paille, jugulant avec angoisse un début d'éternuement.

5 Soudain un ricanement sourd la fit sursauter.

— Je sais que tu es là, Tara, fit une voix sinistre. Je *sens* que tu es là ! Je vais *enfin* t'attraper !

Au-dessus de la scène, la pie[1] retint un ricanement narquois. Bien. Elle était aux premières loges pour le dénouement.

10 Celui qui venait de parler n'avait pas encore localisé la jeune fille. Ses vêtements clairs la dissimulaient suffisamment bien pour qu'elle passe inaperçue.

Tara le vit tourner les talons, prêt à renoncer, quand un mulot décida d'escalader sa chaussure gauche. Si la souris émit un discret petit « iiiik » quand elle réalisa que la montagne qu'elle escaladait était vivante, le « Aaaaahhh » de Tara retentit dans toute la 15 grange. Elle jaillit du foin comme un missile... pour tomber droit dans les bras de celui qui était à ses trousses.

1. Oiseau aux étranges pouvoirs, chargé de surveiller Tara.

Se voyant prise au piège, sa réaction fut purement instinctive. L'attaquant s'envola à trois mètres du sol, et resta suspendu dans les airs, la tête en bas, agitant vainement bras et jambes.

20 Un hurlement de protestation jaillit :

— Tara ! Tu avais promis !

— C'est de ta faute, protesta Tara avec une absolue mauvaise foi. Tu m'as fait peur !

— Ben, c'était un peu le but ! chuchota une voix derrière elle, la faisant sursauter.

— Betty ! s'exclama Tara, surprise, ça va pas d'arriver sans prévenir ? J'ai failli faire 25 une crise cardiaque.

La corpulente jeune fille brune sourit. Elle se déplaçait comme un chat, avec une étonnante légèreté pour sa masse.

— Tara ! hurla Fabrice, toujours coincé dans les airs, fais-moi redescendre !

Tara attrapa l'étrange mèche blanche qui tranchait dans la masse de ses cheveux 30 dorés et la mordilla sauvagement.

— Euuuh, le problème c'est que je ne sais pas comment !

— Comment ça, tu ne sais pas comment ! cria Fabrice, paniqué, repoussant ses cheveux blonds qui lui tombaient dans les yeux. Je veux redescendre ! Fais quelque chose !

35 La jeune fille se concentra de toutes ses forces, agita les mains, fronça les sourcils, retint sa respiration, plissa ses yeux bleu foncé et… il ne se passa *rien*.

Betty retenait vaillamment son fou rire naissant, essayant d'envisager toutes les solutions.

Tara se tourna vers elle, complètement paniquée.

40 — Qu'est-ce qu'on va faire ? Je n'arrive même pas à le faire bouger !

Au-dessus d'elle, la pie n'avait plus *du tout* envie de rire. Ses yeux avaient failli lui sortir de la tête quand elle avait vu Tara soulever son adversaire. Par Demiderus, mais la petite avait le *don* ! Aïe aïe aïe. Alors là, les complications s'annonçaient. Et les deux autres avaient l'air parfaitement au courant !

45 Fabrice cessa de gigoter, se contentant de flotter, foudroyant Tara de ses yeux noirs, dont les cils à la longueur inattendue rendaient les filles du petit village de Tagon à moitié hystériques.

— Tara, dit calmement Betty, essaie de te souvenir. Qu'est-ce que tu as ressenti quand tu l'as repoussé ?

50 La jeune fille réfléchit.

— De la peur, de la colère… et un peu d'indignation contre la souris qui m'a confondue avec une botte de foin.

— Bon, s'exclama Fabrice, et si je te dis que tu dois me faire redescendre vite fait parce que sinon tout le monde va découvrir ton don et que tu vas finir comme une grenouille sur une table de dissection, qu'est-ce que tu me réponds ?

— Je te réponds que je n'ai toujours pas la moindre idée de la façon dont je dois m'y prendre, répondit Tara en serrant les dents.

Betty secoua sa tête brune et bouclée et désigna une corde soigneusement enroulée qui pendait à un clou.

— Et si on utilisait cette corde ? Il suffirait de rapprocher Fabrice de la mezzanine. Il n'est pas très loin.

En effet, Fabrice flottait à quelques centimètres du premier étage de la grange, là où les métayers de son père stockaient les sacs de grain.

— Tu as raison, répondit Tara. Essayons de le tirer jusque-là.

Elles attrapèrent la corde et, après plusieurs essais, parvinrent à la lancer à Fabrice qui la noua autour de sa taille. Puis, avec beaucoup de précautions, elles le remorquèrent jusqu'à la mezzanine. À peine eut-il touché le bois qu'il retrouva tout son poids. Ne s'y attendant pas, il manqua de dégringoler. Il descendit à toute vitesse, se planta devant Tara, qui, gênée, mâchouillait énergiquement sa pauvre mèche blanche et s'écria :

— Bon, reprenons au commencement. Qu'est-ce qu'on avait dit au début du jeu ?

— Pas de lévitation, pas de télékinésie, rien du tout, récita Tara sagement.

— Ôte-moi d'un doute. Moi, flottant à trois mètres du sol, c'était quoi ?

— De la lévitation, indéniablement, gloussa Betty.

— Écoute, Tara, reprit Fabrice en essayant de garder un ton raisonnable. Quand tu as découvert que tu étais une sorte de *mutante* et que tu nous en as parlé, on a tous juré de garder le secret. Mais à chaque fois que tu as utilisé ton don, on a eu des problèmes. Comme cette fameuse fois où tu as démoli l'autre grange et bousillé le tracteur.

— C'était pas de ma faute, grommela Tara, et puis c'était toi qui conduisais le tracteur !

— Ouais, et c'est moi qui me suis fait punir. Je veux bien qu'on fasse des tests pour comprendre ce qu'il t'arrive, mais pas quand on joue !

Au bord des larmes, Tara se laissa glisser à terre.

— Je ne sais plus quoi faire ! gémit-elle. Je ne veux pas être différente. Je ne veux pas de ce fichu don, et surtout je ne veux pas faire s'envoler les gens dès que j'ai peur !

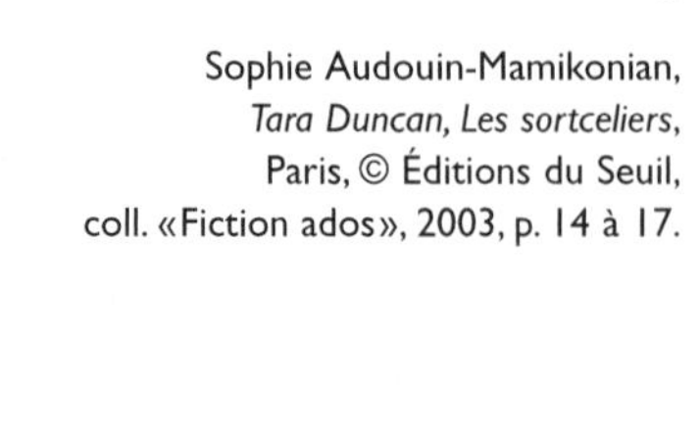

Sophie Audouin-Mamikonian,
Tara Duncan, Les sortceliers,
Paris, © Éditions du Seuil,
coll. « Fiction ados », 2003, p. 14 à 17.

Sophie Audouin-Mamikonian

Sophie Audouin-Mamikonian s'est inspirée de la personnalité de ses deux filles pour créer le personnage de Tara, héroïne intrépide aux pouvoirs magiques.

SALLY LOCKHART

Par une froide et maussade après-midi d'octobre 1872, un fiacre s'arrêta devant les bureaux de Lockhart & Selby, agents maritimes installés au cœur du quartier financier de Londres. Une jeune fille en descendit et paya le cocher.

C'était une personne d'environ seize ans, seule et d'une beauté rare. Mince et pâle, elle portait un costume de deuil, avec un bonnet noir, sous lequel elle coinça une mèche blonde que le vent avait détachée de sa chevelure. Elle avait des yeux marron, étonnamment foncés pour quelqu'un d'aussi blond. [...]

Elle demeura un instant immobile devant le bâtiment, puis gravit les trois marches du perron et entra. Un couloir sombre s'ouvrait devant elle, et sur la droite se trouvait le bureau du concierge, où un vieil homme assis devant un feu de cheminée lisait un magazine à sensation. Lorsque Sally frappa au carreau, le vieil homme se redressa, l'air coupable, et laissa tomber le magazine à côté de son fauteuil.

— J'vous demande pardon, miss. J'vous avais pas vue entrer.

— Je viens voir M. Selby. Mais il n'est pas prévenu de ma visite.

— Votre nom, s'il vous plaît, miss ?

— Je m'appelle Lockhart. Mon père était... M. Lockhart.

Le concierge se montra aussitôt plus chaleureux.

— Miss Sally, c'est ça ? Vous êtes déjà venue ici !

— Ah bon ? Désolée, je ne m'en souviens pas...

— Oh, ça remonte à au moins dix ans. Vous vous étiez assise devant ma cheminée, avec un biscuit au gingembre, et vous m'avez parlé de votre poney. Vous avez déjà oublié ? Oh, mon Dieu... j'étais bien triste en apprenant ce qui est arrivé à votre père, miss. Quel drame affreux, ce bateau qui coule, comme ça. Votre père était un vrai gentleman, miss.

— Oui... merci. C'est en partie au sujet de mon père que je suis venue. M. Selby est ici ? Pourrais-je le voir ?

— Ah, j'ai peur qu'il soye pas là, miss. Il est parti sur le quai des Antilles, pour ses affaires. Mais M. Higgs est ici, c'est le secrétaire-comptable de la société, miss. Il sera ravi de vous recevoir.

50 — Merci. Je vais aller le voir, dans ce cas.

Le concierge appuya sur une sonnette et un jeune garçon apparut, semblable à la matérialisation soudaine de toute la crasse qui flottait dans l'air de Cheapside. Sa veste était déchirée à trois 55 endroits, son col s'était détaché de sa chemise et l'on aurait dit que ses cheveux avaient servi à une expérience sur les pouvoirs de l'électricité.

— Ouais, c'est pourquoi ? demanda cette apparition qui se prénommait Jim.

60 — Sois donc un peu plus poli, dit le concierge. Conduis cette jeune personne chez M. Higgs, et vite fait ! C'est Miss Lockhart !

[...]

— Le patron, c'était votre père ? lui demanda-65 t-il alors qu'ils gravissaient les marches.

— Oui.

Elle aurait voulu en dire plus, mais elle ne trouvait pas les mots.

— C'était un chic type.

70 Cette réflexion était une marque de sympathie, se dit-elle, et elle en fut reconnaissante à Jim.

[…] il poussa le battant et lança :

— Y a une dame qui vient voir M. Higgs. Elle
75 s'appelle Miss Lockhart.

Sally entra et la porte se referma derrière elle. La pièce était envahie par la fumée de cigare et il y régnait une atmosphère faite de cuir ciré, d'acajou, d'encriers en argent, de tiroirs aux
80 poignées de cuivre et de presse-papiers en verre. Un homme corpulent, à l'autre bout de la pièce, essayait de rouler une grande carte murale; l'effort le faisait transpirer. Son crâne luisait, ses chaussures luisaient, sa lourde montre de
85 gousset en or, posée sur sa panse et frappée d'un sceau maçonnique, luisait; son visage luisant de sueur était rougi par l'abus du vin et de la bonne chère.

Ayant achevé sa besogne, il tourna la tête. Son
90 expression se fit solennelle et pieuse.

— Miss Lockhart ? Fille du regretté Matthew Lockhart ?

— Oui, répondit Sally.

Il écarta les bras.

95 — Ma chère Miss Lockhart, je ne peux vous dire à quel point je suis désolé, sincèrement désolé, et combien nous l'étions tous en apprenant la nouvelle de la perte qui vous frappe. Monsieur votre père était un homme bien, un
100 employeur généreux, un gentleman fort chrétien, un vaillant soldat, un… euh, c'est une grande perte, oui, une triste et tragique perte.

Sally baissa la tête.

— Vous êtes très aimable, dit-elle. Mais
105 pourrais-je vous poser une question ?

— Évidemment, ma chère !

Higgs était devenu soudain beaucoup plus expansif et affable. Il avança une chaise pour Sally et planta sa large carrure devant la chemi-
110 née, avec un grand sourire d'oncle bienveillant.

— Je ferai tout ce qui est en mon pouvoir, je peux vous l'assurer ! dit-il.

— En fait, je ne viens pas réclamer quoi que ce soit… c'est plus simple que ça. C'est juste
115 que… Mon père vous avait-il parlé d'un certain M. Marchbanks ? Connaissez-vous quelqu'un portant ce nom ?

Higgs sembla réfléchir intensément.

— Marchbanks… Marchbanks… Il y a un
120 shipchandler à Rotherhithe qui s'appelle comme ça, mais ça s'écrit Mar-jo-ri-banks. Est-ce que ça

pourrait être lui ? En tout cas, je ne me souviens pas que votre pauvre père ait jamais traité des affaires avec cet homme.

125 — C'est possible, dit Sally. Connaissez-vous son adresse ?

— Quai de Tasmanie, je crois.

— Merci. Juste une dernière chose. Ça va sans doute vous paraître idiot... Je ne devrais pas vous
130 ennuyer avec ça, mais...

— Ma chère Miss Lockhart, tout ce qui peut être fait, sera fait. Dites-moi seulement comment je peux vous aider.

— Eh bien... avez-vous déjà entendu parler
135 des *Sept Bénédictions* ?

C'est alors qu'une chose extraordinaire se produisit.

M. Higgs était un homme corpulent et bien nourri, comme nous l'avons remarqué, et peut-
140 être fut-ce l'abus de porto et de cigares cubains accompagnant de copieux dîners, plus que les paroles prononcées par Sally, qui le fit suffoquer. Il fit un pas en avant, son visage vira au violet, ses mains agrippèrent son gilet et il s'écroula avec
145 fracas sur le tapis turc. [...]

Elle ne bougea pas. Elle ne hurla pas et ne s'évanouit pas davantage; elle se contenta de soulever le bas de sa robe qui frottait contre le crâne lisse et brillant et elle respira profondé-
150 ment, plusieurs fois, en gardant les yeux fermés. C'était son père qui lui avait enseigné ce remède contre la panique. Et c'était efficace.

Ayant retrouvé son calme, Sally se leva lentement et s'écarta du corps. Son esprit était trou-
155 blé, mais ses mains ne tremblaient pas du tout. « Tant mieux, se dit-elle. Même quand j'ai peur, je peux compter sur mes mains. »

Philip Pullman, *La malédiction du rubis*, traduit de l'anglais par Jean Esch, © Philip Pullman, 1985, © Éditions Gallimard Jeunesse, coll. « Folio junior », 2003, pour la traduction française, p. 7 à 14.

Philip Pullman

Philip Pullman est né en Angleterre en 1946. Dès son jeune âge, il est passionné par les contes. Il sait très vite qu'il veut devenir écrivain. La plupart de ses livres sont destinés aux jeunes et mettent en scène des héros et des héroïnes aux fortes personnalités.

Amos Daragon

— J'espère que tu as un plan…, lança un peu nerveusement Béorf. Quand nous entrerons dans ce passage, il sera difficile de reculer.

— Je sais. J'ai quelque chose derrière la tête !

— OUF !… fit le gros garçon. Je me disais aussi…

5 Les deux compagnons entrèrent dans le tunnel. Le long couloir avait probablement été creusé par une ancienne rivière souterraine. Béorf sortit une lampe à huile de son sac et Amos l'alluma en claquant des doigts. Posséder des pouvoirs sur le feu avait certains avantages, dont celui d'allumer n'importe quoi en un clin d'œil.

Les parois rocheuses étaient parfaitement polies et le sol, jonché de petites pierres 10 rondes. Les garçons marchaient en prenant bien soin de ne pas attirer l'attention.

[…]

Les deux amis débouchèrent en bas de l'escalier directement en face du dragon. Devant la taille de la créature, ils se figèrent net, le souffle coupé par l'émotion. La bête était couchée sur un incroyable amoncellement de richesses. C'était un trésor 15 gigantesque ! Tout ce que les bonnets-rouges avaient volé au cours de leurs attaques était rassemblé dans cette grotte. […]

L'immense dragon de couleur dorée avait une peau rugueuse couverte d'écailles et quatre pattes munies de serres ressemblant à celles de l'aigle. Une longue queue serpentine, une gueule reptilienne couronnée d'une paire de cornes, des ailes évo- 20 quant celles de la chauve-souris et des grandes dents effilées complétaient le portrait de la terrible créature. Plusieurs cadavres de gobelins gisaient un peu partout dans la grotte en se décomposant lentement. Une odeur de soufre et de pourriture empestait les lieux.

Ragnarök ouvrit un œil et vit, juste devant lui, le jeune Amos Daragon et son 25 compagnon béorite[1]. Le dragon se déplaça lentement et dit d'une voix à faire trembler la terre sur des lieues à la ronde :

— JE T'ATTENDAIS… Regarde devant toi le nouveau roi du monde et prosterne-toi devant sa grandeur. As-tu peur de la mort, jeune inconscient ?

— Pourquoi craindrais-je une chose que je ne connais pas et qui, une fois sur- 30 venue, ne me concernera plus ?

1. Béorf appartient au peuple béorite.

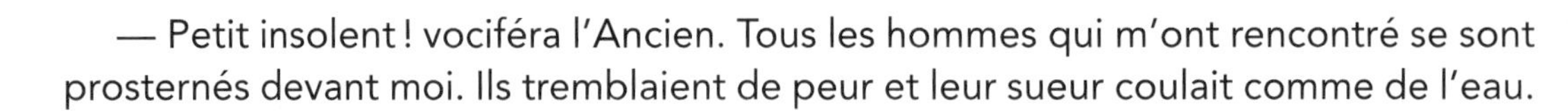

— Petit insolent ! vociféra l'Ancien. Tous les hommes qui m'ont rencontré se sont prosternés devant moi. Ils tremblaient de peur et leur sueur coulait comme de l'eau.

— Mais, moi aussi, je tremble de peur..., fit Amos en jouant l'excès de bravoure, mon âme tremble si fort que ma sueur n'ose même pas sortir.

— Tu sais ce qui t'attend ?

— Et toi, le sais-tu ? riposta agressivement le porteur de masques. Je suis ici pour faire un marché avec toi !

— Tu te crois en position de négocier quelque chose ? lança l'arrogante créature. Tu ne peux rien contre moi et tes pouvoirs sont limités !

— Eh bien, dans ce cas..., dit nonchalamment le garçon, mon ami et moi allons partir ! Tu n'auras qu'à m'appeler si tu veux me revoir ! Je ne te dis pas mon nom, car je sais que tu le connais ! C'est bête que je parte ainsi, car j'avais beaucoup d'or pour toi !

Amos s'enroula d'un coup dans sa cape orange. Aux yeux du dragon, il venait de disparaître. Une seconde après, Béorf s'évaporait à son tour. L'Ancien, complètement ahuri par la disparition des garçons, demeura bouche bée.

La bête regarda partout autour d'elle sans rien voir. Elle avait beau chercher, Amos avait bel et bien disparu ! Pourtant, le jeune porteur de masques et son ami étaient juste devant ses yeux.

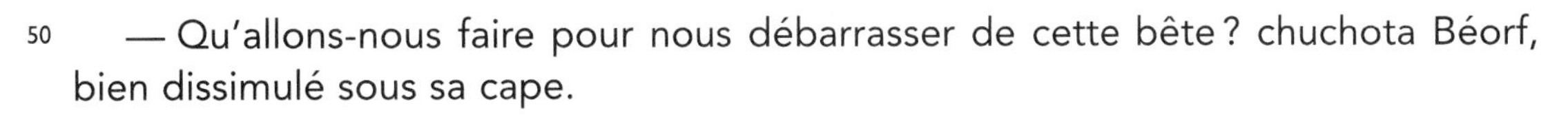

— Qu'allons-nous faire pour nous débarrasser de cette bête? chuchota Béorf, bien dissimulé sous sa cape.

— Je pense que je contrôle bien la situation, murmura Amos. Je dois lui laisser croire que mes pouvoirs sont très grands. Je veux lui tenir tête pour le forcer à accepter un présent... Je veux avoir sa confiance et son respect!

— OÙ ES-TU? hurla le dragon. Où te caches-tu?

— Tu m'as appelé? demanda tranquillement Amos en se dévêtant d'un coup de sa cape.

— Mais comment peux-tu apparaître dans mon repaire, selon ta volonté, et ce, sans que je puisse rien y faire? lança anxieusement la bête de feu.

— Disons simplement qu'il y a des choses que tu n'es pas en mesure de comprendre! rétorqua Amos en espérant que son plan fonctionne.

— Tu me nargues? fulmina le dragon.

— Calme-toi et ne te fâche pas! fit posément le garçon. Je peux faire apparaître dans ton repaire tout ce que je veux... et s'il me prend la fantaisie de faire jaillir, disons, un ours du néant, eh bien... je le fais!

Béorf eut la présence d'esprit de se transformer en ours et de retirer sa cape au moment précis où Amos désirait le voir apparaître. Le dragon eut un mouvement de recul. Repensant aux avertissements du baron Samedi, il commençait à craindre sérieusement le garçon. L'Ancien, si gros et si puissant, ne se doutait pas de la supercherie qui se jouait juste sous son nez. La bête de feu se fiait aux apparences et la peur gagnait du terrain sur sa confiance.

— Disparais, ours! s'écria Amos.

Béorf se volatilisa aussi sec.

— Comprends-tu ce que cela veut dire, dragon? demanda le garçon.

— Je commence à comprendre..., dit lentement la bête de feu en reculant encore d'un pas.

— Cela veut dire que, si l'envie m'en prend, je peux te faire disparaître! lança Amos en avançant vers son adversaire. Par ma seule volonté, je te renvoie au néant! Heureusement pour toi, je ne suis pas méchant et j'aime bien la race des Anciens. Pour cela, je t'épargne la vie et te fais un cadeau. Je t'ai dit, avant de disparaître tout à l'heure, que j'avais beaucoup d'or à te donner, eh bien, c'est vrai!

— Tu feras apparaître de l'or ici?

— Mais oui! répondit Amos le plus naturellement du monde. En doutes-tu?

— Non... non, je... je ne doute pas..., balbutia l'Ancien, dépassé par les événements.

Amos sortit alors une pièce de sa poche. Il s'agissait de la pièce d'or du duc De VerBouc. Le duc, maudit par le diable, leur avait donné une lettre où il était clairement écrit: «Soyez sans crainte, cette pièce n'est pas maudite. Elle saura vous guider vers moi si, un jour, vous désirez me revoir.»

90 Le jeune porteur de masques joua alors le tout pour le tout. Il lança la pièce en l'air et dit à haute voix :

— Guide-moi jusqu'au trésor des De VerBouc !

La pièce tomba par terre et se mit à rouler en direction d'une des parois de la caverne. Lorsqu'elle toucha le mur de pierre, apparut une grande porte qui s'ouvrit 95 aussitôt. La moitié de la grotte s'effaça alors pour laisser place à un magnifique paysage. Le dragon, médusé par ce miracle, vit une forteresse se former sous ses yeux, de l'autre côté de la paroi rocheuse. C'était un petit château de pierre d'où s'élevait une haute tour en mauvais état. Un large fossé, celui où Béorf était tombé, entourait la résidence à laquelle on accédait par une passerelle de bois à l'allure 100 fragile.

— Ta magie est puissante, jeune garçon..., s'étonna la bête de feu. On m'avait averti, mais je ne l'avais pas cru !

— Tu n'as encore rien vu ! assura Amos d'un air narquois, trop content de l'effet que la pièce avait produit. Dans le fossé, juste là, sous la passerelle de bois, il y a un 105 somptueux trésor. Il est à toi ! Prends-le, jusqu'à la dernière pièce.

Béorf, redevenu humain et caché par sa cape, eut un sourire de contentement. Amos venait de condamner le dragon à mort [...].

Bryan Perro, *Amos Daragon, le crépuscule des dieux*, Montréal, Les Éditions des Intouchables, 2003, p. 199 à 208.

Bryan Perro

Né en 1968 à Shawinigan, Bryan Perro, comédien de formation, se définit d'abord et avant tout comme un conteur. Les personnages qu'il invente et les intrigues qu'il crée sont pour lui une manière d'oublier le quotidien.

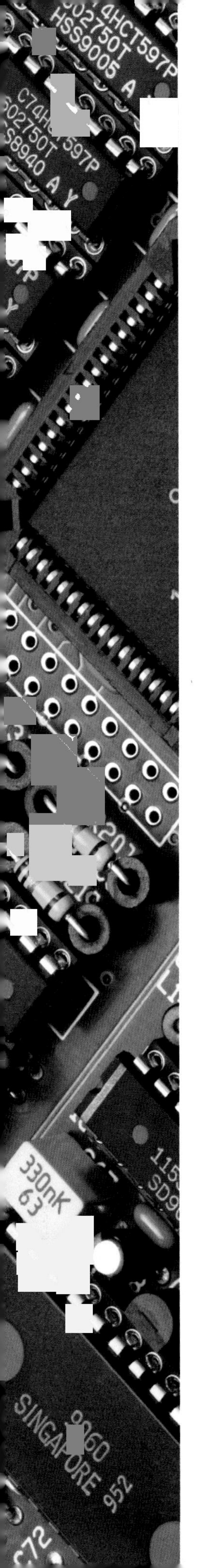

LA ROBOTE

Lewis allongea son museau sur ses pattes et poussa un profond soupir.

— Va faire un tour, suggéra Pélagie.

Lewis cligna des yeux et bâilla à pleines mâchoires. Pélagie ajusta sa coiffe de dentelle et tira sur son tablier.

— Je ne peux pas t'accompagner. Tu devrais pourtant le comprendre, ma puce craint l'humidité. Elle ajouta, d'un ton sagace : Si je tombais en panne, qui te donnerait à manger ?

Son regard parcourut la pièce où le jour baissait doucement. Tout était en ordre parfait. Pas la moindre poussière sur le bureau du maître.

— S'il revenait…, commença la robote.

Le chien gronda, l'œil entrouvert.

— Oui, oui, dit Pélagie, je sais bien que tu n'y crois pas. Mais tout de même, s'il revenait… ?

Le chien changea de place pour briser la conversation. Il bomba son échine, creusa le ventre et se gratta avec une sorte de furie.

[…]

Pélagie s'arrêta auprès du grand fauteuil de cuir dont elle tapota les coussins râpés. Sur un guéridon bas, deux pipes de bruyère reposaient dans un cendrier. Un pot de marbre blanc contenait du tabac en vrac et voisinait avec un livre que le maître lisait souvent. L'image de la couverture représentait une fillette aux cheveux longs, un lapin blanc en redingote, un chat rayé qui souriait.

[…]

Elle se laissa tomber dans le fauteuil de cuir qui gémit un peu sous son poids. Elle posa ses bras sur les accoudoirs, des bras métalliques et articulés qui sortaient de son corps sphérique, pareils, avec leurs pinces, à des pattes de crustacés. Elle allongea ses pieds montés sur des ressorts et tendit ses chaussons à la chaleur du foyer.

Lewis émit entre ses crocs une sourde protestation.

— Oui, oui, je sais ! dit Pélagie. Tu n'aimes pas que je prenne sa place. Mais tu 35 comprends, j'ai l'impression…

Une sonnerie l'interrompit, insistante et impérative. Elle se dressa si brusquement qu'elle renversa le guéridon, les pipes roulèrent sur le tapis, le tabac s'échappa du pot, les allumettes voltigèrent, le livre s'ouvrit de lui-même à la page si souvent lue.

— Qui que ça peut-être, à cette heure ! dit Pélagie tout affolée.

40 […]

— On y va ! cria Pélagie.

Elle s'élança vers la cuisine où le visiophone était installé. Quand il travaillait sur ses manuscrits, le maître n'aimait guère à être dérangé. La robote avait appris à se servir de l'appareil, et à observer des consignes strictes pour protéger la tranquillité du 45 poète.

— Oui, on y va ! répéta-t-elle en se hâtant sur ses gros pieds.

Et, tout soudain, elle s'arrêta. Un espoir fou venait de naître dans les profondeurs de ses transistors.

Et si c'était LUI ? pensa-t-elle en fléchissant sur ses ressorts enrobés de grosses 50 chaussettes.

[…]

— Allô ! oui ! hurlait Pélagie. Répondez-moi, je suis branchée ! Allô ! allô ! je vous écoute… !

Enfin, l'écran s'illumina. Un homme, d'âge moyen, vêtu d'un strict costume gris, 55 apparut en trois dimensions dans un décor ultramoderne.

— J'ai failli attendre ! dit-il sèchement.

— C'est que, balbutia Pélagie, j'ai renversé le guéridon et puis ensuite, je croyais…

— Appelez-moi Maître, dit l'homme en gris. Et répondez à mes questions.

— À vos ordres, dit Pélagie.

60 L'homme en gris fronça les sourcils et consulta un autre écran.

— Vous êtes bien la robestique N° 72-84-26-38, catégorie C', dite «bonne à tout faire», de BARENTON 65 Merlin, romancier et poète, disparu le 1er novembre de cette année 2024 ?

— Oui, c'est bien moi, dit Pélagie. Si vous voulez mon opinion…

— Répondez par oui, ou par non. 70 Votre adresse est bien la suivante : «La Maison du Passage» – Réserve forestière – Lot 2707 – District S.O.F. – Code d'appel : 24-05-18 ?

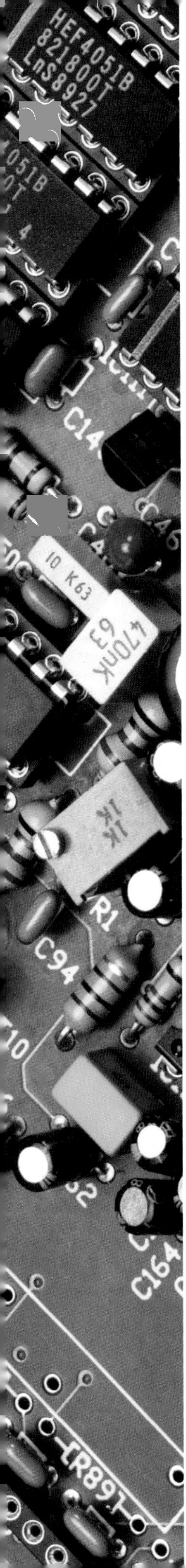

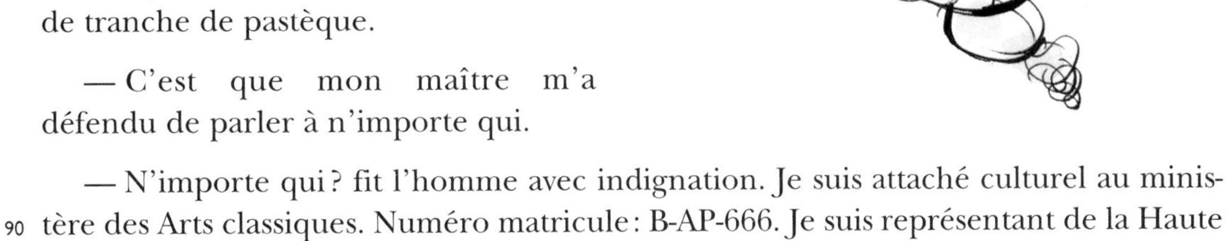

— Oui, c'est ça notre adresse, reconnut Pélagie.

— Vous êtes la seule robestique ?

— Dame oui, dit-elle, pour vous servir. Et vous, sauf votre respect, qui c'est-il que vous êtes ?

L'homme en gris eut un haut-le-corps. Ses doigts rajustèrent sa cravate et il rejeta sa tête en arrière avec une moue de dédain.

— C'est moi qui pose les questions.

Pélagie eut un bon sourire en forme de tranche de pastèque.

— C'est que mon maître m'a défendu de parler à n'importe qui.

— N'importe qui ? fit l'homme avec indignation. Je suis attaché culturel au ministère des Arts classiques. Numéro matricule : B-AP-666. Je suis représentant de la Haute administration.

— Enchantée ! mentit Pélagie. Et c'est au sujet de quoi t'est-ce ?

Le sourcil gauche de l'homme en gris dessina sur son front un curieux accent circonflexe. Il paraissait au comble de la stupéfaction. Comment un écrivain célèbre, certainement riche à millions, avait-il pu se contenter d'une pareille robestique ? Un modèle dépassé, du début des années 2000, dont l'aspect ridicule et le manque évident de style portaient ombrage à son standing !

Un original ! pensa-t-il.

Il décida d'être patient et remit son sourcil en place. D'une voix uniforme, il posa une autre question :

— Vous êtes seule au domicile ? Pas d'héritiers ? Pas de visites ?

— Ah ! bien trop seule ! dit Pélagie. Depuis que le maître est… parti, même les fournisseurs ne se dérangent plus. Heureusement, j'avais des provisions pour la nourriture de Lewis. Comme il a perdu l'appétit…

— Lewis ? demanda l'homme au sourcil éloquent.

— C'est notre chien, dit Pélagie.

— Vous voulez dire : votre gardien ? Un canigile électronique ?

— Un canigile ? je connais pas. C'est un vrai toutou en chair et en os. Surtout en os, hélas, depuis que notre maître…

L'homme eut un sursaut de dégoût.

— Bourré de puces, j'imagine ?

— Bourré de QUOI ? s'indigna Pélagie. Ma puce à moi est programmée pour son brossage quotidien. En ce moment, il perd ses poils. C'est la saison, bien sûr, mais c'est aussi parce qu'il est triste. Il croit que le maître ne reviendra plus.

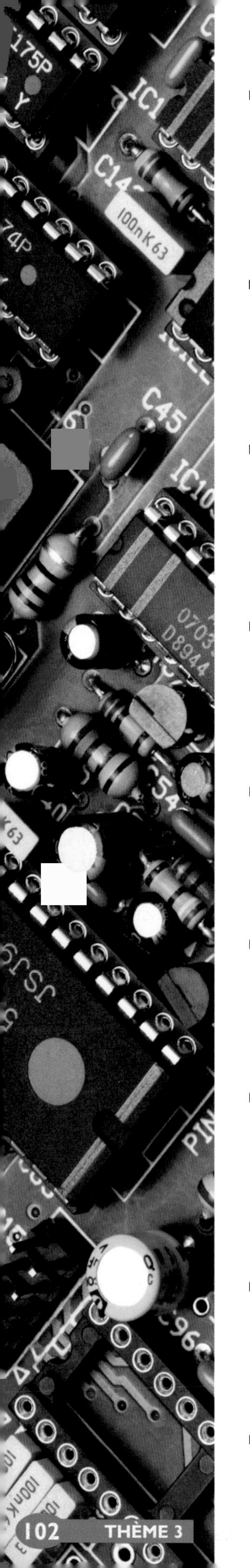

115 — C'est un point de vue raisonnable. Le nommé Barenton Merlin n'a aucune chance, à mon avis, de regagner son domicile.

— Et pourquoi cela, je vous prie ?

— Parce qu'il est mort, naturellement.

Pélagie serra fortement ses pinces et ferma ses petits yeux ronds.

120 — Il n'est point mort, affirma-t-elle, il a seulement disparu.

B-AP-666 la regarda avec froideur.

— J'ai, sur mon terminal, le dernier rapport de police. Tous les enquêteurs sont formels: le nommé Barenton Merlin s'est égaré dans la réserve forestière au cours d'une nuit de brouillard. Les entreteneurs de nature découvriront son corps un jour 125 ou l'autre, si les loups protégés en ont laissé quelques débris.

Pélagie remua la tête.

— Mon maître ne s'est pas perdu. Il connaissait par cœur tous les sentiers de la forêt.

— Il peut avoir eu un malaise. Il peut encore s'être pendu. Ou bien noyé dans le 130 Gouffre Sans Fond qui est porté sur le cadastre… Il consulta son terminal. … À la rubrique RF-GSF-524.

— Des robots-grenouilles l'ont fouillé.

— Mais en vain, je vous le rappelle. Il ajouta, pinçant les lèvres: La police n'écarte pas l'hypothèse d'une mort volontaire, d'un… suicide disait-on jadis. Votre maître était 135 dépressif et refusait de se soigner. Les enquêteurs n'ont pas trouvé dans son armoire pharmaceutique la moindre gélule euphorique, le plus banal de nos cachets tranquillisants. Je vois qu'il avait également refusé une cure de rajeunissement. Il était au bout de ses forces et l'échec de son dernier livre, fort malmené par les critiques, l'aura poussé au désespoir.

140 — Quelle ânerie ! s'écria Pélagie. Il se moquait bien des critiques, il était rassasié de gloire et il me disait quelquefois: « Sais-tu à quoi je rêve, ma bonne Pélagie ? Je voudrais trouver un PASSAGE pour aller dans une autre vie, où tout serait pareil et cependant bien différent. Là, je referais tous mes livres et je les conduirais jusqu'à l'ultime perfection. »

145 Et comme l'homme en gris pianotait avec impatience, elle ajouta en soupirant:

— Il me disait aussi: « Il me faut trouver mon propre MIROIR. »

L'homme abandonna son clavier et souleva ses deux sourcils.

— Osez-vous prétendre qu'il est… ?

— DE L'AUTRE CÔTÉ DE LA VIE ! dit Pélagie avec élan. Dans le pays d'Alice, le 150 Pays des Merveilles. Et si je savais comment on s'y rend…

L'homme en gris en resta sans voix. Il passa sur son front une main qui tremblait. Était-ce possible que l'on pût encore croire à de pareilles fariboles ? Un AUTRE côté de la vie ? Un MIROIR qu'il faut TRAVERSER ? Doux Créateur ! quelle ironie ! Alors que notre Galaxie est sillonnée dans tous les azimuts par des fusitrains sidéraux. Et que 155 l'on n'a jamais trouvé la moindre trace, la moindre preuve d'un Au-Delà qui ne soit pas…

Il balaya d'un geste ces pensées qui le dégradaient. Il regarda autour de lui, cherchant un réconfort dans la brillance rationnelle de son impeccable bureau et dans la splendeur de ses plantes vertes synthétiques, en chlorophyllum expansé.

160 [...]

— Demain, reprit l'homme d'une voix coupante, demain à six heures quarante-huit minutes, un hélicam du ministère déposera sur le lot 707 une équipe de bricoleurs attachés au Service de la restauration. Monsieur le Ministre a décidé de créer un Musée du livre dépassé dans l'antique demeure de maître Barenton. Dès que 165 l'hélicam sera vide, le robot-pilote viendra vous chercher. Vous êtes affectée au Musée des horreurs, section des robestiques de la première génération.

Et comme Pélagie ouvrait sa bouche métallique, il la coupa brutalement:

— Un mot... Un mot de plus et vous sortez de mon listing. Plus de musée, plus rien. Vous serez expédiée à la Grande fabrique. Les broyeurs vous feront PASSER dans l'au-170 delà des ferrailleurs.

— Mais c'est impossible! cria Pélagie. Maître Barenton n'a qu'à revenir! Que ferait-il, le pauvre, s'il trouvait sa maison déserte ou transformée en...

— À la casse ! dit l'homme en gris. À la casse dé-fi-ni-ti-ve pour insolence et rébellion.

— Et Lewis ? hurla Pélagie.

175 — Les équarrisseurs s'en occuperont.

— Et c'est quoi les équ... ?

Mais soudain, l'écran devint vide, puis terne et gris comme un œil mort.

— Tout est fini, alors ? murmura la robote.

Elle pivota sur ses gros pieds et elle traversa la cuisine. La nuit tombait et le bureau 180 du maître était plongé dans la pénombre. Un vent chargé de pluie soulevait les rideaux qui battaient contre la fenêtre, lents fantômes de mousseline. Des senteurs de jardin, de sève et de forêt se mêlaient à l'odeur des bûches qui, doucement, se consumaient.

Lewis dormait d'un sommeil agité, avec des grondements, des simulacres de galop.
185 Pélagie restait immobile, fascinée par ses mouvements.

— Il voit le maître en rêve, estima-t-elle avec envie. Quelle chance de pouvoir dormir ! Moi, je n'ai plus que des photos.

Elle ouvrit un tiroir où le maître rangeait les portraits qu'on lui demandait autrefois pour les émissions littéraires ou les articles de journaux. Le plus récent avait au
190 moins dix ans. Les longs cheveux et la barbiche du poète n'étaient encore que grisonnants. Mais les yeux n'avaient pas changé : le regard jaillissait de la photographie. On aurait juré qu'elle allait parler.

— Ô bon Maître ! dit Pélagie. ILS vont m'écrabouiller et ILS tueront votre Lewis. Faites quelque chose, pour l'amour de nous !

195 Alors, les lèvres du portrait esquissèrent un faible sourire et Pélagie entendit dans sa puce une voix lointaine et très douce :

— Rendez-vous au Gouffre Sans Fond.

— Maître… ô Maître ! s'écria-t-elle.

Mais elle ne tenait dans sa pince qu'une image muette et figée dont le regard
200 semblait lui dire : « Je ne peux parler davantage, j'espère que tu m'as bien compris ? »

— Oui, j'ai compris, répondit-elle, vous êtes PASSÉ dans le Gouffre et je vais réveiller Lewis. Attendez-nous… attendez-nous !

Claude Cénac, *Les robestiques*,
Paris, Éditions Milan, 1990, p. 157 à 173.

Claude Cénac

Née en 1924 en France, Claude Cénac écrit pour les jeunes des romans historiques, fantastiques, humoristiques et de science-fiction.

Œil de Loup

Novembre (?) 1659

Je marquais mon passage tout en avançant, de la façon apprise des bûcherons et des charbonniers, par des entailles et en courbant des branches. Les bois étaient très silencieux, ce matin, d'un calme peu naturel. J'ai senti de nouveau les picotements sur ma peau. Je suis restée longtemps immobile, étudiant chaque endroit du regard, les imprimant dans ma mémoire, attentive au plus petit changement, comme Geai[1] me l'a appris. Mais, quand le cri rauque est sorti d'un buisson presque en face de moi, il m'a fait sursauter.

Il en est sorti en riant, et les oiseaux lui ont rendu son rire.

— Il faut regarder tout près, aussi bien qu'au loin. Mon grand-père veut te voir. Viens.

[...]

Geai montait de côté, m'indiquant de le suivre sur une plate-forme rocheuse. L'eau tombait comme un rideau de cristal. Nous étions derrière la cascade, maintenant. L'air était humide et froid, la roche mouillée et glissante, mais assez large pour qu'on puisse marcher dessus aisément. Nous l'avons longée jusqu'au moment où nous nous sommes trouvés devant une profonde cavité. Geai s'est avancé dans l'obscurité. Nous étions arrivés dans une grotte.

1. Geai est l'ami amérindien de l'héroïne.

L'intérieur était faiblement éclairé. La lumière filtrait à travers l'écran d'eau, jouant sur les murs, créant des ombres tremblantes. On se serait cru dans une caverne sous la mer.

[...]

— C'est un lieu très spécial pour mon peuple.

En vérité, la caverne était comme une cathédrale. Les murs, d'un gris pâle, s'élevaient en formant comme de hauts rideaux plissés entre de délicates colonnes voûtées qui ne devaient rien à la main de l'homme.

— Tout reste toujours pareil, ici, hiver comme été.

Il a remué le feu.

— Nous sommes abrités du vent et de la neige. La grotte ouvre au sud, de sorte qu'elle reçoit tout le soleil dès qu'il y en a, et elle est tellement haute qu'un feu ne peut s'y détecter d'en bas. La fumée s'élève, en s'échappant dans les salles où l'homme ne peut pas la voir. Parfois, un ours se trompe et pénètre jusqu'ici, mais dès qu'il voit que la place est prise, il s'en va. Nous avons ce dont nous avons besoin pour rester là tout l'hiver.

J'ai fait d'un coup d'œil le tour de la grotte. Il y avait des lits de fougères moelleuses et de mousses douces, recouverts d'épaisses fourrures. Des paniers et des pots d'argile étaient alignés le long des parois. Mais il ne semblait y avoir personne. Pas de trace de son grand-père.

Comme pour répondre à mes pensées, le vieil homme est sorti de l'ombre.

Il a parlé dans sa langue et le garçon lui a répondu:

«Je l'ai amenée.»

Le vieil homme a dit quelque chose. Peut-être un nom, mais que je serais bien en peine de transcrire sur papier.

— Que dit-il?

— C'est le nom qu'il te donne. *Mahigan Shkiizhig.* «Œil de Loup.»

— Pourquoi m'appelle-t-il ainsi?

— Pourquoi? Parce que, tout comme mon rire ressemble au cri du geai et que j'aime porter des choses de couleurs vives, tout comme mon grand-père est «Aigle Blanc» à cause de ses cheveux et de la plume qu'il porte, toi, tu as les yeux d'un loup.

J'ai froncé les sourcils, essayant de comprendre ce qu'il voulait dire. Les seuls loups que j'avais jamais vus étaient les têtes clouées sur les murs de la Maison des assemblées, et ces yeux étaient revêtus du vernis de la mort ou mangés aux vers.

— Vous n'avez pas de loups dans votre pays?

— Peut-être dans le nord, en Écosse, mais pas en Angleterre. Ils ont tous été tués.

Geai répéta cela à son grand-père qui secoua la tête. Puis il se retourna vers moi.

— Il dit que c'est mauvais.

— Pourquoi? ai-je demandé. Ils tuent les brebis et les agneaux, et parfois même des enfants. Ils peuvent s'attaquer à l'homme.

Le vieil homme a haussé les épaules et a prononcé quelques mots.

Geai a hoché la tête.

— Il dit que tout a sa place dans le monde, les loups et les hommes.

Le vieil homme a parlé de nouveau.

— Tu lui rappelles une jeune louve qu'il a connue autrefois. Elle était farouche, fière et courageuse, mais n'avait pas encore toute sa force. Elle vivait en dehors de la meute, rejetée, mais forcée d'y revenir parce qu'elle n'était pas encore assez vieille pour survivre seule. Il sent chez toi la même fierté farouche. Tu ne veux t'incliner devant personne, mais la vie en marge est inconfortable.

— Que lui est-il arrivé, à la jeune louve?

Le vieil homme répondit, mais le garçon sembla hésiter à traduire les paroles de son grand-père.

— Qu'est-ce qu'il a dit?

— Il voudrait que tu lui parles du lièvre.

— Le lièvre? Quel lièvre?

De quoi parlait-il? Certains colons pensent que les Indiens sont aussi fous que les veaux les soirs de pleine lune. Se pourrait-il qu'ils aient raison?

— Il a vu un lièvre, dans la forêt, et à la lisière de votre village. Il n'était pas là auparavant. Il est apparu tout d'un coup, au moment même où toi et tes gens êtes arrivés.

— Vous n'avez pas de lièvres, dans ce pays? ai-je demandé, en lui retournant sa question à propos des loups.

— Bien sûr que si, nous en avons. Et le Grand Lièvre est très important dans les légendes de notre peuple. C'est pourquoi mon grand-père l'a remarqué. Il a pensé que c'était un signe du Grand Lièvre à son intention.

Le vieil homme a hoché la tête. Il avait suivi la conversation. Il comprenait l'anglais, même s'il ne le parlait pas.

— Ce lièvre, a continué le garçon, est différent de ceux qui vivent ici. Il est plus petit et d'une autre couleur…

135 De l'autre côté du feu, les yeux du vieil homme ont saisi mon regard. Deux petites flammes jumelles ont allumé un point incandescent dans leur noirceur profonde. Tout à coup, ma grand-mère m'est venue à l'esprit. Elle
140 était là, totalement présente, comme si elle était assise dans la caverne près de moi. Je me suis souvenue des histoires que l'on racontait sur elle. On disait, en effet, qu'elle pouvait se transformer en lièvre. Elle ne m'en avait jamais parlé directe-
145 ment, ne m'avait jamais confirmé si c'était vrai ou faux. Il y avait certaines choses qu'elle ne m'avait jamais dites. Peut-être attendait-elle que je sois plus âgée, mais ce temps n'était jamais venu. Je me suis souvenue d'elle, dans le lit, près
150 de moi, les yeux fermés, mais ne dormant pas, étendue, immobile comme une morte. Comment aurais-je pu savoir où elle allait ?

Et puis, il y avait cette histoire que Jack m'avait racontée, du lapin sur le bateau. Lièvre
155 ou lapin. J'avais ri, mais les marins en avaient peur…

Le vieil homme a dit quelque chose au garçon.

— Il dit que tu sais.

160 — Mais que fait ma grand-mère ici ? Pourquoi a-t-elle choisi la forme d'un lièvre ?

— L'esprit de ta grand-mère a pris la forme d'un lièvre parce que c'est son animal, exactement comme le tien est le loup, le sien l'aigle, et
165 le mien le geai bleu.

— Une telle chose est-elle possible ?

Le vieil homme m'a regardée comme si je mettais en doute l'existence du clair de lune ou du lever du soleil. Il a agité les mains au-dessus de sa tête. Les flammes se sont élancées et j'ai vu que les murs de la caverne étaient couverts de peintures d'animaux: certains n'étaient guère plus que des carrés ou des triangles, d'autres étaient reconnaissables, comme des cerfs avec des bois volumineux, des ours, des loups, des lions, et des créatures à cornes et à bosses dont j'ignorais le nom. Avec eux étaient peints des hommes chassant, guettant, dansant, quelques-uns nus, d'autres vêtus de peaux.

Certaines des images étaient dessinées au charbon, d'autres peintes de couleurs vives, d'autres encore gravées dans le roc. Les mouvements complexes du vieil homme semblaient leur donner vie. Animaux et hommes dansaient au rythme de ses mains qui palpitaient à la lumière vacillante du feu. Ils se déplaçaient sur les murs, tantôt animaux, tantôt humains, parfois les deux à la fois.

— Nous sommes dans le lieu de nos ancêtres, a expliqué le garçon. Ici, nous sommes entourés de leur présence.

J'eus de nouveau la sensation d'être dans une grande église, un lieu rempli d'esprits, comme le temple des Vents de Salisbury Plain, lourd de la présence de ceux qui y venaient par le passé.

Je leur ai parlé de ma grand-mère et leur ai raconté ce qui lui était arrivé.

Le vieil homme s'est remis à parler.

— Que dit-il?

— L'esprit de ta grand-mère n'est pas en repos, en raison du grand mal qui lui a été fait. Il t'a suivie dans ta traversée de l'océan.

— Pourquoi? Dans quel but?

Le vieil homme gardait les yeux fixés sur les flammes. Un certain temps s'est écoulé avant qu'il ne reparle au garçon, mais lorsqu'il l'a fait, ce fut très longuement.

Ce dernier l'a écouté avec attention, hochant la tête pour montrer qu'il mémorisait et répéterait fidèlement les paroles du vieil homme.

— Pour avertir, pour surveiller, pour exiger vengeance. Il n'en est pas sûr. Tout comme la forme physique des créatures est différente de celle d'ici, son esprit lui est étranger, c'est pourquoi il ne peut pas être certain. Il dit qu'entreprendre un tel voyage est preuve d'un grand amour ou d'une grande crainte, ou des deux. Il pense qu'elle est ici parce qu'elle a peur pour toi. Ce qui lui a été fait à elle pourrait t'être fait à toi.

Ce fut la fin de l'entrevue. Le vieil homme s'est levé dans un mouvement fluide. Il a allumé une brindille au feu et s'est dirigé vers le mur le plus éloigné. Arrivé là, il a tiré une couverture finement tissée de rayures et de motifs entrelacés, et il est parti dans une salle creusée dans le roc.

Geai m'a reconduite à travers les grottes, cette fois par un autre chemin.

— Qu'a-t-il dit à propos de la jeune louve? A-t-il dit ce qui lui était arrivé? ai-je fini par lui demander, lorsque nous sommes retournés à l'air libre dans l'après-midi finissant.

— Il l'ignore. Un jour, elle avait disparu. Peut-être la meute l'avait-elle expulsée ou…

— Ou quoi?

— Ou peut-être les autres loups s'étaient-ils jetés sur elle et l'avaient-ils mise en pièces.

Une histoire de bien mauvais augure. Pas étonnant qu'il n'ait pas voulu me la raconter.

Celia Rees, *Journal d'une sorcière*,
traduit de l'anglais par Marc Albert,
Paris, © Éditions du Seuil, coll. «Fiction Jeunesse»,
2002 pour la traduction française, p. 184 à 193.

Celia Rees

Celia Rees est née en 1949 en Angleterre. Cette romancière tire son inspiration du monde qui l'entoure: histoires parues dans les journaux, rencontres qu'elle fait, lieux qu'elle visite. Elle aime créer des intrigues qui font appel au surnaturel.

Autres LIEUX, autres TEMPS

THÈME

Des lieux et des temps différents:
des lieux où vivre est dangereux,
des temps où vivre est difficile.

D'autres lieux et d'autres temps
dont les noms font rêver:
Rio de Janeiro, Kaboul, Moyen Âge...
D'autres lieux et d'autres temps,
qu'on imagine pleins de promesses,
mais qui se révèlent des lieux de misère,
des temps d'injustice.

Des vies au milieu de la pauvreté,
de la violence et des abus, des vies
d'hommes, de femmes et d'enfants sacrifiées,
des êtres humains qui luttent pour s'en sortir.

Des jeunes d'ailleurs et d'autrefois
qui réclament un peu moins de misère,
un peu plus de justice.

SOMMAIRE

À BÉNARÈS

La rue est très étroite. Si nous étions quelques copains à nous tenir par la main pour marcher ensemble, nous ne tiendrions pas plus de quatre de large. Malgré tout, les animaux et les véhicules de toutes sortes circulent au milieu des piétons. Deux flots se croisent, pareils à des courants fluides; au centre, s'entremêlent ceux qui vont et ceux qui viennent. Contrairement à chez nous, la circulation se fait à gauche. J'ai tendance à vouloir me déplacer à droite pour croiser un passant et, chaque fois, ce dernier tente de m'éviter par la gauche; j'accroche plusieurs épaules avant de m'habituer. Dans une macédoine d'Indiens de toutes les tailles, des enfants chétifs aux gros hommes bedonnants, se mêlent les charrettes, les ânes, les chiens, les chèvres, les cyclopousses – que Shamol appelle des *rickshaws* – et les motos. Heureusement, il n'y a pas de voitures. Mais il y a les vaches ! Reines parmi les reines, ces grosses bêtes nonchalantes se fraient un passage, les cornes pointées vers l'avant, sans égard à qui se trouve sur leur chemin. Après quelques mètres de marche, je passe déjà à deux doigts de me faire encorner une première fois. Le stupide ruminant a cherché à éviter une moto qui poursuit son chemin en pétaradant. Son conducteur doit jouer des jambes pour maintenir l'équilibre de son véhicule qui roule à pas d'homme dans la circulation piétonne.

Je ne cesse de regarder autour de moi. J'ai l'impression qu'à chaque seconde, je suis menacé par une corne distraite, un guidon de vélo mal tenu, une roue de charrette trop excentrée… Il faut m'assurer de ne pas mettre le pied dans une flaque de boue, dans la crotte d'un chien ou la bouse d'une vache. Sans compter les innombrables sécrétions des hommes et des femmes qui crachent à tout moment un mucus rougeâtre. Tout le monde ici a les joues gonflées et semble mastiquer une chique énorme qui rend les sourires visqueux et cramoisis.

Je dois aussi éviter de m'empêtrer dans les jambes des personnes allongées ou assises par terre, car le long des murs qui bordent la venelle, partout, directement sur le sol ou sur les premières marches d'un escalier, des gens sont accroupis. L'un vend des bracelets de pacotille avec sa marchandise qui bloque le passage; un autre mendie, sa sébile à bout de bras; là, c'est un vendeur de fruits; là, un barbier, armé de sa lame et de son blaireau; à côté, un réparateur de vélos qui a étendu ses outils et ses pièces; suivent un écrivain public derrière la caisse de bois qui supporte sa machine à écrire, un couturier aux commandes d'une vieille mécanique à pédale. La besace remplie de longs tubes troués, un marchand de flûtes passe en soufflant dans un instrument. Sa musique mélancolique se mêle aux cris, aux vrombissements et aux bêlements. Des cloches résonnent au cou de toutes les bêtes.

— Hé ! Qu'est-ce qui ?...

Dans un réflexe vif, je rentre la tête dans les épaules; un corps est passé au-dessus de moi. Je lève les yeux et j'aperçois un petit singe qui s'est projeté d'un côté à l'autre de la ruelle en s'aidant de l'auvent d'un commerce. Le primate rejoint trois congénères qui se disputent un fruit volé et qui, après un moment, s'éclipsent derrière les balustres d'un toit.

À mesure que je m'enfonce dans ce monde baroque, de plus en plus déconnecté de mon mode de vie canadien, étrangement, mes craintes se dissipent. C'est comme se couler petit à petit dans une eau très froide, croire qu'on ne se décidera jamais à s'immerger totalement, et puis se mettre à nager avec aise. Je ne sens plus la peur qui me tenaillait au départ; je ne ressens maintenant qu'une intense curiosité dont je me grise.

Camille Bouchard, *L'intouchable aux yeux verts*,
Montréal, Hurtubise HMH, coll. «Atout», 2004, p. 37 à 40.

Camille Bouchard

Camille Bouchard est né en 1955 à Forestville au Québec. Préoccupé par le sort des enfants défavorisés et exploités, il voyage partout dans le monde pour recueillir des témoignages qui nourrissent les romans qu'il écrit.

Adieu au siècle

Héritier d'un siècle épuisé
Je livre ici quelques images
Qui me pèseront sur le cœur
4 Pour le millénaire à venir

J'ai vu tout près de Bethléem
De très jeunes Palestiniens
Se battre à coups de lance-pierres
8 Contre les fusils des soldats

Sur les trottoirs de Calcutta
J'ai croisé des enfants sans mains
Qui mendient par le seul regard
12 Ils n'ont ni maison ni parents

Au Cambodge, en Afghanistan
Encore et toujours des enfants
Au pied broyé sur une mine
16 Laissée par des soldats enfuis

En Afrique ils meurent de faim
En Algérie on les égorge
Partout ils sont martyrisés
20 Les enfants de notre planète

Dans les bas-quartiers de Rio
Le monde est pour chaque habitant
Peur, saleté, misère et boue
24 Voir cela est désespérant

Faut-il toujours aller si loin
Chercher d'aussi tristes spectacles ?
À Paris, Bruxelles ou Saint-Ouen
28 J'assiste à la même débâcle

Je n'aime pas beaucoup l'odeur
Du siècle moisi dont j'hérite
Il sent la mort et la terreur
32 Il est trop lent ou va trop vite

Enfant des années à venir
Essaye d'être un peu plus sage
Que nous ne l'étions avant toi
36 Oublie la colère et la rage

Avec tous les ordinateurs
Et leurs écrans bleus de contrôle
Peut-être dénicheras-tu
40 Des réponses à ces questions-là :

Pourquoi tant de sauvagerie
Dans un monde aussi policé ?
Pourquoi ces misères criantes
44 Dans un monde aussi équipé ?

Héritier d'un siècle cruel
Je vous lègue, enfants, mes révoltes :
De simples mots sur du papier
48 Mais ils sont ma seule récolte.

Jean Orizet, « Adieu au siècle », *La révolte des poètes pour changer la vie*, Paris, © Hachette-Livre, 1998, p. 57 à 59.

Jean Orizet

Né en France en 1937, Jean Orizet est écrivain, poète et grand voyageur. Il s'intéresse à l'humanité et au destin de celle-ci.

enfance iNterdite

Quel est ce monde
Où l'enfant a des yeux
Pour ne pas voir
Des oreilles
5 Pour ne pas entendre
Une bouche
Pour ne pas parler

Ce monde
Où l'enfant a des mains
10 Pour ne rien toucher
Des bras
Pour ne rien embrasser
Des épaules
Pour ne rien porter

15 Ce monde
Où l'enfant n'a plus de rue
Pour inventer sa vie
De bois de pré
Pour dessiner son rêve
20 Ni de ligne à l'horizon
Pour fuir toujours plus loin

Vite vite
Un peu d'air et de lumière
Pour les enfants de la terre
25 Vite vite
Un peu de sourire
Ou l'enfant risque de mourir

Claude Haller, «Enfance interdite»,
La révolte des poètes pour changer la vie,
Paris, © Hachette-Livre, 1998, p. 24-25.

Claude Haller

Les poèmes de Claude Haller s'adressent aux jeunes du monde entier. Ils font une large place à l'amitié et au rêve.

L'ENFANCE VOLÉE

Deux cent cinquante millions
d'enfants travaillent dans le monde.
Ils n'ont pas le choix:
ils travaillent pour survivre
ou aider une famille
prise au piège de la pauvreté.
Enquête au Pakistan
et en Inde.

PAKISTAN

Dès l'âge de quatre ans, on enrôle les petites filles dans l'industrie du tapis

Farida rêve que deux mains remplacent les siennes, nouent la laine sur la trame de coton, que deux yeux regardent le modèle à sa place, que le tapis grandit tout seul et qu'il rembourse l'avance que l'intermédiaire, le patron de la boutique de tapis, a consentie à ses parents. Et puis un jour elle ne rêve plus. Ni de manger autre

LE DROIT À LA PROTECTION CONTRE L'EXPLOITATION DANS LE TRAVAIL

L'enfant a le droit d'être protégé contre l'exploitation économique et contre toute forme de travail susceptible de compromettre son éducation ou de nuire à son développement physique, psychologique, social, moral ou spirituel.

Convention des Nations Unies sur les droits de l'enfant (article 32).

chose que la viande faisandée et la purée de pois, ni de sortir de cet atelier infernal où elle mange, dort, vit. Au Baloutchistan, elle fait partie des 80 000 enfants, soit un sur trois, qui travaillent plus de 56 heures par semaine, dès six heures du matin. Ils sont payés 400 à 800 roupies par mois, moins de la moitié du salaire d'un adulte.

À huit ans, Farida est «artisan», comme 34 % des enfants travailleurs. L'école ? Elle y est allée, sporadiquement. Aujourd'hui, elle est ici. Dans cet entrepôt mal éclairé où elle suit le «noble» apprentissage de tisseur de tapis, assise à même le sol devant son métier, ses fils tendus. Petite taille, petites mains, dextérité des doigts, capacité de nouer très vite et très serré (les tapis sont alors vendus plus cher). D'autres enfants font la même chose chez eux, dans des conditions aussi inacceptables. Leur croissance est ralentie, ils respirent de la poussière de laine, dangereuse pour les poumons, souffrent de déformations osseuses, de problèmes de vue, et le contact avec les teintures chimiques abîme leurs doigts.

[...]

La vente de tapis au Pakistan emploie plus d'un million d'enfants âgés de 4 à 14 ans qui rapportent 148 millions de dollars. [...] À la suite de boycotts, des dizaines de milliers d'enfants travailleurs ont été licenciés par des sociétés préoccupées par leur image internationale, et se sont retrouvés à la rue [...].

INDE

Près de 26 000 enfants du monde rural s'entassent dans les ruelles tortueuses de Madras

Quand il entre en gare de Madras à cinq heures du matin, le train n'a qu'une heure et quart de retard. Comme des oiseaux, les petits travailleurs sortent en bandes du milieu des rails et tombent sur les wagons qui se vident de leurs voyageurs. Vendeurs ambulants de nourriture, porteurs de bagages, ils ramassent tout ce qui traîne avant le personnel de bord et offrent les petits déjeuners à des prix défiant toute concurrence. Leurs cibles préférées : ceux qui descendent des premières classes, des touristes étrangers. Vers 10 h 30, le travail est terminé. Il reprend à 15 heures, dans la moiteur des heures d'après-midi, lorsque les salariés rentrent chez eux. Ensuite, il faut ramasser les ordures. Après ? On jouera au foot ou au cerf-volant sur la plage, avec des bouts de ficelle et des morceaux de papier collés.

Ils ont entre 5 et 16 ans lorsqu'ils quittent leurs campagnes du Tamil Nadu, dans le sud-est de l'Inde. La famille ne peut plus faire face aux besoins quotidiens. L'un des petits doit s'en aller gagner de l'argent, en envoyer aux autres, ou servir de monnaie d'échange à des parents trop endettés [...]. Les garçons sont plus nombreux que les filles. Ils quittent tout pour s'aventurer dans les ruelles de «la grande Madras», dont on raconte qu'elle ouvre les voies du paradis et donne des moyens de gagner de l'argent rapidement. Mais en passant la porte de la ville, les espoirs s'écroulent devant le tableau puant de la réalité. Revenir en arrière? Impossible. [...]

LES RICHES ET LES PAUVRES

Plus d'un milliard d'êtres humains vivent dans un état de pauvreté totale: ils ne mangent pas à leur faim et ne peuvent se procurer les produits de base nécessaires à la vie quotidienne.
À l'inverse, 223 familles milliardaires vivent dans un luxe inouï.

Certains sculpteront des pierres ou se spécialiseront dans la mécanique automobile. D'autres partiront à 400 kilomètres de Madras, à Sivagangai, fabriquer des allumettes ou travailler, à raison de 10-12 heures par jour, dans l'industrie pyrotechnique. Celle-ci pourvoie toute l'Inde gourmande de feux d'artifices. Les conditions dangereuses et insalubres de leur travail ne sont jamais dénoncées, ni leur âge, bien en dessous des 14 ans requis par la loi votée en 1976: la main-d'œuvre à bon marché qu'ils représentent fait baisser les prix. Les autorités ferment les yeux: si les adultes prenaient leur place, les prix augmenteraient. [...] L'État perçoit ces petits travailleurs comme des dangers potentiels et les place dans des maisons de rééducation, mot poli pour les prisons d'enfants. Il ne leur reste souvent rien, si ce n'est l'instinct primaire de survivre pour défendre leur territoire, manger, s'assurer un minimum de sécurité.

Cristina L'Homme-Thiollier, «L'enfance volée», © *Géo*, n° 231, mai 1998, p. 59-60.

LE DROIT À LA SANTÉ

La Convention reconnaît le droit de l'enfant au meilleur état de santé possible et aux services médicaux.

Convention des Nations Unies sur les droits de l'enfant (article 24).

Melancholia

Où vont tous ces enfants dont pas un seul ne rit ?
Ces doux êtres pensifs que la fièvre maigrit ?
Ces filles de huit ans qu'on voit cheminer seules ?
Ils s'en vont travailler quinze heures sous des meules;
5 Ils vont, de l'aube au soir, faire éternellement
Dans la même prison le même mouvement.
Accroupis sous les dents d'une machine sombre,
Monstre hideux qui mâche on ne sait quoi dans l'ombre,
Innocents dans un bagne, anges dans un enfer,
10 Ils travaillent. Tout est d'airain, tout est de fer.
Jamais on ne s'arrête et jamais on ne joue.
Aussi quelle pâleur ! la cendre est sur leur joue.
Il fait à peine jour, ils sont déjà bien las.
Ils ne comprennent rien à leur destin, hélas !
15 Ils semblent dire à Dieu : « Petits comme nous sommes,
Notre père, voyez ce que nous font les hommes ! »

Victor Hugo, *Les Contemplations*, III, 2 (extrait), 1856.

Victor Hugo

Victor Hugo (1802-1885) est un géant de la littérature française qui domine tout le 19e siècle. Écrivain engagé, ardent défenseur de la liberté, il participe activement à la vie politique de son époque. Victor Hugo a laissé une œuvre littéraire imposante, notamment de très nombreux poèmes.

Avec sa famille, Lucinda Spencer, une jeune fille blanche de quinze ans, a aidé Cass, une esclave en fuite. Mais Cass meurt, laissant une petite fille de quelques jours à peine. Pour sauver l'enfant de l'esclavage, il faut lui faire gagner le Canada. Lucinda décide d'accompagner l'enfant, même si elle sait qu'elle ne pourra plus jamais rentrer aux États-Unis où elle sera toujours considérée comme une criminelle.

LE «CHEMIN DE FER SOUTERRAIN»

Et j'ai donc pris le Chemin de Fer souterrain.

Le docteur Harding a pensé que les docks de Cleveland seraient très surveillés, si bien qu'il nous a fait partir vers le nord et l'est, en direction d'Ashtabula. Et vous n'imaginez pas comment j'ai voyagé: couchée dans un cercueil solidement arrimé dans la charrette d'un entrepreneur de pompes funèbres… C'est dans cet équipage que je suis allée de Ravenna à Chardon. Hope serrée contre moi, me cognant à chaque cahot aux planches rugueuses, j'ai eu tout le temps de penser à la mort. À celle du bébé que Maman a perdu au printemps dernier. À celle de la maman de Hope, il y a quelques jours à peine.

Maintenant que je ne peux plus rentrer chez moi, je contemple les visages de tous ceux que j'aime, Maman et Papa, Will, Tom, Miranda, et je m'efforce de garder tous leurs traits en mémoire pour les semaines à venir. Et Rebecca, Miss Aurelia, Jeremiah Strong, Jonathan Clark. Même les Cummings, que je n'aime pas tellement, me deviennent chers à l'idée de ne plus les revoir. Finalement cela me paraît tout à fait approprié de voyager dans un cercueil, car je pleure tous ceux que j'aime et vers qui je ne peux plus revenir. […]

La nuit dernière, nous avons traversé Concord et gagné Fairport. On nous y a cachées dans une cave humide et sombre. Je me suis lancée dans ce terrible voyage pour sauver Hope et maintenant, c'est elle qui me sauve. Car lorsque le désespoir s'empare de moi et que mes larmes se mettent à couler, elle se blottit contre moi et cela me redonne du courage. Chère, chère Cass, si seulement tu avais eu le temps de connaître ta fille! Elle est si douce, si belle même dans de si affreuses circonstances.

L'esclavage aux États-Unis au 19e siècle

Pour ou contre l'esclavage des Noirs ? Telle est la question qui divise les États-Unis d'Amérique au 19e siècle.

Les États esclavagistes, ceux du Sud, ont besoin d'une importante main-d'œuvre pour la culture du coton. L'esclavage des Noirs est par conséquent jugé essentiel: il permet aux grands propriétaires sudistes d'accroître leurs richesses. Mais devant les cruelles conditions de vie qui leur sont faites, de nombreux esclaves fuient vers les États antiesclavagistes du Nord. Là, une organisation secrète, le «Chemin de Fer souterrain», les aide à gagner le Canada, où l'esclavage a été aboli en 1840.

Assister un fuyard était extrêmement risqué: l'amende pouvait s'élever à 1 000 dollars, soit l'équivalent d'une ferme moyenne avec ses bâtiments, ses champs et son bétail. Quiconque protégeait un esclave pouvait donc entraîner sa famille à la ruine.

LE DROIT À LA PROTECTION CONTRE LE RACISME ET TOUTE FORME DE DISCRIMINATION

Les enfants ont les mêmes droits quelles que soient leur situation économique, leurs conditions de naissance ou leurs capacités ou incapacités.

L'État s'engage à protéger l'enfant contre toute forme de discrimination.

Convention des Nations Unies sur les droits de l'enfant (article 2).

Je m'habitue à dormir dans mon cercueil. Je ne me suis réveillée qu'une fois entre Fairport et
40 Ashtabula. Nous sommes pour le moment à l'abri chez un certain capitaine Hubbard, qui habite une maison près du lac. Il a creusé un tunnel entre la chambre secrète où nous nous trouvons et le rivage. Demain, à la nuit tombée, nous l'em-
45 prunterons pour aller attendre le bateau qui va au Canada.

Que vais-je donc pouvoir faire là-bas? [...]

Le lac Érié, enfin...

Ce soir, j'ai regardé, accoudée au bastingage,
50 les matelots relever la passerelle et détacher les cordes d'amarrage. Et j'ai eu le cœur en fête.

Tandis que le moteur se mettait à gronder, j'ai soulevé le bébé: «Regarde, Hope, nous avons réussi. Dis adieu à ta vie d'avant.»

55 L'air frais nous fouettait le visage et elle a pleurniché un instant. Vite, je l'ai glissée à nouveau à l'abri, sous un pan de mon manteau. Et j'ai regardé les lumières de la rive s'éloigner, puis disparaître. Nous étions en route vers la
60 liberté... J'ai glissé l'anneau de Grand-mère à mon doigt pour me porter chance. Pour ne pas risquer d'oublier également.

Et j'ai réfléchi à tout ce qui avait précédé ce voyage. Si c'était à refaire, mes choix seraient-ils
65 les mêmes? Travailler pour le Chemin de Fer souterrain, par exemple? Sauver ce bébé? Quitter mon foyer pour toujours? Peut-être, dans des circonstances extrêmes. Et peut-être pas. Je ne suis pas aussi courageuse que je le croyais. Ni
70 aussi sage.

Et pourtant, j'ai aidé à sauver des vies. Beaucoup de vies depuis quatre ans. Plus dix tout récemment. Cela apaise un peu ma douleur. Quand je regarde l'eau sombre qui tourbil-
75 lonne autour de l'hélice, je pense à ma vie. Redeviendra-t-elle calme un jour?

Mais ai-je envie de calme? J'ai longtemps cru que mon avenir se déroulerait dans notre petite ville, que mes options se limiteraient à des choses
80 familières. Maintenant et d'un seul coup, le monde s'ouvre à moi.

J'ai plongé mes yeux dans ceux de Hope. J'y ai vu la vie. La liberté.

Katherine Ayres, *Esclaves en fuite*, traduit de l'anglais par Marie-Pierre Bay, Paris, © Hachette-Livre, 2001, p. 309 à 316.

Katherine Ayres

Katherine Ayres est née aux États-Unis en 1947. C'est une amoureuse des livres depuis sa petite enfance. Les sujets historiques la passionnent.

Zlata Filipović n'est pas un personnage de roman : elle existe réellement. Zlata est née à Sarajevo, la capitale de la Bosnie-Herzégovine, en décembre 1980. Elle a onze ans lorsque la guerre éclate entre les Serbes, les Croates et les musulmans. En 1993, son journal parvient au Centre international de la paix, qui en publie des extraits. La communauté internationale se mobilise en sa faveur, et Zlata et sa famille peuvent quitter Sarajevo. Mais il n'en est pas de même pour tous les enfants de la guerre.

Le journal de Zlata a été traduit en 35 langues et connaît un succès mondial.

Le journal de Zlata

Lundi, 2 septembre 1991

Derrière moi, un long été chaud, des journées de vacances sans penser à rien, et devant moi une nouvelle année scolaire. Je passe en sixième. Je suis impatiente de revoir mes camarades de classe, de les retrouver, à l'école et en dehors de l'école. Je n'ai plus revu certaines depuis que la cloche a sonné à la fin de l'année. Je suis contente, on va pouvoir reparler de l'école et se raconter nos petits malheurs et nos grandes joies.

Mirna, Bojana, Marijana, Ivana, Maša, Azra, Minela, Nadža – nous sommes à nouveau toutes ensemble.

Mardi, 10 septembre 1991

Une semaine passée à nous procurer les livres, les cahiers et les fournitures, à nous raconter nos vacances à la mer, à la montagne, à la campagne, à l'étranger. Nous sommes toutes parties quelque part, et nous en avons des choses à nous raconter.

Jeudi, 19 septembre 1991

À l'école de musique, c'est aussi la rentrée. Deux fois par semaine, cours de piano et de solfège. Les cours de tennis ont repris aussi, je suis maintenant dans le groupe des grands. Le mercredi, cours d'anglais chez la tante Mika. Et le jeudi, chorale. Tout ça, c'est obligé. Et six heures de cours par jour, sauf le vendredi. Mais je tiendrai le coup…

Zlata →

Dimanche, 6 octobre 1991

Je regarde le TOP-20 américain sur MTV. Impossible de retenir qui est classé combien.

25 Je me sens super bien car j'ai mangé une PIZZA «Quatre Saisons» avec du jambon, du fromage, du ketchup et des champignons. C'était succulent. Papa me l'avait achetée chez Galija (c'est la pizzeria du quartier). C'est sans doute pour ça que je n'ai rien retenu du classement, j'étais trop occupée à manger ma pizza.

Je sais toutes mes leçons et demain je peux aller à l'école LES DOIGTS DANS LE
30 NEZ, pas de danger que je me paie des mauvaises notes. D'ailleurs, je mérite d'en avoir des bonnes car j'ai passé tout le week-end à réviser. Je ne suis même pas descendue au parc jouer avec mes copines. Ces jours-ci, il fait beau, et le plus souvent on joue à la balle aux prisonniers, on parle et on se balade. Bref, on s'amuse.

Samedi, 19 octobre 1991

35 Une journée infecte hier. On se préparait à monter à la Jahorina (la plus belle montagne du monde) passer le week-end. Quand je suis rentrée de l'école, j'ai trouvé maman en larmes et papa était en uniforme. Quelque chose s'est noué dans ma gorge quand papa m'a annoncé qu'il devait rejoindre son unité de réserve de la police car on l'avait rappelé. Je me suis serrée contre lui tout en sanglotant, je l'ai supplié de ne
40 pas partir, de rester avec nous. Papa a dit qu'il était obligé. Il est parti, et on est restées toutes les deux, maman et moi. Maman, qui n'arrêtait pas de pleurer, a téléphoné aux amis et à la famille. Ils sont tous venus aussitôt (Slobo, Doda, Keka, Braco le frère de maman, Tante Melica et je ne sais plus qui encore). Ils sont tous venus pour nous consoler et nous offrir leur aide. Keka m'a emmenée chez elle passer la nuit avec Martina
45 et Matej. Quand je me suis réveillée ce matin, Keka m'a dit que tout allait bien et que papa reviendrait dans deux jours.

Je suis rentrée à la maison, Tante Melica est chez nous, et on dirait que tout va s'arranger. Papa devrait rentrer après-demain. Merci, mon Dieu !

Lundi, 6 avril 1992

50 Dear Mimmy[1],

Hier, les gens massés devant l'Assemblée ont tenté pacifiquement de traverser la Miljačka[2] par le pont Vrbanja. Ils se sont fait tirer dessus. Par qui, comment et – pourquoi ?! Une fille, une étudiante en médecine de Dubrovnik, a été TUÉE. Son sang a coulé sur le pont. Au dernier moment, elle a dit, simplement : « On est vraiment
55 à Sarajevo, ici ? » C'est HORRIBLE, HORRIBLE, HORRIBLE !

ICI, PERSONNE N'EST NORMAL, RIEN N'EST NORMAL.

La Baščaršija[3] est détruite. Les « Seigneurs » de Pale[4] ont tiré sur la Baščaršija.

Depuis hier, le peuple est à l'Assemblée nationale. Certains ont dû rester dehors, devant l'Assemblée. Nous avons installé mon poste de télé dans le salon ; comme ça, je
60 peux regarder la première chaîne sur un poste, et Good Vibrations sur l'autre. [...]

Peut-être que nous allons descendre à la cave. Mimmy, je t'emmènerai sûrement. Je suis désespérée. Les gens devant l'Assemblée également. Mimmy, la guerre est là. PEACE NOW !

Il paraît qu'ils vont attaquer Télé-Sarajevo. Ils ne l'ont pas fait encore. De notre
65 côté, ça ne tire plus (Je touche du bois pour que ça ne recommence pas. Très fort. Le plus fort possible). Oh, non !... Les coups de feu, ça recommence ! !

Zlata

Jeudi, 9 avril 1992

Dear Mimmy,

70 Je ne vais pas à l'école. Aucune des écoles de Sarajevo n'est ouverte. Le danger plane au-dessus des collines qui nous entourent. J'ai pourtant l'impression que le calme revient lentement. On n'entend plus les fortes explosions d'obus ni les détonations. Juste une rafale, puis le silence se refait très vite. Papa et maman vont travailler. Ils achètent à manger en grandes quantités. Mon Dieu, je vous en supplie, faites que
75 ça n'arrive pas.

La tension reste très grande. Maman se désespère ; papa tente de la rassurer. Maman téléphone beaucoup. On l'appelle, ou alors, c'est elle qui appelle. La ligne est tout le temps occupée.

Zlata

1. Désormais, Zlata nomme son journal « Mimmy ».
2. Rivière traversant Sarajevo.
3. Vieux quartier turc de Sarajevo.
4. Zlata désigne ainsi les combattants serbes. Pale est une ville non loin de Sarajevo, contrôlée par les Serbes.

80 Mardi, 14 avril 1992

Dear Mimmy,

Les gens quittent Sarajevo. L'aéroport, la gare, la gare routière sont noirs de monde. J'ai vu des adieux déchirants à la télé. Des familles, des amis se séparent. Certains partent, d'autres restent. C'est triste à pleurer. Tous ces gens, tous ces enfants 85 – des innocents. Tôt ce matin, Keka et Braco sont venus chez nous. Ils ont chuchoté avec papa et maman dans la cuisine. Keka et maman étaient en larmes. J'ai l'impression qu'ils ne savent pas quoi faire – rester ou partir. L'un ou l'autre, ce n'est pas une solution.

Zlata

90 Lundi, 20 avril 1992

Dear Mimmy,

La guerre a l'air de tout, sauf d'une plaisanterie. Elle détruit, tue, incendie, sépare, apporte le malheur. Aujourd'hui, une pluie d'obus est tombée sur la Baščaršija, la vieille ville de Sarajevo. Des explosions terrifiantes. Nous sommes descendus à la cave 95 – il y fait froid, tout noir, c'est lugubre. Est-ce que c'est vraiment notre cave, je n'en suis même pas sûre. On était tous les trois, papa, maman et moi, à se blottir dans un coin où on avait l'impression d'être en sécurité. Dans le noir, aux côtés de papa et de maman et dans la chaleur de leur corps, j'ai pensé à quitter Sarajevo. (Comme tout le monde.) Mais partir seule, abandonner papa et maman, grand-père et grand-mère, je 100 ne pourrais pas le supporter. […]

Ta Zlata

Mercredi, 29 avril 1992

Dear Mimmy,

Si je pouvais, je te parlerais beaucoup 105 plus de la guerre, mais je préfère tout simplement ne pas me rappeler tous ces événements horribles. Ça m'écœure. Je t'en supplie, ne te fâche pas. Je t'écrirai un petit quelque chose quand même.

110 Je t'aime,

Zlata

Jeudi, 7 mai 1992

Dear Mimmy,

J'étais presque sûre que la guerre allait s'arrêter, et aujourd'hui... Aujourd'hui, on
115 a tiré un obus ou une bombe dans le parc juste à côté de la maison. Le parc où je jouais, où l'on se retrouvait pour s'amuser avec les copines. Il y a eu des tas de blessés. De ceux que je connais, il y a Jaca, sa mère, Selma, Nina, Dado, notre voisin, et je ne sais combien de gens qui passaient par là par hasard. Dado, Jaca et sa mère sont rentrés de l'hôpital. Quant à Selma, on a dû lui enlever un rein, et je ne sais pas comment elle
120 va car elle est toujours à l'hôpital. NINA, ELLE, EST MORTE. Un éclat lui a fracassé le crâne. Et elle est morte. Une petite fille si gentille. On était ensemble à la garderie, et au parc, on jouait souvent toutes les deux. Nina, je ne la reverrai jamais plus – non, ce n'est pas possible. Nina – onze ans – victime innocente d'une guerre stupide. Je suis triste. Je pleure. Je ne comprends pas pourquoi elle est morte. Elle n'avait strictement
125 rien fait. Une guerre dégoûtante a tué une petite vie d'enfant. Nina, je me souviendrai toujours de toi comme d'une petite fille merveilleuse.

Mimmy, je t'aime.

Zlata

Mercredi, 27 mai 1992

130 Dear Mimmy,

UN CARNAGE ! UN MASSACRE ! UNE HORREUR ! UNE ABOMINATION ! LE SANG ! LES HURLEMENTS ! LES PLEURS ! LE DÉSESPOIR !

Voilà la rue Vasa Miskin aujourd'hui. Deux obus y sont tombés, et un autre sur le marché. Au même instant, maman se trouvait dans les parages. Elle a vite couru se
135 réfugier chez grand-père et grand-mère. Papa et moi, on devenait fous en ne voyant pas rentrer maman. À la télé, j'ai vu de ces choses, et je n'arrive pas à croire que je les ai réellement vues. C'est invraisemblable. J'avais la gorge nouée, l'estomac me faisait mal. L'EFFROI. On transportait les blessés à l'hôpital. Un asile. Nous étions sans arrêt le nez à la fenêtre dans l'espoir d'apercevoir maman, mais rien. Elle ne revenait pas.
140 On a communiqué la liste des victimes et des blessés. Rien à propos de maman. Papa et moi, nous étions au désespoir. Maman était-elle en vie ? À 16 heures, papa a décidé de se rendre à l'hôpital, à sa recherche. Il s'est habillé pour partir, et moi, je m'en allais chez les Bobar pour ne pas rester seule à la maison. Une dernière fois, j'ai regardé par la fenêtre et... J'AI VU MAMAN QUI TRAVERSAIT LE PONT EN COURANT ! Une
145 fois dans l'appartement, elle s'est mise à trembler et elle a éclaté en sanglots. À travers ses larmes, elle a dit avoir vu des gens déchiquetés. Tous les voisins sont alors arrivés, tellement ils s'étaient inquiétés pour elle. Merci, mon Dieu, maman est avec nous. Merci, mon Dieu.

UNE JOURNÉE EFFROYABLE. IMPOSSIBLE À OUBLIER. L'HORREUR !
150 L'HORREUR !

Ta Zlata

Filipović Zlata

LE DROIT À LA PROTECTION CONTRE LA GUERRE ET LA PRIVATION DE LIBERTÉ

Tout enfant affecté par un conflit armé doit bénéficier de protection et de soins.

Convention des Nations Unies
sur les droits de l'enfant (article 38).

Lundi, 29 juin 1992

Dear Mimmy,

J'EN AIR MARRE DES CANONNADES ! ET DES OBUS QUI TOMBENT ! ET DES MORTS ! ET DU DÉSESPOIR ! ET DE LA FAIM ! ET DU MALHEUR ! ET DE LA PEUR !

Ma vie, c'est ça !

On ne peut pas reprocher de vivre à une écolière innocente de onze ans ! Une écolière qui n'a plus d'école, plus aucune joie, plus aucune émotion d'écolière. Une enfant qui ne joue plus, qui reste sans amies, sans soleil, sans oiseaux, sans nature, sans fruits, sans chocolat, sans bonbons, avec juste un peu de lait en poudre. Une enfant qui, en un mot, n'a plus d'enfance. Une enfant de la guerre. Maintenant, je réalise vraiment que je suis dans la guerre, que je suis le témoin d'une guerre sale et répugnante. Moi, et aussi les milliers d'autres enfants de cette ville qui se détruit, pleure, se lamente, espère un secours qui ne viendra pas. Mon Dieu, est-ce que cela va cesser un jour, est-ce que je vais pouvoir redevenir écolière, redevenir une enfant contente d'être une enfant ? J'ai entendu dire que l'enfance est la plus belle période de la vie. J'étais contente de vivre mon enfance, mais cette sale guerre m'a tout pris. Mais pourquoi ? ! Je suis triste. J'ai envie de pleurer. Je pleure.

Ta Zlata

Zlata Filipović, *Le journal de Zlata* (extraits),
traduit du serbo-croate par Alain Cappon,
Paris, Éditions Robert Laffont, 1993.

LE DROIT À DES LOISIRS ET À DES ACTIVITÉS RÉCRÉATIVES

L'enfant a droit aux loisirs, au jeu et à la participation à des activités culturelles et artistiques.

Convention des Nations Unies
sur les droits de l'enfant (article 31).

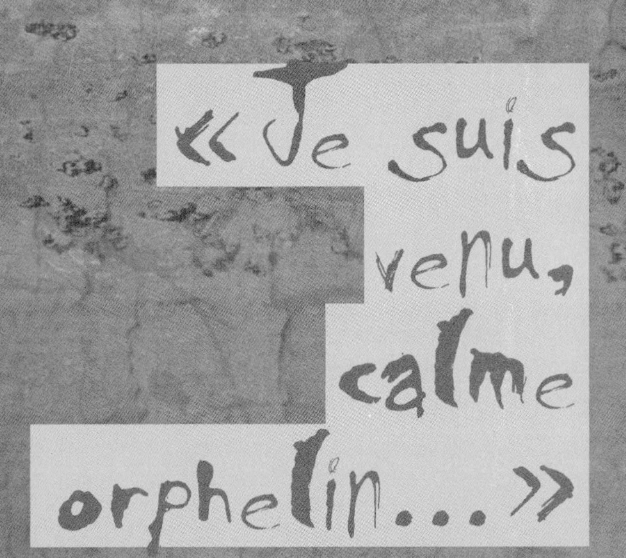

Gaspar Hauser[1] *chante :*

Je suis venu, calme orphelin,
Riche de mes seuls yeux tranquilles,
Vers les hommes des grandes villes :
4 Ils ne m'ont pas trouvé malin.

À vingt ans un trouble nouveau
Sous le nom d'amoureuses flammes
M'a fait trouver belles les femmes :
8 Elles ne m'ont pas trouvé beau.

Bien que sans patrie et sans roi
Et très brave ne l'étant guère,
J'ai voulu mourir à la guerre :
12 La mort n'a pas voulu de moi.

Suis-je né trop tôt ou trop tard ?
Qu'est-ce que je fais en ce monde ?
Ô vous tous, ma peine est profonde :
16 Priez pour le pauvre Gaspar !

Paul Verlaine, *Sagesse* (extrait), 1880.

1. Gaspar Hauser est un enfant abandonné dont Verlaine se sentait proche.

Paul Verlaine

Le poète français Paul Verlaine (1844-1896) a connu une vie mouvementée marquée notamment par l'alcoolisme. Ses poèmes expriment souvent son désespoir et le malheur de ne pas être aimé.

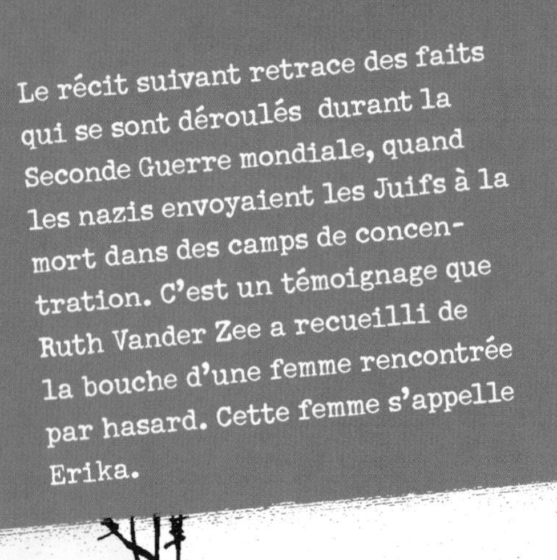

Le récit suivant retrace des faits qui se sont déroulés durant la Seconde Guerre mondiale, quand les nazis envoyaient les Juifs à la mort dans des camps de concentration. C’est un témoignage que Ruth Vander Zee a recueilli de la bouche d’une femme rencontrée par hasard. Cette femme s’appelle Erika.

L’étoile d’Erika

Je suis née en 1944.
Je ne sais pas quel jour.
Je ne sais pas comment je m’appelais à ma naissance.
Je ne sais pas dans quelle ville ni dans quel pays je suis née.
Je ne sais pas si j’ai eu des frères ou des sœurs.
Ce que je sais, c’est que, âgée de quelques mois à peine, j’ai échappé à l’Holocauste.

•

Souvent j’imagine ce qu’était la vie des membres de ma famille lors des dernières semaines que nous avons passées ensemble. J’imagine mon père et ma mère, dépouillés de tous leurs biens, forcés à quitter leur maison, envoyés au ghetto.

Peut-être avons-nous ensuite été expulsés du ghetto. Mes parents avaient sûrement hâte de quitter le quartier clos de fil de fer barbelé où ils avaient été relégués, d’échapper au typhus, au surpeuplement, à la crasse et à la faim. Mais avaient-ils la moindre idée de leur destination ? Leur a-t-on dit qu’ils allaient être emmenés vers un lieu plus accueillant, où ils trouveraient de quoi manger, où ils auraient du travail ? La rumeur qui évoquait à mots couverts les camps de la mort était-elle arrivée jusqu’à eux ?

•

Je me demande ce qu’ils ont éprouvé quand on les a conduits à la gare avec des centaines d’autres Juifs. Entassés dans un fourgon à bestiaux. Debout les uns contre les autres. Ont-ils été pris de panique lorsqu’ils ont entendu que l’on barricadait les portes ?

•

De village en village, le train a dû traverser des paysages champêtres étrangement épargnés par la terreur. Combien de jours sommes-nous restés dans ce train ? Combien d’heures mes parents ont-ils passées serrés l’un contre l’autre ?

•

25 J'imagine que ma mère me tenait tout contre elle pour me protéger de la puanteur, des cris, de la peur qui régnaient dans ce wagon bondé. Elle avait certainement compris qu'on ne l'emmenait pas en lieu sûr.

•

Je me demande où elle se trouvait précisément. Était-elle au milieu du wagon ? Mon père était-il à côté d'elle ? Lui a-t-il dit d'être courageuse ?

30 Ont-ils parlé de ce qu'ils allaient faire ?

•

Quand ont-ils pris leur décision ?

Ma mère a-t-elle dit : « Pardon. Pardon. Pardon. » ? S'est-elle frayé un chemin parmi cette masse humaine jusqu'à la paroi en bois du fourgon ? Tout en m'enveloppant bien serrée dans une couverture chaude, a-t-elle murmuré mon nom ? 35 A-t-elle couvert mon visage de baisers, m'a-t-elle dit qu'elle m'aimait ? A-t-elle pleuré ? A-t-elle prié ?

•

Lorsque le train a ralenti, le temps de traverser un village, ma mère a dû regarder par la lucarne du fourgon à bestiaux. Aidée par mon père, elle a dû écarter à grand-peine le treillis de barbelé qui condamnait l'ouverture. Elle a dû me soulever à bout 40 de bras vers la faible lueur du jour. La seule chose que je sache avec certitude, c'est ce qui est arrivé ensuite.

•

Ma mère m'a jetée par la fenêtre du train.

•

Elle m'a jetée hors du train sur un petit carré d'herbe, au ras d'un passage à niveau. Des gens attendaient que le train passe ; ils m'ont vue tomber du fourgon à 45 bestiaux. Sur le chemin qui la menait à la mort, ma mère m'a jetée à la vie.

•

Quelqu'un m'a ramassée et conduite chez une femme qui s'est occupée de moi. Elle a risqué sa vie pour moi. Elle a évalué mon âge et m'a attribué une date de naissance. Elle a décidé que je m'appellerais Erika. Elle m'a donné un foyer. Elle m'a nourrie, vêtue, envoyée à l'école. Elle a tout fait pour moi.

•

Ruth Vander Zee, *L'étoile d'Erika* (extrait), traduit par Emmanuelle Pingault, Toulouse, Milan Jeunesse, 2003.

Ruth Vander Zee

Ruth Vander Zee est née en 1944 aux États-Unis. Elle est enseignante.

GRANDIR À BEYROUTH

Aux premières lueurs de l'aube, dans cette brève accalmie qui sépare les bombardements de la nuit de ceux du jour, Karim se hâte le long de la rue Mar Elias, en direction du quartier Mazraa, où habite Nada.

C'est sa première sortie en trois jours, et, malgré les ruines encore fumantes, malgré le danger tapi dans chaque coin, malgré les coups de feu isolés qui éclatent parfois à proximité, Karim est heureux. Il a enfin l'impression de respirer. Il en avait assez de ces allers-retours entre l'appartement vide et la cave de l'immeuble, assez de cette vie close et stagnante.

« Une vraie vie de rats », murmure-t-il avec un regard vers le ciel d'un bleu pâle et très pur.

Cette vie de rats, comme dit Karim, dure depuis trois mois. Depuis que les bombardements ont repris, avec une violence qui rappelle les pires moments de cette guerre qui semble ne devoir jamais finir.

Il y a si longtemps qu'elle dure, la guerre, que Karim n'a aucun souvenir de ce qu'était le Liban, *avant*. À vrai dire, son souvenir le plus lointain remonte précisément au premier jour « officiel » de la guerre, le 13 avril 1975.

C'était un dimanche, un dimanche de soleil éclatant, de brises tièdes, d'odeurs grisantes. Un vrai jour de fête pour le troisième anniversaire de Karim. L'après-midi, après la sieste, son père avait promis de l'emmener à la grotte aux Pigeons, sur le bord de la mer. Cette excursion devait être suivie d'un tour de grande roue sur la plage et d'un pique-nique.

Mais, au moment du départ, le téléphone avait sonné. Son père, après des excuses hâtives, était parti seul. Il était resté absent des heures et des heures. L'excursion n'avait pas eu lieu. Karim avait piqué une crise de rage dont sa mère parle encore après tout ce temps et dont il a un peu honte quand il songe au drame plus vaste qui s'amorçait alors.

[...]

Plus tard, Karim a appris qu'il n'avait suffi que de quelques heures pour que le pays bascule dans la guerre civile, pour que des populations qui cohabitaient jusque-là paisiblement s'affrontent à présent dans les rues. Barricades, fusillades, voitures renversées, tirs de roquettes, haine et destruction : ce jour-là avait vu naître le spectacle tristement familier des années à venir.

[...]

Depuis des années, la ville est coupée en deux, divisée en son cœur par la « Ligne verte », long ruban de ruines et de désolation. À l'est, les chrétiens. À l'ouest, où habite Karim, les musulmans. À présent, il n'y a plus de gouvernement, plus d'institutions, plus d'électricité – ou alors seulement une ou deux heures par jour –, plus d'eau courante... Rien que des habitants qui se regroupent par famille, par immeuble, par quartier, pour survivre au milieu du chaos, au milieu de cette jungle urbaine qu'est devenue Beyrouth. Les habitants se sont procuré des petites génératrices afin de produire de l'électricité. Des puits ont été creusés dans certains quartiers.

Peu à peu, au fil des ans, les Beyrouthins ont fini par s'habituer à cette vie qui, du dehors, semble inhumaine. Ils ont appris à ne pas faire de projets, à vivre au jour le jour, à étudier ou à travailler par à-coups, quand les conditions le

LE DROIT À L'ÉDUCATION

L'éducation primaire gratuite et obligatoire doit être dispensée à tous les enfants. Tous doivent avoir accès à un enseignement secondaire et supérieur.

Convention des Nations Unies sur les droits de l'enfant (article 28).

permettent. Ils ont appris à plier leurs vies aux circonstances de la guerre, à ne plus s'énerver quand des tirs éclatent à l'autre bout de la ville
75 ou même dans la rue voisine. Et, parmi les décombres, au cœur d'une ville qui se dégrade sans cesse, la vie continue, comme ailleurs, avec ses rires et ses drames, ses amours et ses naissances, ses rêves et ses désillusions.

80 Depuis trois mois, cependant, la situation est intolérable. Les bombardements se succèdent à un rythme effréné. La peur est partout. Et, surtout, les regroupements de voisins s'effritent, la vie sociale s'effiloche. Les Beyrouthins fuient la
85 ville comme jamais.

Michèle Marineau, *La Route de Chlifa*, Montréal, Éditions Québec/Amérique Jeunesse, 1992, p. 59 à 63.

• LES RÉFUGIÉS •

Partout dans le monde, des individus aux prises avec la misère, la violence et la discrimination sont contraints d'abandonner leur foyer, leur ville, leur pays. Entassés dans des bidonvilles ou parqués comme des animaux dans des camps spéciaux, ils tentent de survivre, accrochés à l'espoir d'échapper aux mauvais traitements et aux tueries. Combien sont-ils ? Sans doute des centaines de millions.

Michèle Marineau

Michèle Marineau est née à Montréal en 1955. Elle a étudié la médecine, l'histoire de l'art et la traduction avant d'écrire des romans pour les jeunes. Ses livres, qui ont un grand succès, sont publiés dans de nombreux pays.

CIEL ET

THÈME 5

TERRE

Au-dessus de nous, la voûte céleste : des milliards d'étoiles, des planètes à anneaux, des comètes chevelues, des soleils enflammés, des ceintures d'astéroïdes...

Sous nos pieds, notre planète : des arbres gigantesques, des fleurs minuscules, des herbes flottantes, des coraux violets, des coquillages argentés, des oiseaux, des poissons, des tortues, des singes...

CIEL ET TERRE : des univers à explorer, des univers à protéger.

SOMMAIRE

Soyez polis

Il faut aussi être très poli avec la terre
Et avec le soleil
Il faut les remercier le matin en se réveillant
Il faut les remercier
5 Pour la chaleur
Pour les arbres
Pour les fruits
Pour tout ce qui est bon à manger
Pour tout ce qui est beau à regarder
10 À toucher
Il faut les remercier
Il ne faut pas les embêter… les critiquer
Ils savent ce qu'ils ont à faire
Le soleil et la terre
15 Alors il faut les laisser faire
Ou bien ils sont capables de se fâcher
Et puis après
On est changé
En courge
20 En melon d'eau
Ou en pierre à briquet
Et on est bien avancé…
Le soleil est amoureux de la terre
La terre est amoureuse du soleil
25 Ça les regarde
C'est leur affaire
Et quand il y a des éclipses
Il n'est pas prudent ni discret de les regarder
Au travers de sales petits morceaux de verre fumé
30 Ils se disputent
C'est des histoires personnelles
Mieux vaut ne pas s'en mêler
Parce que
Si on s'en mêle on risque d'être changé
35 En pomme de terre gelée
Ou en fer à friser
Le soleil aime la terre
La terre aime le soleil
C'est comme ça
40 Le reste ne nous regarde pas
La terre aime le soleil
Et elle tourne
Pour se faire admirer
Et le soleil la trouve belle
45 Et il brille sur elle
Et quand il est fatigué
Il va se coucher
Et la lune se lève
[…]

Jacques Prévert, «Soyez polis»,
Histoires, Paris, © Éditions Gallimard.

Jacques Prévert

Jacques Prévert (1900-1977) est un écrivain français dont l'œuvre est pleine de fantaisie et d'humour. Dans ses poèmes, les enfants, les amoureux, les animaux et les éléments de la nature vivent libres et indépendants.

Une expédition autour de la Lune

Pendant le cours de l'année 186., le monde entier fut singulièrement ému par une tentative scientifique sans précédent dans les annales de la science. Les membres du Gun-Club, cercle d'artilleurs fondé à Baltimore après la guerre d'Amérique, avaient eu l'idée de se mettre en communication avec la Lune – oui, avec la Lune –, en lui 5 envoyant un boulet. Leur président Barbicane, le promoteur de l'entreprise, ayant consulté à ce sujet les astronomes de l'Observatoire de Cambridge, prit toutes les mesures nécessaires au succès de cette extraordinaire entreprise, déclarée réalisable par la majorité des gens compétents. Après avoir provoqué une souscription publique qui produisit près de trente millions de francs, il commença ses gigantesques travaux.

10 Suivant la note rédigée par les membres de l'Observatoire, le canon destiné à lancer le projectile devait être établi dans un pays situé entre 0 et 28° de latitude Nord ou Sud, afin de viser la Lune au zénith. Le boulet devait être animé d'une vitesse initiale de douze mille yards à la seconde. Lancé le 1er décembre, à onze heures moins treize minutes et vingt secondes du soir, il devait rencontrer la Lune quatre jours après 15 son départ, le 5 décembre, à minuit précis, à l'instant même où elle se trouverait dans son périgée, c'est-à-dire à sa distance la plus rapprochée de la Terre, soit exactement quatre-vingt-six mille quatre cent dix lieues.

Les principaux membres du Gun-Club, le président Barbicane, le major Elphiston, le secrétaire J.-T. Maston et autres savants tinrent plusieurs séances dans lesquelles 20 furent discutées la forme et la composition du boulet, la disposition et la nature du canon, la qualité et la quantité de la poudre à employer. Il fut décidé: 1° que le projectile serait un obus en aluminium d'un diamètre de cent huit pouces et d'une épaisseur de douze pouces à ses parois, qui pèserait dix-neuf mille deux cent cinquante livres; 2° que le canon serait une Columbiad en fonte de fer longue de neuf cents 25 pieds, qui serait coulée directement dans le sol; 3° que la charge emploierait quatre cent mille livres de fulmi-coton qui, développant six milliards de litres de gaz sous le projectile, l'emporteraient facilement vers l'astre des nuits.

Ces questions résolues, le président Barbicane, aidé de l'ingénieur Murchison, fit choix d'un emplacement situé dans la Floride par 27° 7' de latitude Nord et 5° 7' de 30 longitude Ouest. Ce fut en cet endroit, qu'après des travaux merveilleux, la Columbiad fut coulée avec un plein succès.

Les choses en étaient là, quand survint un incident qui centupla l'intérêt attaché à cette grande entreprise.

Un Français, un Parisien fantaisiste, un artiste aussi spirituel qu'audacieux, demanda 35 à s'enfermer dans un boulet afin d'atteindre la Lune et d'opérer une reconnaissance du satellite terrestre. Cet intrépide aventurier se nommait Michel Ardan. Il arriva en Amérique, fut reçu avec enthousiasme, tint des meetings, se vit porter en triomphe, réconcilia le président Barbicane avec son mortel ennemi le capitaine Nicholl et, comme gage de réconciliation, il les décida à s'embarquer avec lui dans le projectile.

40 La proposition fut acceptée. On modifia la forme du boulet. Il devint cylindro-conique. On garnit cette espèce de wagon aérien de ressorts puissants et de cloisons brisantes qui devaient amortir le contrecoup du départ. On le pourvut de vivres pour un an, d'eau pour quelques mois, de gaz pour quelques jours. Un appareil automatique fabriquait et fournissait l'air nécessaire à la respiration des trois voyageurs. En 45 même temps, le Gun-Club faisait construire sur l'un des plus hauts sommets des montagnes Rocheuses un gigantesque télescope qui permettrait de suivre le projectile pendant son trajet à travers l'espace. Tout était prêt.

Le 30 novembre, à l'heure fixée, au milieu d'un concours extraordinaire de spectateurs, le départ eut lieu et pour la première fois, trois êtres humains, quittant le 50 globe terrestre, s'élancèrent vers les espaces interplanétaires avec la presque certitude d'arriver à leur but. Ces audacieux voyageurs, Michel Ardan, le président Barbicane et le capitaine Nicholl, devaient effectuer leur trajet en *quatre-vingt-dix-sept heures treize minutes et vingt secondes.* Conséquemment, leur arrivée à la surface du disque lunaire ne pouvait avoir lieu que le 5 décembre, à minuit, au moment précis où la 55 Lune serait pleine, et non le 4, ainsi que l'avaient annoncé quelques journaux mal informés.

Mais, circonstance inattendue, la détonation produite par la Columbiad eut pour effet immédiat de troubler l'atmosphère terrestre en y accumulant une énorme quantité de vapeurs. Phénomène qui excita l'indignation générale, car la Lune fut voilée 60 pendant plusieurs nuits aux yeux de ses contemplateurs.

Le digne J.-T. Maston, le plus vaillant ami des trois voyageurs, partit pour les montagnes Rocheuses, en compagnie de l'honorable J. Belfast, directeur de l'Observatoire de Cambridge, et il gagna la station de Long's-Peak, où se dressait le télescope qui rapprochait la Lune à deux lieues. L'honorable secrétaire du Gun-Club voulait observer 65 lui-même le véhicule de ses audacieux amis.

Il les décida à s'embarquer avec lui dans le projectile.

L'accumulation des nuages dans l'atmosphère empêcha toute observation pendant les 5, 6, 7, 8, 9 et 10 décembre. On crut même que l'observation devrait être remise au 3 janvier de l'année suivante, car la Lune, entrant dans son dernier quartier le 11, ne présenterait plus alors qu'une portion décroissante de son disque, insuffisante pour 70 permettre d'y suivre la trace du projectile.

Mais enfin, à la satisfaction générale, une forte tempête nettoya l'atmosphère dans la nuit du 11 au 12 décembre, et la Lune, à demi éclairée, se découpa nettement sur le fond noir du ciel.

Cette nuit même, un télégramme était envoyé de la station de Long's-Peak par 75 J.-T. Maston et Belfast à MM. les membres du bureau de l'Observatoire de Cambridge.

Or, qu'annonçait ce télégramme ?

Il annonçait: que le 11 décembre, à huit heures quarante-sept du soir, le projectile lancé par la Columbiad de Stone's-Hill avait été aperçu par MM. Belfast et J.-T. Maston, – que le boulet, dévié pour une cause ignorée, n'avait point atteint son but, mais qu'il 80 en était passé assez près pour être retenu par l'attraction lunaire, – que son mouvement rectiligne s'était changé en un mouvement circulaire, et qu'alors, entraîné suivant un orbe elliptique autour de l'astre des nuits, il en était devenu le satellite.

Le télégramme ajoutait que les éléments de ce nouvel astre n'avaient pu être encore calculés – et en effet, trois observations prenant l'astre dans trois positions dif- 85 férentes sont nécessaires pour déterminer ces éléments. Puis, il indiquait que la distance séparant le projectile de la surface lunaire «pouvait» être évaluée à deux mille huit cent trente-trois milles environ, soit quatre mille cinq cents lieues.

Il terminait enfin en émettant cette double hypothèse: ou l'attraction de la Lune finirait par l'emporter, et les voyageurs atteindraient leur but; ou le projectile, main- 90 tenu dans un orbe immutable, graviterait autour du disque lunaire jusqu'à la fin des siècles.

Dans ces diverses alternatives, quel serait le sort des voyageurs ? Ils avaient des vivres pour quelque temps, c'est vrai. Mais en supposant même le succès de leur téméraire entreprise, comment reviendraient-ils ? Pourraient-ils jamais revenir ? Aurait-on de 95 leurs nouvelles ? Ces questions, débattues par les plumes les plus savantes du temps, passionnèrent le public.

Jules Verne, *Autour de la Lune*, 1870.

Jules Verne

L'écrivain français Jules Verne (1828-1905) est un des auteurs les plus populaires de la littérature mondiale. Esprit scientifique et imaginatif, il unit dans ses romans la fiction et la science. Les personnages qu'il crée vivent des aventures inouïes pour leur époque : ils sillonnent la terre et partent à la conquête du ciel et des océans.

ÉTOILES FILANTES

Dans les nuits d'automne, errant par la ville,
Je regarde au ciel avec mon désir,
Car si, dans le temps qu'une étoile file,
4 On forme un souhait, il doit s'accomplir.

Enfant, mes souhaits sont toujours les mêmes :
Quand un astre tombe, alors, plein d'émoi,
Je fais de grands vœux afin que tu m'aimes
8 Et qu'en ton exil tu penses à moi.

À cette chimère, hélas ! je veux croire,
N'ayant que cela pour me consoler.
Mais voici l'hiver, la nuit devient noire,
12 Et je ne vois plus d'étoiles filer.

François Coppée, « Étoiles filantes »,
L'exilée, 1877.

François Coppée

François Coppée (1842-1908) est un poète français. Ses poèmes expriment dans des mots simples la nostalgie d'une autre existence.

La balance de Dicé

Les étoiles qui composent la constellation de la Balance se trouvent à mi-parcours, dans le zodiaque, entre la Vierge et le Scorpion. Le jour est égal à la nuit lorsque le soleil la traverse. Les plateaux dorés de la balance sont un symbole d'équilibre et d'égalité.

En un temps retiré où le temps même n'existait pas encore, la vie était très différente de ce qu'elle est aujourd'hui. La Terre n'était peuplée que de dieux et de déesses, ainsi que d'animaux, qui y vivaient en toute liberté, sans aucune intervention 5 humaine. Et puis, des pinces du Scorpion naquit la constellation de la Balance. Dicé, la déesse à laquelle appartenait la balance de la justice, avait la responsabilité de maintenir ses plateaux en équilibre.

Ensuite, les hommes et les femmes vinrent vivre sur la Terre, 10 avec les animaux. Au début, l'harmonie régna, il n'y avait jamais de querelles. Mais cet état de choses ne dura guère. Très vite, les gens devinrent avides et égoïstes. Ils commencèrent à se quereller et à se livrer bataille pour conquérir la gloire et le pouvoir.

Ne supportant pas l'horreur des guerres et le malheur que les hommes s'infli- 15 geaient les uns aux autres, Dicé les exhorta à vivre en paix. Mais ses paroles ne furent pas entendues. Les hommes et les femmes de la Terre ne l'écoutaient pas et continuèrent à se chamailler et à se quereller de plus belle. Longtemps, Dicé s'évertua à les convaincre d'être justes et charitables les uns envers les autres. En vain. Finalement, elle renonça et se retira pour vivre dans l'harmonie des étoiles.

20 Les plateaux de sa balance brillent toujours dans les cieux : c'est la constellation de la Balance, qui est là pour nous rappeler que nous pouvons l'utiliser pour peser le bien et le mal sur la Terre et pour nous juger nous-mêmes comme les autres avec équité et sagesse.

Juliet Sharman Burke, *Histoires d'étoiles. Mythologie du Zodiaque*, adaptation française de Clémence Guibout, Paris, Éditions Abbeville, coll. « La colonie des griffons », 1996, p. 49 à 51.

Les planètes

Pour nommer les planètes, les astronomes se sont tournés vers la mythologie romaine. Chaque planète du système solaire est donc associée à une déesse ou à un dieu romain : Vénus, Neptune, Mercure…

MERCURE, la plus rapide des planètes, tient son nom du messager des dieux.

VÉNUS, planète très brillante et blanche, porte le nom de la déesse de l'amour, qui peut rendre tous les hommes amoureux d'elle grâce à sa ceinture magique.

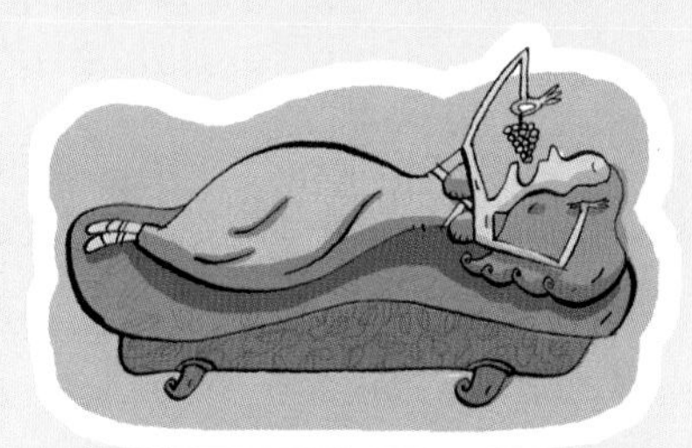

TERRE est associée à Gaïa, la mère des dieux.

MARS, la planète rouge, est associée au dieu de la guerre, redouté pour sa violence et sa cruauté.

JUPITER est la plus grosse planète du système solaire. Elle porte le nom du père de tous les dieux.

SATURNE, la plus grosse planète après Jupiter, rappelle le nom du père du dieu Jupiter.

URANUS, planète bleu-vert, est nommée d'après Ouranos, le dieu du Ciel.

NEPTUNE, planète bleue et éclatante, rappelle par son nom le dieu des mers.

PLUTON est la planète associée au lugubre dieu des morts, qui régnait sur le Tartare, le royaume des ténèbres.

Les constellations

Quatre-vingt-huit constellations se partagent l'immense espace du ciel. Ces dessins imaginaires, élaborés à l'aide des étoiles les plus brillantes, sont à la base de la géographie céleste. Les constellations se nomment «Cassiopée», «Pégase», «Lion», «Hydre», «Hercule» ou «Chevelure de Bérénice», des noms que les astronomes de l'Antiquité ont empruntés à la mythologie grecque.

Une aurore

Immédiatement, elle vit qu'il se passait quelque chose d'étrange dans le ciel. Tout d'abord, elle crut que c'étaient des nuages qui se déplaçaient, mais Pantalaimon lui murmura :

— L'Aurore !

5 Frappée d'émerveillement, Lyra dut se retenir au garde-fou pour ne pas tomber.

Le spectacle envahit au nord tout le ciel. De grands rideaux de lumière douce, qui semblaient descendre du ciel lui-même, tremblotaient dans l'atmosphère. Vert pâle et rouge rosé, aussi transparents que l'étoffe la plus fragile, d'un carmin profond et enflammé tout en bas, tels les feux de l'Enfer, ils se balançaient et scintillaient libre-
10 ment, avec davantage de grâce que le plus talentueux des danseurs. Lyra avait même l'impression de les entendre : un bruissement lointain et murmuré. Devant cette fragilité évanescente, elle sentit naître en elle un sentiment aussi profond que lorsqu'elle s'était trouvée en présence de l'ours. Elle était émue par ce spectacle, si beau qu'il en devenait presque sacré. Des larmes vinrent lui piquer les yeux, et ces
15 larmes transformèrent la lumière en arc-en-ciel. [...]

Devant ses yeux ébahis, l'image d'une ville sembla se former derrière les voiles et les courants de couleur translucide : des tours et des dômes, des temples couleur de miel et des colonnades, de vastes boulevards et un jardin verdoyant, illuminé de soleil. Cette vision lui donnait le vertige, comme si elle la regardait, non pas d'en bas, mais
20 d'en haut, par-delà un gouffre si gigantesque que rien ne pouvait le franchir. Un univers entier les séparait.

Mais quelque chose traversait ce paysage, et lorsque Lyra plissa les yeux pour se concentrer sur ce déplacement, elle sentit sa tête tourner, comme si elle allait s'évanouir, car cette petite chose mouvante ne faisait pas partie de l'Aurore, ni de l'autre
25 univers qui apparaissait derrière. Elle évoluait dans le ciel au-dessus des toits de la ville. Quand enfin Lyra la distingua plus nettement, elle était parfaitement réveillée et la ville dans le ciel avait disparu.

La chose volante se rapprocha et tournoya au-dessus du bateau, les ailes déployées. Puis elle descendit avec grâce et se posa en fouettant l'air avec ses ailes puissantes, pour
30 finalement s'arrêter sur le pont, à quelques mètres seulement de Lyra.

Dans la lumière de l'Aurore, la fillette découvrit un énorme oiseau, une magnifique oie grise dont la tête était couronnée d'une touche de blanc pur.

Philip Pullman, *Les royaumes du Nord*, traduit de l'anglais par Jean Esch, Paris, Gallimard Jeunesse, coll. « Folio junior », 2000, p. 226 à 228.

Philip Pullman

Philip Pullman est né en Angleterre en 1946. Passionné dès son plus jeune âge par le monde du merveilleux, il fixe ses rêves sur le papier pour mieux les partager. Les personnages qu'il invente vivent toutes sortes d'aventures extraordinaires dans un univers où la magie joue un grand rôle.

L'auteure Isabelle Clerc a imaginé la rencontre entre une jeune québécoise nommée Anh Dao Laroche et l'astronaute Julie Payette. Cette rencontre prend la forme d'une entrevue.

UNE ENTREVUE AVEC JULIE PAYETTE, ASTRONAUTE

LE GÉNIE, C'EST GÉNIAL

— Vous m'avez dit tout à l'heure que, déjà enfant, vous vouliez devenir astronaute. Quel chemin comptiez-vous prendre pour y arriver ?

— On oublie trop souvent qu'il n'y a pas d'école d'astronaute. Seuls quelques métiers y préparent, notamment celui de pilote d'essai. Pour ma part, j'ai décidé de faire mes études en génie.

— Pourquoi le génie ?

— Parce que c'est de la science appliquée, que c'est très concret. L'ingénieur construit des ponts, fabrique des fours à micro-ondes, conçoit des robots.

Je l'écoutais parler et devant moi défilaient des objets volants plus ou moins identifiés… Elle continuait, passionnée.

— L'ingénieur est appelé à régler toutes sortes de problèmes techniques. Il doit les analyser et trouver des solutions. Voilà pourquoi ce métier est si passionnant.

— Mais est-ce que le fait d'être ingénieur permet de devenir astronaute ?

— Il ne faut pas être ingénieur pour être astronaute, mais il faut détenir un diplôme universitaire en sciences, soit en mathématiques, en physique, en chimie, en médecine, en biologie, en zoologie, etc. Il est vrai toutefois qu'à l'heure actuelle plusieurs astronautes dans le monde sont des ingénieurs.

— Pourquoi ?

— Parce que le métier d'astronaute est essentiellement technique et que l'exploration spatiale est quelque chose de très concret.

— Dans l'espace, que doit faire l'astronaute, au juste ?

— L'astronaute doit être capable d'effectuer les expériences scientifiques prévues par la mission, d'utiliser plusieurs instruments et d'interagir avec de nombreux systèmes de bord, tout ça dans un environnement hostile.

— Hostile ?

— L'environnement est considéré comme hostile dans l'espace, car rien ne favorise l'épanouissement de la vie telle qu'on la connaît sur Terre. Au contraire. Dans l'espace, il n'y a pas d'air, pas d'eau, pas de pression atmosphérique, mais de fortes radiations et des écarts de température de plus de 600 °C, selon que le vaisseau spatial est exposé au soleil ou non.

— L'astronaute doit se battre contre tous ces éléments ?

— L'astronaute doit plutôt composer avec ces éléments et se protéger à l'intérieur d'un véhicule spécifiquement conçu pour les conditions de l'espace ou en revêtant une combinaison spatiale lorsqu'il doit sortir du véhicule. Les astronautes sont des généralistes qui doivent pouvoir mener des expériences scientifiques dans l'espace, malgré les difficultés liées au milieu de travail.

DU TAM-TAM AU TÉLÉPHONE SANS FIL

— Les expériences que les astronautes font dans l'espace sont-elles testées auparavant sur Terre ?

— Bien sûr ! Elles sont développées sur Terre par des experts, souvent pendant de longues années..., me confie une Julie Payette concentrée, qui se remémore sans doute des expériences auxquelles elle ou d'autres astronautes ont participé... L'exécution d'une expérience dans l'espace peut exiger dix ans de préparation au sol.

Je ne peux m'empêcher de sursauter, moi qui trouve qu'une semaine d'étude pour un test, c'est trop long.

— Vous préparez votre expérience pendant dix ans ? Je comprends maintenant pourquoi on dit que la recherche spatiale coûte si cher. Mais dans quel but fait-on des expériences qui durent si longtemps ?

— Dans le but de repousser les limites de la connaissance actuelle, de faire évoluer la science et de progresser en tant que société. C'est dans la nature même de l'être humain que de vouloir maîtriser davantage son environnement. L'homme est passé du cheval à l'automobile, du tam-tam au téléphone sans fil, de la plume à l'ordinateur, du bimoteur à la fusée...

Isabelle Clerc, *Julie Payette astronaute* et *Anh Dao*, Saint-Lambert, Héritage Jeunesse, 1995, p. 43 à 47.

L'HOMME QUI PLANTAIT DES ARBRES

Il y a environ une quarantaine d'années, je faisais une longue course à pied, sur des hauteurs absolument inconnues des touristes, dans cette très vieille région des Alpes qui pénètre en Provence. [...]

C'était un beau jour de juin avec un grand soleil, mais, sur ces terres sans abri et
5 hautes dans le ciel, le vent soufflait avec une brutalité insupportable. Ses grondements dans les carcasses des maisons étaient ceux d'un fauve dérangé dans son repas.

Il me fallut lever le camp.

À cinq heures de marche de là, je n'avais toujours pas trouvé d'eau et rien ne pouvait me donner l'espoir d'en trouver. C'était partout la même sécheresse, les mêmes
10 herbes ligneuses. Il me sembla apercevoir dans le lointain une petite silhouette noire, debout. Je la pris pour le tronc d'un arbre solitaire. À tout hasard, je me dirigeai vers elle. C'était un berger. Une trentaine de moutons couchés sur la terre brûlante se reposaient près de lui.

Il me fit boire à sa gourde et, un peu plus tard, il me conduisit à sa bergerie, dans une ondulation du plateau. Il tirait son eau – excellente – d'un trou naturel, très profond, au-dessus duquel il avait installé un treuil rudimentaire. Cet homme parlait peu. C'est le fait des solitaires, mais on le sentait sûr de lui et confiant dans cette assurance. C'était insolite dans ce pays dépouillé de tout.

Il n'habitait pas une cabane mais une vraie maison en pierre où l'on voyait très bien comment son travail personnel avait rapiécé la ruine qu'il avait trouvée là à son arrivée. Son toit était solide et étanche. Le vent qui le frappait faisait sur les tuiles le bruit de la mer sur les plages.

Son ménage était en ordre, sa vaisselle lavée, son parquet balayé, son fusil graissé; sa soupe bouillait sur le feu. Je remarquai alors qu'il était aussi rasé de frais, que tous ses boutons étaient solidement cousus, que ses vêtements étaient reprisés avec le soin minutieux qui rend les reprises invisibles.

Il me fit partager sa soupe et, comme après je lui offrais ma blague à tabac, il me dit qu'il ne fumait pas. Son chien, silencieux comme lui, était bienveillant sans bassesse.

[...]

Le berger, qui ne fumait pas, alla chercher un petit sac et déversa sur la table un tas de glands. Il se mit à les examiner l'un après l'autre avec beaucoup d'attention, séparant les bons des mauvais. Je fumais ma pipe. Je me proposai pour l'aider. Il me dit que c'était son affaire. En effet: voyant le soin qu'il mettait à ce travail, je n'insistai pas. Ce fut toute notre conversation. Quand il eut du côté des bons un tas de glands assez gros, il les compta par paquets de dix. Ce faisant, il éliminait encore les petits fruits ou ceux qui étaient légèrement fendillés, car il les examinait de fort près. Quand il eut ainsi devant lui cent glands parfaits, il s'arrêta et nous allâmes nous coucher.

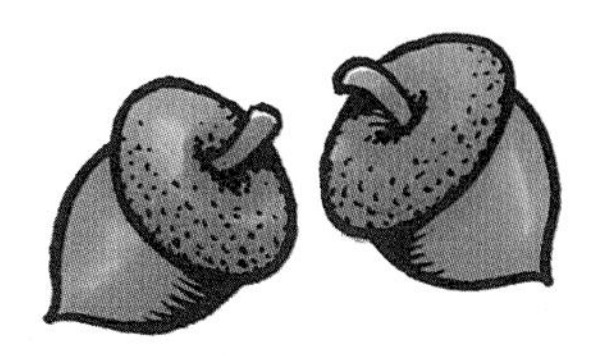

[…]

Je remarquai qu'en guise de bâton, il emportait une tringle de fer grosse comme le pouce et longue d'environ un mètre cinquante.

Je fis celui qui se promène en se reposant et je suivis une route parallèle à la sienne. La pâture de ses bêtes était dans un fond de combe. Il laissa le petit troupeau à la garde du chien et il monta vers l'endroit où je me tenais. J'eus peur qu'il vînt pour me reprocher mon indiscrétion mais pas du tout: c'était sa route et il m'invita à l'accompagner si je n'avais rien de mieux à faire. Il allait à deux cents mètres de là, sur la hauteur.

Arrivé à l'endroit où il désirait aller, il se mit à planter sa tringle de fer dans la terre. Il faisait ainsi un trou dans lequel il mettait un gland, puis il rebouchait le trou. Il plantait des chênes. Je lui demandai si la terre lui appartenait. Il me répondit que non. Savait-il à qui elle était? Il ne savait pas. Il supposait que c'était une terre communale, ou peut-être était-elle propriété de gens qui ne s'en souciaient pas? Lui ne se souciait pas de connaître les propriétaires. Il planta ainsi cent glands avec un soin extrême.

Après le repas de midi, il recommença à trier sa semence. Je mis, je crois, assez d'insistance dans mes questions puisqu'il y répondit. Depuis trois ans il plantait des arbres dans cette solitude. Il en avait planté cent mille. Sur les cent mille, vingt mille étaient sortis. Sur ces vingt mille, il comptait encore en perdre la moitié, du fait des rongeurs ou de tout ce qu'il y a d'impossible à prévoir dans les desseins de la Providence. Restaient dix mille chênes qui allaient pousser dans cet endroit où il n'y avait rien auparavant. C'est à ce moment-là que je me souciai de l'âge de cet homme. Il avait visiblement plus de cinquante ans. Cinquante-cinq, me dit-il. Il s'appelait Elzéard Bouffier. Il avait possédé une ferme dans les plaines. Il y avait réalisé sa vie. Il avait perdu son fils unique, puis sa femme. Il s'était retiré dans la solitude où il prenait plaisir à vivre lentement, avec ses brebis et son chien. Il avait jugé que ce pays mourait par manque d'arbres. Il ajouta que, n'ayant pas d'occupations très importantes, il avait résolu de remédier à cet état de choses.

[…]

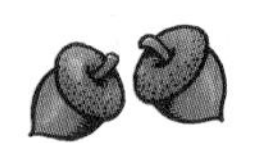

CINQ ANS PLUS TARD, LE NARRATEUR RETOURNE VOIR ELZÉARD BOUFFIER.

Les chênes de 1910 avaient alors dix ans et étaient plus hauts que moi et que lui. Le spectacle était impressionnant. J'étais littéralement privé de parole et, comme lui ne parlait pas, nous passâmes tout le jour en silence à nous promener dans sa forêt. Elle avait, en trois tronçons, onze kilomètres de long et trois kilomètres dans sa plus grande largeur. Quand on se souvenait que tout était sorti des mains et de l'âme de cet homme – sans moyens techniques – on comprenait que les hommes pourraient être aussi efficaces que Dieu dans d'autres domaines que la destruction.

Il avait suivi son idée, et les hêtres qui m'arrivaient aux épaules, répandus à perte de vue, en témoignaient. Les chênes étaient drus et avaient dépassé l'âge où ils étaient à la merci des rongeurs; quant aux desseins de la Providence elle-même pour détruire l'œuvre créée, il lui faudrait avoir désormais recours aux cyclones. Il me montra d'admirables bosquets de bouleaux qui dataient de cinq ans, c'est-à-dire de 1915, de l'époque où je combattais à Verdun. Il leur avait fait occuper tous les fonds où il soupçonnait, avec juste raison, qu'il y avait de l'humidité presque à fleur de terre. Ils étaient tendres comme des adolescents et très décidés. La création avait l'air, d'ailleurs, de s'opérer en chaîne. Il ne s'en souciait pas; il poursuivait obstinément sa tâche, très simple.

Mais en redescendant par le village, je vis couler de l'eau dans des ruisseaux qui, de mémoire d'homme, avaient toujours été à sec. C'était la plus formidable opération de réaction qu'il m'ait été donné de voir. Ces ruisseaux secs avaient jadis porté de l'eau, dans des temps très anciens. Certains de ces villages tristes dont j'ai parlé au début de mon récit s'étaient construits sur les emplacements d'anciens villages gallo-romains dont il restait encore des traces, dans lesquelles les archéologues avaient fouillé et ils avaient trouvé des hameçons à des endroits où, au vingtième siècle, on était obligé d'avoir recours à des citernes pour avoir un peu d'eau.

Le vent aussi dispersait certaines graines. En même temps que l'eau réapparut réapparaissaient les saules, les osiers, les prés, les jardins, les fleurs et une certaine raison de vivre. Mais la transformation s'opérait si lentement qu'elle entrait dans l'habitude sans provoquer d'étonnement. Les chasseurs qui montaient dans les solitudes à la poursuite des lièvres ou des sangliers avaient bien constaté le foisonnement des petits arbres mais ils l'avaient mis sur le compte des malices naturelles de la terre. C'est pourquoi personne ne touchait à l'œuvre de cet homme. Si on l'avait soupçonné, on l'aurait contrarié. Il était insoupçonnable.

Qui aurait pu imaginer, dans les villages et dans les administrations, une telle obstination dans la générosité la plus magnifique ?

Jean Giono, *L'homme qui plantait des arbres*,
Paris, © Éditions Gallimard, 1983.

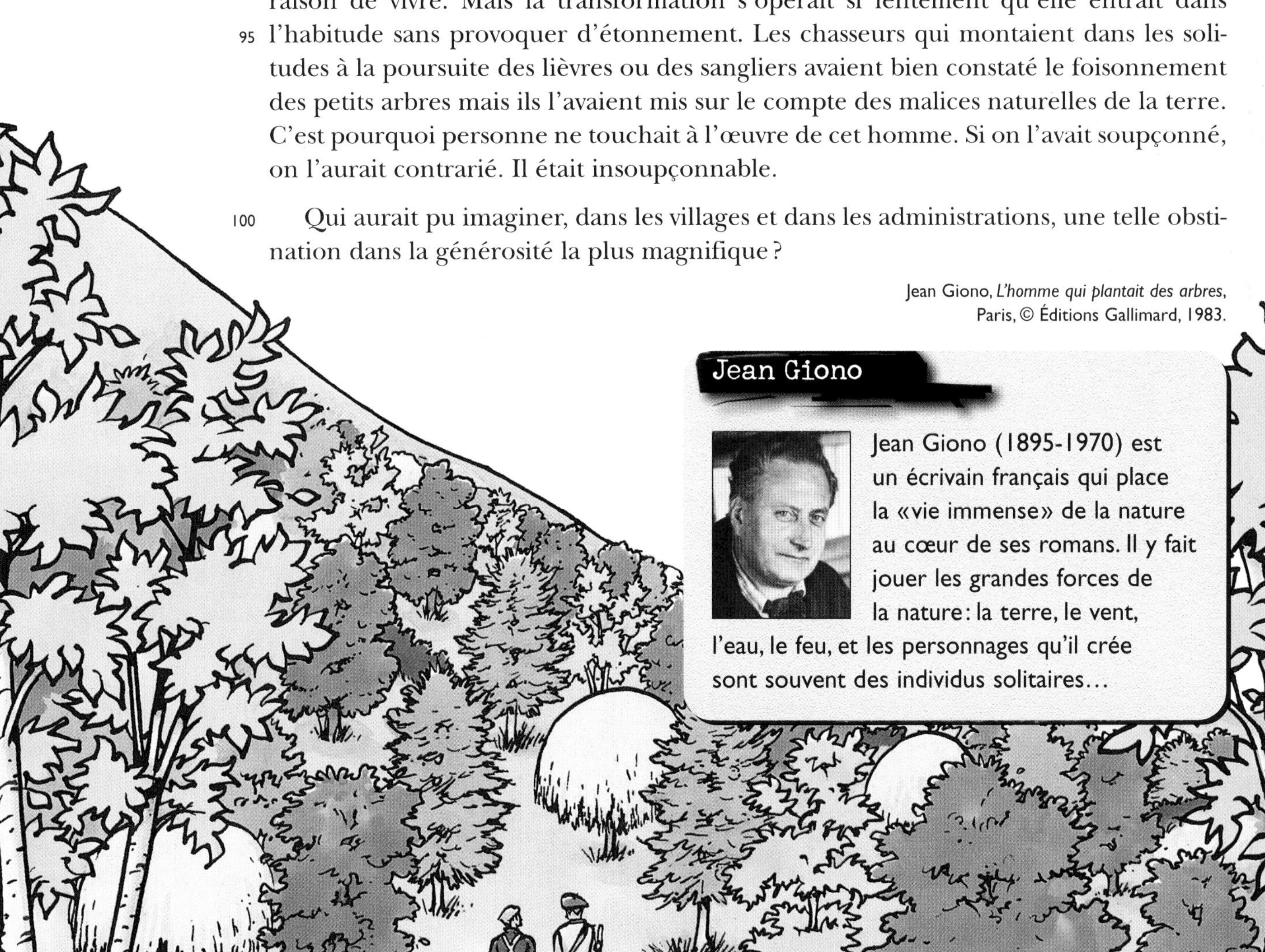

Jean Giono

Jean Giono (1895-1970) est un écrivain français qui place la «vie immense» de la nature au cœur de ses romans. Il y fait jouer les grandes forces de la nature: la terre, le vent, l'eau, le feu, et les personnages qu'il crée sont souvent des individus solitaires…

MENACE SUR L'AMAZONIE

La plus grande forêt du monde risque-t-elle de disparaître ? L'Amazonie suit en tout cas une mauvaise pente : d'année en année, elle se fait grignoter par l'exploitation forestière et minière. Une «ruée vers le vert» qui risque de s'aggraver dangereusement avec le grand projet de développement routier que prépare le Brésil.

ENQUÊTE.

Vu d'avion, le spectacle est magique. Des arbres à perte de vue, comme un immense tapis vert. Ici ou là, les boucles grises d'un fleuve... Mais si on vole à basse altitude, la déception est rude : des trous béants apparaissent distinctement au beau milieu de la forêt. D'immenses clairières, taillées dans la plus grande jungle de la planète. Cela fait des années que l'homme grignote l'Amazonie. Mais aujourd'hui, avertissent les écologistes, une bonne partie de la forêt risque de disparaître. Plus que jamais. Avant la fin du siècle, elle pourrait s'être réduite comme peau de chagrin. La raison de tant d'inquiétude ? Un gigantesque programme lancé ces dernières années par le Brésil, le pays qui abrite la plus grande partie de la forêt amazonienne. Or les Brésiliens veulent y goudronner des milliers de kilomètres de routes. Et aménager plusieurs grands fleuves pour qu'ils soient navigables. Des voies ferrées, des gazoducs seront aussi construits au cœur de la forêt [...]. En tout, 45 milliards de dollars devraient y être engloutis d'ici à 2007.

Pourquoi diable s'attaquer ainsi à l'enfer vert au lieu de laisser tranquilles les arbres, les animaux et les Indiens qui le peuplent ? En fait, le Brésil a plein de bonnes raisons de vouloir aménager la région. [...]

APPRIVOISER L'AMAZONIE

Si les Brésiliens construisent des routes en Amazonie, c'est avant tout pour mieux connecter leur pays au reste du monde. L'un des axes va vers le Venezuela et les Caraïbes, un autre rejoint la Bolivie, le Pérou et le Pacifique. Mais le projet principal est de relier le centre du pays à l'Atlantique, via le fleuve Amazone, histoire d'exporter plus facilement les récoltes (surtout le soja) vers l'Europe. Pour cela, en plus des routes et d'une voie ferrée, il est prévu d'aménager des fleuves entiers pour les rendre navigables. Quant aux gazoducs construits au cœur de la forêt, ils permettront d'acheminer le gaz de Bolivie et des gisements amazoniens vers les villes brésiliennes. Enfin, plus d'une dizaine de barrages hydroélectriques sont prévus sur les grands fleuves amazoniens. Objectif: approvisionner en électricité tout le Brésil, et surtout les industries qui fabriquent de l'aluminium à partir du minerai de bauxite.

[...]

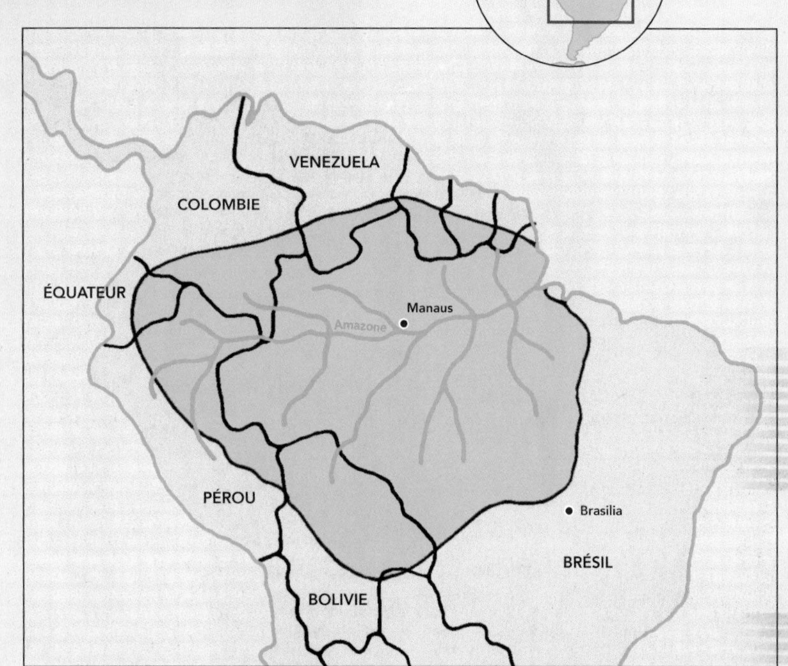

LA PLUS GRANDE FORÊT DU MONDE

Plus vaste que l'Europe, l'Amazonie s'étend sur près de 7 millions de kilomètres carrés, dont près des deux tiers se trouvent au Brésil. En tout, elle couvre 1/20 des terres émergées! On pense qu'elle abrite la moitié de toutes les espèces vivantes de la planète, soit environ 50 000 plantes, 3 000 à 5 000 poissons, des millions d'insectes différents... Mais ce n'est pas tout. Ses fleuves contiennent près de 1/5 des réserves mondiales d'eau douce. Et sous ses racines, la forêt regorge de trésors minéraux: or, fer, bauxite (qui donne l'aluminium), manganèse, étain, cuivre, kaolin... Bien sûr, toutes ces richesses attirent du monde. Les chercheurs d'or, les grandes industries minières, mais aussi les fabricants de produits cosmétiques, qui étudient les plantes ou les insectes amazoniens à la recherche de nouveaux ingrédients pour leurs parfums ou leurs crèmes de beauté.

FAUNE, FLORE ET CLIMAT EN DANGER

[...] Les travaux prévus devraient conduire à la disparition d'au moins 2 690 km^2 de forêt par an. Dans le scénario le moins optimiste, d'ici à vingt ans l'Amazonie sera méconnaissable. Au sud et à l'est, des pans entiers de forêt seront rayés de la carte. Ailleurs, il ne restera plus que des îlots intacts, séparés par des zones déboisées ou très abîmées. Seul l'ouest de l'Amazonie sera encore vraiment couvert de forêt vierge [...].

S'il se réalisait, un tel scénario serait dramatique, pas seulement pour l'Amazonie, mais pour toute la planète. D'abord, des milliers d'espèces d'animaux et de plantes qu'on ne trouve nulle part ailleurs pourraient rejoindre les mammouths et les dinosaures dans les musées. Pire, l'une des plus grandes réserves d'eau douce de la planète risquerait d'être souillée par les activités humaines [...]. Enfin, c'est tout le climat de l'Amérique du Sud, et même du globe, qui pourrait être chamboulé.

Car, avertissent les scientifiques, en ouvrant des clairières dans la forêt, l'homme la rend plus vulnérable à son pire ennemi : le feu. Déjà, durant la saison sèche, les feux allumés par les agriculteurs se répandent dans la forêt, dégageant de gigantesques nuages de fumée qui obscurcissent l'air. Au point qu'il faut souvent fermer les aéroports. Les flammes libèrent dans l'atmosphère des millions de tonnes de dioxyde de carbone, un gaz à effet de serre qui réchauffe la planète. De tels incendies devraient, eux aussi, se multiplier.

Laure Schalchli, « Menace sur l'Amazonie », *Science et Vie junior*, n° 162, mars 2003, p. 26 à 33.

THÉO SAUVE UN ARBRE

Et c'est là que ça m'est revenu, la seule et unique fois de ma vie où j'ai vu tante Anna.

La fois de l'arbre, évidemment. L'érable que les cols bleus avaient oublié de planter et qui 5 était resté couché sur le trottoir devant la maison, dans sa poche de jute, pendant toute une fin de semaine. Je suppose qu'ils n'arrivaient pas à creuser, il leur fallait de la machinerie lourde pour casser la dalle de béton du trottoir. Il devait 10 bien y avoir une raison, on n'abandonne pas un arbre le long du trottoir !

Le vendredi, je l'avais vu en revenant de l'école. J'avais pris le tuyau d'arrosage. J'étais encore un tout petit garçon, j'avais eu de la misère à tirer le 15 tuyau de la cour jusqu'en avant. J'avais arrosé le pied de l'arbre et je me rappelle les traînées de boue, qui s'échappaient de la poche de jute et coulaient dans la rue. Le samedi, il faisait chaud, le soleil plombait et j'avais recommencé. Le 20 dimanche aussi.

J'avais vu ces trucs à la télé, sur l'importance des arbres en Amazonie et tout. J'avais décidé de sauver l'érable. Quand on est petit, on est plein d'enthousiasme, on croit à ce que l'on fait. Moi, 25 Théo, je sauvais un arbre de la mort.

Le dimanche soir, j'arrosais mon arbre quand une vieille femme était arrivée. Elle était petite, avec des rides autour de ses yeux noirs, l'air un peu sorcière. Elle s'était assise sur le bord du 30 trottoir, un peu plus loin, et m'avait observé en silence. Puis elle m'avait demandé :

— Pourquoi fais-tu ça ?

— Ils l'ont oublié.

— Qui ça ?

35 — Les planteurs d'arbres.

— Et alors ? Ce ne sont pas tes affaires…

— Il va mourir. Si personne ne s'en occupe, il va mourir. Je suis trop petit pour faire le trou dans la terre et le planter. Ça fait que je l'arrose 40 en attendant que quelqu'un s'en occupe.

Josiane nous avait vus par la fenêtre. Elle était sortie : « Voyons, ma tante, qu'est-ce que vous faites là, assise par terre, vous allez vous salir ! Entrez donc prendre l'apéritif. »

45 J'avais compris que la drôle de dame était de la famille, qu'elle était de passage en ville et que ma mère l'avait invitée à souper. Je ne me rappelle rien de ce souper, à part les yeux comme des billes noires de tante Anna, son regard qui 50 fouillait jusqu'au centre de l'âme.

Charlotte Gingras, *Un été de Jade*, Montréal, La courte échelle, 1999, p. 138 à 140.

Charlotte Gingras

Charlotte Gingras est née à Québec en 1943. Toute jeune, elle a décidé qu'elle serait une artiste. Aujourd'hui, elle sculpte, fait de la photographie et écrit pour les jeunes. Son univers est à la fois réaliste et poétique.

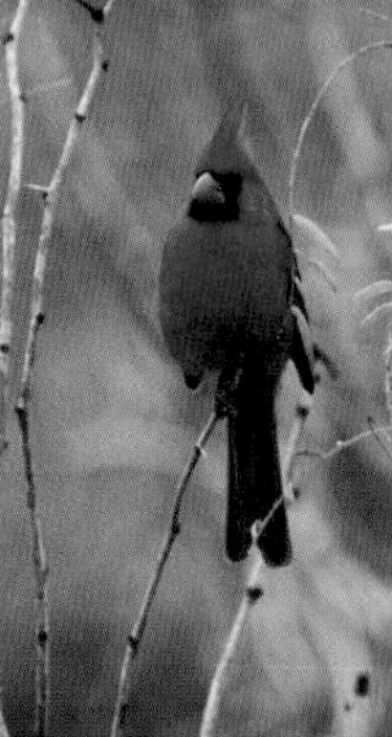

Qui montera dans l'arche ?

Si Noé décidait de sauver toutes les espèces actuelles, il aurait du mouron à se faire. Trop de monde ! Près de 2 millions d'entre elles ont été recensées. Plus de 12 000 sont en danger et « toutes mériteraient un programme de conservation », note Jean-Christophe Vié, de l'UICN[1]. Dans la pratique, toutefois, cet objectif est difficile à atteindre. Trop cher ! [...]

« On ne peut pas intervenir directement sur toutes les espèces », confirme Didier Moreau, du WWF, l'organisation mondiale de protection de la nature. À l'opposé de Noé, les professionnels de la conservation font donc des choix... tactiques. Le WWF, par exemple, affiche une liste d'espèces emblématiques [...] bénéficiant d'un programme de conservation : les éléphants, les baleines, le panda... De bons mammifères auxquels s'ajoutent des reptiles tout aussi avenants : les tortues marines. Le contenu de notre arche se dessine, direz-vous : on n'y met que de gros animaux sympathiques. Il est vrai qu'appartenir à cette catégorie – comme à celle des oiseaux – aide terriblement à obtenir un programme de sauvegarde. Logique. « Il est plus facile de persuader les donateurs de financer un projet sur la conservation de l'éléphant que sur les libellules, lâche Jean-Christophe Vié. On peut aussi élaborer un projet de tourisme autour des tortues marines. C'est moins facile avec les insectes ! »

1. Union internationale pour la conservation de la faune.

Les espèces «parapluies»

En protégeant ces espèces, on préserve toutes celles qui partagent le même territoire. C'est le cas, par exemple, des coraux. Plus de 6 000 espèces de mollusques et 4 000 espèces de poissons vivent sur les récifs coralliens qu'ils utilisent comme abris et pouponnières pour leurs alevins. En veillant sur les coraux, la survie de 10 000 espèces est garantie d'un seul coup! Autres «parapluies»: les gros prédateurs (tigres, ours, loups...) et les espèces rares. On ne les trouve parfois que dans des endroits très limités, plus faciles à préserver que de grands territoires. On sauve alors toutes les espèces qui vivent au même endroit.

Les espèces-clés

Les espèces-clés ont une place cruciale dans l'écosystème car elles influent sur beaucoup d'autres espèces. On trouve parmi elles les carnivores. Parce qu'ils mangent une quantité non négligeable de proies, ils limitent fortement les effectifs de ces dernières. Que les carnivores disparaissent et leurs proies risquent de pulluler! Autres espèces-clés, les animaux ingénieurs, tels que les coraux et les castors qui transforment le paysage en construisant des barrages. Ce faisant, ils fournissent un abri pour d'autres espèces et leur permettent de se reproduire en toute tranquillité.

Les espèces emblématiques

Les grands singes, l'éléphant, le panda, les baleines... ont une valeur sentimentale. Parce qu'ils nous sont sympathiques, les professionnels de la conservation utilisent leur image pour des appels au don et le lancement de programmes de conservation d'une région tout entière. Par exemple, on décide de protéger le tamarin lion, un petit singe à la crinière dorée qui vit au Brésil dans la forêt atlantique, l'un des écosystèmes les plus menacés au monde. De cette manière, on conserve toutes les espèces «insignifiantes» ayant élu domicile sur son territoire.

Démonter ce paysage

Démonter ce paysage
de larmes et de ravages
ce paysage
de béton de fumée
5 ce paysage
d'acier et de carnage

mettre des fleurs aux balcons
des écharpes multicolores
aux poteaux indicateurs
10 cultiver les violettes entre les pavés
peindre les arbres en rose
et les murs en arc-en-ciel

regarder ce paysage
dans les yeux de mon amie
15 et l'écouter rire
jusqu'à la nuit.

Luce Guilbaud, «Démonter ce paysage»,
La révolte des poètes pour changer la vie,
Paris, © Hachette-Livre, 1998, p. 173.

Colère

Les pluies sont démoniaques
Les arbres se défroquent
Les saisons se détraquent
La terre change de toque
5 À grands coups de matraques
On frappe sur les phoques
La terre est un cloaque
Malgré tous les colloques

Pardonnez si je craque
10 Mais les vœux réciproques
De quelques vieux macaques
Aux discours équivoques
Mériteraient des claques
Pour sauver la bicoque !

Philippe Mathy, «Colère»,
La révolte des poètes pour changer la vie,
Paris, © Hachette-Livre, 1998, p. 134.

Philippe Mathy

Philippe Mathy est un poète belge né en 1956. C'est un grand amoureux des arts.

Luce Guilbaud

Née en France en 1941, Luce Guilbaud est peintre et poète. Elle est aussi professeure d'arts plastiques.

PROTÉGER LA TERRE-MÈRE

Proches de la nature, les Amérindiens ont été qualifiés de «bons sauvages» et, plus récemment, de «premiers écologistes». Protéger la nature fait, en effet, partie intégrante de leurs préoccupations quotidiennes. Les Amérindiens sont, de fait, écologistes au sens véritable du terme – ils connaissent les cycles de la 5 nature et comprennent ses limites. Ils se considèrent comme une partie de la Terre elle-même, pas plus importante que les autres créatures qui y vivent. Pour les Amérindiens, l'écologie est une question d'équilibre et de respect.

Vivant de la chasse et de la cueillette, les Amérindiens durent contrôler soigneusement les capacités de la Terre à subvenir à leurs besoins, en particulier 10 dans les régions aux ressources restreintes. Ainsi, les chasseurs crees mistassinis, implantés aux alentours de la baie d'Hudson, conservaient une liste des animaux tués afin de ne pas décimer les espèces. Lorsque les populations animales commençaient à décliner, ils se déplaçaient vers de nouveaux territoires de chasse. De même, les tribus pratiquant l'agriculture, comme les Mandans et les 15 Hidatsas, savaient que la terre pouvait supporter des récoltes pendant plusieurs saisons avant d'être laissée en jachère. De multiples tribus veillaient même à la protection de la population locale d'aigles; si leurs plumes jouaient un rôle important 20 dans les rituels, ces oiseaux sacrés étaient rares, aussi construisait-on des pièges qui permettaient aux chasseurs d'attraper les aigles, de les maintenir par les pattes et de leur arracher quelques plumes avant 25 de les relâcher.

Cette harmonie entre les hommes et la nature se modifia radicalement avec l'arrivée des Européens. À la fin des années 1800, les bisons avaient presque 30 complètement disparu. Plus récemment, on a pu assister à la déforestation de terres tribales et à la pollution de leurs cours d'eau. De nombreux Amérindiens ont pris publiquement la parole pour 35 condamner cette profanation, et sont devenus d'ardents défenseurs des causes environnementales.

Larry J. Zimmerman, *Les Indiens d'Amérique du Nord*,
traduction française de Hélène Varnoux, Paris,
© Gründ pour l'édition française, 2003, p. 30.

Épître aux oiseaux de cette côte

Vous goélands qui connaissez cette côte
depuis l'Aber Wrac'h jusqu'aux Sept-Îles
vous au bec à pointe rouge
vous sternes et mouettes tridactyles
5 vous pies de mer
vous bandes de hérons fantômes
qui hantez encore l'île Millau
(je vous vois le soir
au-dessus du bois de pins
10 gris-bleu dans le bleu)
ceci seulement pour dire
que je vous suis reconnaissant d'être là
sinon
si vous étiez tous partis
15 c'est que les autres auraient gagné
ceux qui avancent
ceux qui construisent
avec leurs idées idiotes et leurs credo crétins
leurs marées noires et leurs déchets nucléaires
20 leurs bruits et leurs nuisances
(ils ne savent pas marcher le long de la côte
il leur faut toutes sortes
de jeux et d'animations
ils ne savent même pas ce qu'ils ont perdu) –
25 alors je vous en prie
continuez à vous servir du ciel
comme vous savez le faire
portés par le vent
les yeux grands ouverts
30 suivant les lignes de la côte
(ainsi que d'autres plus difficiles à voir)
et lancez un cri de loin en loin
pour ceux d'entre nous, en bas, qui veillent
ce sera une sorte de rappel
35 (pour accompagner les signes enclos
dans le silence de la pierre) :
bien au-delà de la maison du cœur
jusque dans les os

Kenneth White, «Épître aux oiseaux de cette côte» (extrait),
Atlantica, Paris, Éditions Bernard Grasset.

Kenneth White

Kenneth White est un poète d'origine écossaise né en 1936. Il vit en France depuis 30 ans. La poésie joue un rôle primordial dans sa vie depuis toujours. Préoccupé par la dégradation de l'environnement, il cherche à faire voir, à l'aide de mots simples, la beauté des oiseaux, de la lumière, de la terre, de l'eau.

La planète malade

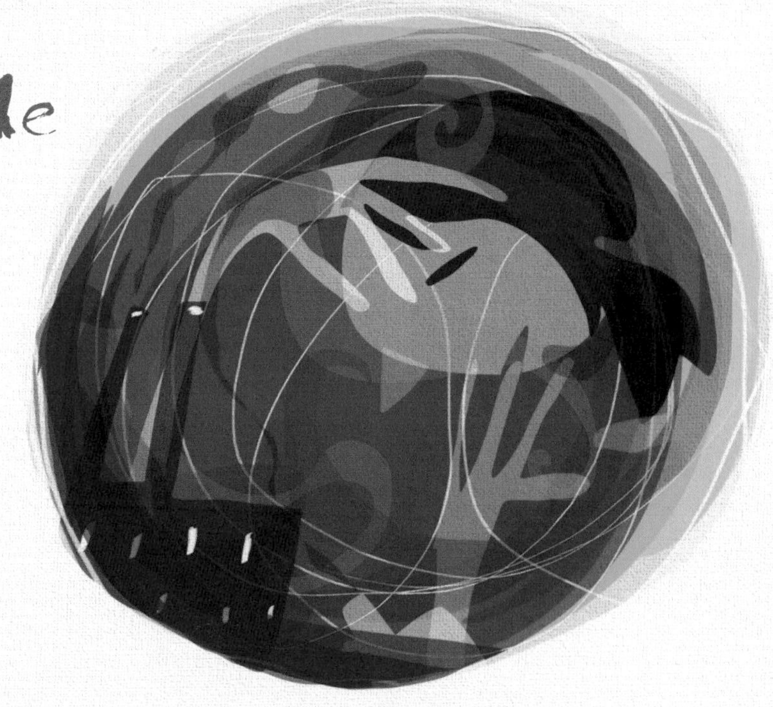

Je ne sais pas ce qui se passe,
Dit la Terre : j'ai mal au cœur !
Ai-je trop tourné dans l'espace
4 Ou bu trop d'amères liqueurs ?

Les boues rouges, les pluies acides,
Le vert-de-gris dans l'or du Rhin,
Les défoliants, les pesticides,
8 N'en voilà des poisons malins !

C'est si fort que j'en perds la boule,
J'en ai les pôles de travers,
Ma tête à tant rouler se saoule :
12 Je vois l'univers à l'envers !

Je songe à ma rondeur de pomme
Dans le commencement des temps,
Juste avant que la dent de l'homme
16 Ne vienne se planter dedans.

J'étais rouge et bleue, j'étais verte :
Air pur, eau pure, oh ! mes enfants !
La vie partout, la vie offerte
20 À profusion, à cœur battant !

Puis vint la guerre : chasse à l'homme,
Puis la chasse : guerre à la bête.
À bas l'oiseau ! Mort à l'énorme !
24 Il faut mettre au pas la planète !

À présent, la chimie me ronge,
Je compte mes baleines bleues,
Mes pandas, mes oiseaux de songe
28 Qui ferment un à un les yeux.

Au secours, les enfants des hommes !
Le printemps perd son goût de miel.
Redonnez sa fraîcheur de pomme
32 À la Terre, fruit du soleil !

Marc Alyn, « La planète malade », *Compagnons de la Marjolaine*, Paris, Éditions ouvrières / Éditions de l'Atelier, 1986, p. 92-93.

Marc Alyn

Marc Alyn est né en 1937 en France. Il a commencé très jeune à écrire des poèmes. Il écrit aussi des romans et des pièces de théâtre.

VOIR AUTREMENT

THÈME

Qui es-tu ?

Quelques mots, et voilà que l'autre
nous parle de sa culture, de son lieu d'origine,
de ses expériences, de ses idées...

Qui suis-je ?

D'autres mots, et nous nous demandons
ce que nous attendons de la vie,
quelles valeurs nous défendrons,
quelles idées sont importantes à nos yeux.

Qui es-tu ? Qui suis-je ?

Deux questions pour voir les autres autrement
et pour se voir autrement.

SOMMAIRE

Une leçon d'amitié

XX

Mais il arriva que le petit prince, ayant longtemps marché à travers les sables, les rocs et les neiges, découvrit enfin une route. Et les routes vont toutes chez les hommes.

— Bonjour, dit-il.

5 C'était un jardin fleuri de roses.

— Bonjour, dirent les roses.

Le petit prince les regarda. Elles ressemblaient toutes à sa fleur.

— Qui êtes-vous ? leur demanda-t-il, stupéfait.

— Nous sommes des roses, dirent les roses.

10 — Ah ! fit le petit prince…

Et il se sentit très malheureux. Sa fleur lui avait raconté qu'elle était seule de son espèce dans l'univers. Et voici qu'il en était cinq mille, toutes semblables, dans un seul jardin !

« Elle serait bien vexée, se dit-il, si elle voyait ça… elle tousserait énormément et 15 ferait semblant de mourir pour échapper au ridicule. Et je serais bien obligé de faire semblant de la soigner, car, sinon, pour m'humilier moi aussi, elle se laisserait vraiment mourir… »

Puis il se dit encore : « Je me croyais riche d'une fleur unique, et je ne possède qu'une rose ordinaire. Ça et mes trois volcans qui m'arrivent au genou, et dont l'un, 20 peut-être, est éteint pour toujours, ça ne fait pas de moi un bien grand prince… » Et, couché dans l'herbe, il pleura.

XXI

C'est alors qu'apparut le renard :

— Bonjour, dit le renard.

25 — Bonjour, répondit poliment le petit prince, qui se retourna mais ne vit rien.

— Je suis là, dit la voix, sous le pommier…

— Qui es-tu ? dit le petit prince. Tu es bien joli…

— Je suis un renard, dit le renard.

— Viens jouer avec moi, lui proposa le petit prince. Je suis tellement triste…

30 — Je ne puis pas jouer avec toi, dit le renard. Je ne suis pas apprivoisé.

— Ah ! pardon, fit le petit prince.

Mais, après réflexion, il ajouta :

— Qu'est-ce que signifie « apprivoiser » ?

— Tu n'es pas d'ici, dit le renard, que cherches-tu ?

35 — Je cherche les hommes, dit le petit prince. Qu'est-ce que signifie « apprivoiser » ?

— Les hommes, dit le renard, ils ont des fusils et ils chassent. C'est bien gênant ! Ils élèvent aussi des poules. C'est leur seul intérêt. Tu cherches des poules ?

— Non, dit le petit prince. Je cherche des amis. Qu'est-ce que signifie « apprivoiser » ?

— C'est une chose trop oubliée, dit le renard. Ça signifie « créer des liens... ».

40 — Créer des liens ?

— Bien sûr, dit le renard. Tu n'es encore pour moi qu'un petit garçon tout semblable à cent mille petits garçons. Et je n'ai pas besoin de toi. Et tu n'as pas besoin de moi non plus. Je ne suis pour toi qu'un renard semblable à cent mille renards. Mais, si tu m'apprivoises, nous aurons besoin l'un de l'autre. Tu seras pour moi unique au
45 monde. Je serai pour toi unique au monde...

— Je commence à comprendre, dit le petit prince. Il y a une fleur... je crois qu'elle m'a apprivoisé...

— C'est possible, dit le renard. On voit sur la Terre toutes sortes de choses...

— Oh ! ce n'est pas sur la Terre, dit le petit prince.

50 Le renard parut très intrigué :

— Sur une autre planète ?

— Oui.

— Il y a des chasseurs, sur cette planète-là ?

— Non.

55 — Ça, c'est intéressant ! Et des poules ?

— Non.

— Rien n'est parfait, soupira le renard.

Mais le renard revint à son idée :

— Ma vie est monotone. Je chasse les poules, les hommes me chassent. Toutes les
60 poules se ressemblent, et tous les hommes se ressemblent. Je m'ennuie donc un peu. Mais, si tu m'apprivoises, ma vie sera comme ensoleillée. Je connaîtrai un bruit de pas qui sera différent de tous les autres. Les autres pas me font rentrer sous terre. Le tien m'appellera hors du terrier, comme une musique. Et puis regarde ! Tu vois, là-bas, les champs de blé ? Je ne mange pas de pain. Le blé pour moi est inutile. Les champs de
65 blé ne me rappellent rien. Et ça, c'est triste ! Mais tu as des cheveux couleur d'or. Alors ce sera merveilleux quand tu m'auras apprivoisé ! Le blé, qui est doré, me fera souvenir de toi. Et j'aimerai le bruit du vent dans le blé...

Le renard se tut et regarda longtemps le petit prince:

— S'il te plaît... apprivoise-moi! dit-il.

70 — Je veux bien, répondit le petit prince, mais je n'ai pas beaucoup de temps. J'ai des amis à découvrir et beaucoup de choses à connaître.

— On ne connaît que les choses que l'on apprivoise, dit le renard. Les hommes n'ont plus le temps de rien connaître. Ils achètent des choses toutes faites chez les marchands. Mais comme il n'existe point de marchands d'amis, les hommes n'ont plus 75 d'amis. Si tu veux un ami, apprivoise-moi!

— Que faut-il faire? dit le petit prince.

— Il faut être très patient, répondit le renard. Tu t'assoiras d'abord un peu loin de moi, comme ça, dans l'herbe. Je te regarderai du coin de l'œil et tu ne diras rien. Le langage est source de malentendus. Mais, chaque jour, tu pourras t'asseoir un peu plus 80 près...

Le lendemain revint le petit prince.

— Il eût mieux valu revenir à la même heure, dit le renard. Si tu viens, par exemple, à quatre heures de l'après-midi, dès trois heures je commencerai d'être heureux. Plus l'heure avancera, plus je me sentirai heureux. À quatre heures, déjà, je m'agiterai et 85 m'inquiéterai; je découvrirai le prix du bonheur! Mais si tu viens n'importe quand, je ne saurai jamais à quelle heure m'habiller le cœur... Il faut des rites.

— Qu'est-ce qu'un rite? dit le petit prince.

— C'est aussi quelque chose de trop oublié, dit le renard. C'est ce qui fait qu'un jour est différent des autres jours, une heure, des autres heures. Il y a un rite, par 90 exemple, chez mes chasseurs. Ils dansent le jeudi avec les filles du village. Alors le jeudi est jour merveilleux! Je vais me promener jusqu'à la vigne. Si les chasseurs dansaient n'importe quand, les jours se ressembleraient tous, et je n'aurais point de vacances.

Ainsi le petit prince apprivoisa le renard. Et quand l'heure du départ fut proche:

— Ah! dit le renard... Je pleurerai.

95 — C'est ta faute, dit le petit prince, je ne te souhaitais point de mal, mais tu as voulu que je t'apprivoise...

— Bien sûr, dit le renard.

— Mais tu vas pleurer! dit le petit prince.

— Bien sûr, dit le renard.

100 — Alors tu n'y gagnes rien!

— J'y gagne, dit le renard, à cause de la couleur du blé.

Puis il ajouta:

— Va revoir les roses. Tu comprendras que la tienne est unique au monde. Tu reviendras me dire adieu, et je te ferai cadeau d'un secret.

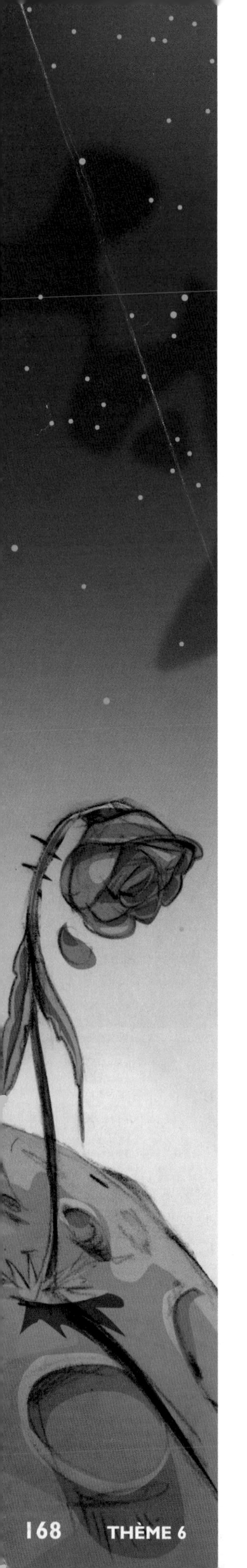

105 Le petit prince s'en fut revoir les roses:

— Vous n'êtes pas du tout semblables à ma rose, vous n'êtes rien encore, leur dit-il. Personne ne vous a apprivoisées et vous n'avez apprivoisé personne. Vous êtes comme était mon renard. Ce n'était qu'un renard semblable à cent mille autres. Mais j'en ai fait mon ami, et il est maintenant unique au monde.

110 Et les roses étaient bien gênées.

— Vous êtes belles, mais vous êtes vides, leur dit-il encore. On ne peut pas mourir pour vous. Bien sûr, ma rose à moi, un passant ordinaire croirait qu'elle vous ressemble. Mais à elle seule elle est plus importante que vous toutes, puisque c'est elle que j'ai arrosée. Puisque c'est elle que j'ai mise sous globe. Puisque c'est elle que j'ai abritée 115 par le paravent. Puisque c'est elle dont j'ai tué les chenilles (sauf les deux ou trois pour les papillons). Puisque c'est elle que j'ai écoutée se plaindre, ou se vanter, ou même quelquefois se taire. Puisque c'est ma rose.

Et il revint vers le renard:

— Adieu, dit-il…

120 — Adieu, dit le renard. Voici mon secret. Il est très simple: on ne voit bien qu'avec le cœur. L'essentiel est invisible pour les yeux.

— L'essentiel est invisible pour les yeux, répéta le petit prince, afin de se souvenir.

— C'est le temps que tu as perdu pour ta rose qui fait ta rose si importante.

— C'est le temps que j'ai perdu pour ma rose…, fit le petit prince, afin de se souvenir.

125 — Les hommes ont oublié cette vérité, dit le renard. Mais tu ne dois pas l'oublier. Tu deviens responsable pour toujours de ce que tu as apprivoisé. Tu es responsable de ta rose…

— Je suis responsable de ma rose…, répéta le petit prince, afin de se souvenir.

Antoine de Saint-Exupéry,
Le petit prince (extrait), 1943.

Antoine de Saint-Exupéry

Pilote d'avion professionnel à 25 ans, Antoine de Saint-Exupéry (1900-1944) est aussi, plus tard, reporter à Moscou, en Espagne, en Allemagne… et écrivain. Son œuvre la plus connue, *Le petit prince*, a fait, comme lui, le tour du monde: elle a été traduite en 115 langues. Antoine de Saint-Exupéry est disparu en vol en juillet 1944 lors d'une mission de reconnaissance.

Sonia Tarabova-Cédille a rassemblé des contes traditionnels tsiganes pour mieux les faire connaître. Les Tsiganes (ou Tziganes) sont venus il y a très longtemps de l'Inde. On les appelle aussi «Gitans», «Roms», «Manouches» ou encore les «gens du voyage» en faisant référence à leurs continuels déplacements. Parcourant inlassablement les routes, ils ont migré partout dans le monde, mais principalement en Europe.

LES ENFANTS DU SOLEIL

Il y a longtemps, très longtemps, les Roms n'habitaient ni dans des maisons, ni dans des villages. Le monde entier était leur demeure et les chemins sans fin leur appartenaient. Ils vagabondaient par monts et par vaux, tantôt dans les pays chauds, tantôt dans les contrées recouvertes de neige. Ils dormaient sous le ciel étoilé et ne possédaient que ce que pouvaient porter leurs chevaux. Lors de leurs voyages ils voyaient ce que les autres ne pouvaient pas imaginer, ils rencontraient des gens dont personne ne soupçonnait l'existence. Ils apprenaient des langues dont nul n'avait jamais entendu parler. Ils dialoguaient avec les étoiles, écoutaient les oiseaux, peut-être même comprenaient-ils leur langage. D'ailleurs, dès qu'ils jouaient de leurs violons, les gens disaient:

— Écoutez, on croirait entendre le chant des oiseaux, le souffle du vent, le murmure de l'eau…

Leur vie se déroulait ainsi, tout au long du printemps, en été ou en automne. Mais en hiver ce n'était pas la même chose. Les étoiles et le soleil étaient loin, leur lueur et leur chaleur n'arrivaient plus à réchauffer ce peuple vagabond. Souvent la neige recouvrait les champs et les routes, et les feux de camps ne suffisaient pas à réchauffer tous ceux qui se serraient autour. La musique se faisait rare, car les mains des joueurs étaient vite transies de froid. Les Roms devenaient tristes et ne se ressemblaient plus.

Petit Lavutaris jouait du violon depuis sa plus tendre enfance; tout le monde le surnommait «le Violoniste». Lui non plus n'aimait pas l'hiver. Souvent il demandait à sa mère:

— Pourquoi le soleil brille-t-il si peu l'hiver? Pourquoi ne chauffe-t-il pas plus? Ne voit-il pas que mes frères et mes sœurs tombent malades à cause du froid? Ne voit-il pas que nos chevaux tremblent et que nos tentes se transforment en grottes glacées?

Mais ses questions restaient toujours sans réponses. Un jour de froid insupportable, alors que les Roms n'avaient plus où s'abriter, il décida:

45 «Je vais aller voir le soleil. Je vais tenter de le persuader de chauffer un peu plus, tout au moins notre peuple. Il m'entendra, j'en suis sûr.»

Petit Lavutaris se mit alors à courir jusqu'au sommet de la plus haute colline. Il était persuadé 50 que le soleil se couchait là-bas. Il ne le trouva pas, mais il rencontra le Vent Belval, méchant et coléreux. Dès qu'il vit l'enfant, le Vent Belval souffla méchamment dans ses cheveux, lui balaya de la pluie droit dans le visage et arracha les 55 feuilles des arbres, qui se mirent à tournoyer dans tous les sens.

«Ce n'est pas ici que je trouverai le soleil», se dit le jeune garçon qui, bousculé par ce vent rageur, s'empressa de prendre une autre direc- 60 tion. Plus loin dans les nuages, il aperçut une colline encore plus haute.

«Voilà», se dit-il, «le soleil habite certainement là-bas. Je vais monter jusqu'au sommet et cette fois je vais enfin pouvoir lui parler.» Mais il ne 65 savait pas que là-haut régnait le sévère Gel-Fadin. Dès qu'il aperçut le jeune Lavutaris, le Gel-Fadin souffla, et les cheveux noirs du garçon se recouvrirent immédiatement de givre argenté. Le Gel-Fadin souffla encore et le violon de Lavutaris se 70 transforma en glaçon. Quand il souffla la troisième fois, les doigts de l'enfant s'immobilisèrent, transis de froid.

«Que vais-je devenir sans mon violon? Comment pourrai-je jouer à nouveau?» se demanda 75 Lavutaris désespéré. Pris de peur, il se mit à courir, laissant derrière lui le royaume du gel et de la glace. Peu de temps après il s'arrêta, essoufflé, et vit devant lui un pic rocheux encore plus élevé que les deux précédents. Il y grimpa et vit 80 un vieil homme barbu avec des cheveux longs d'une blancheur éblouissante. Il avait l'air très calme et très doux, mais ce n'était qu'une apparence. C'était le seigneur des Neiges-Jiv. Il chuchota, murmura et envoya sur Lavutaris de 85 magnifiques plumes blanches. Mais ce duvet doux qui peu à peu recouvrit le jeune garçon était en fait si froid qu'il le gela jusqu'à l'âme.

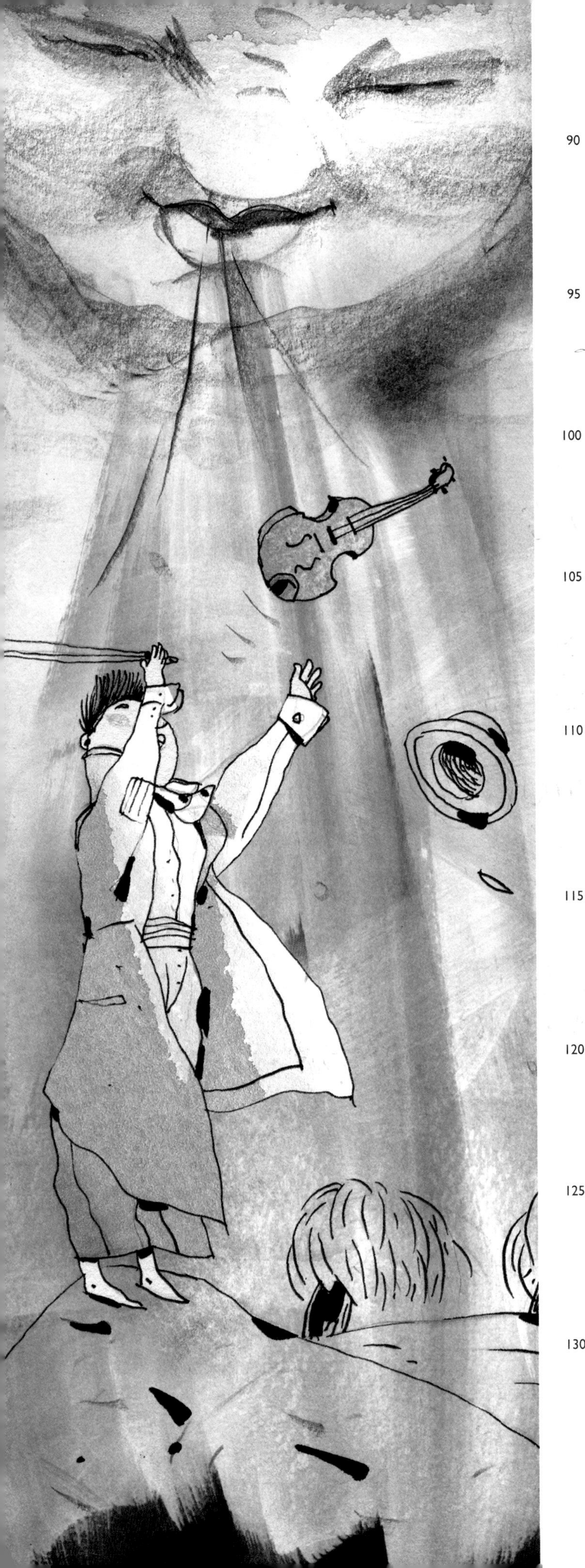

— Dors, Lavutaris, dors. Je te garderai chez moi. Tu vas jouer de ton violon rien que pour moi, répétait le seigneur des Neiges comme une ritournelle.

— Non, je ne veux pas m'endormir. Il faut que j'aille voir le soleil et que j'apporte sa chaleur pour mon village, souffla le jeune garçon. Et, rassemblant ses dernières forces, il réussit à se dégager de ce manteau de froid. Lavutaris se remit à parcourir les vallées et les collines. Il grimpa sur le flanc des montagnes jusqu'à des pics élevés, mais ne trouva toujours pas le soleil. Il était si fatigué qu'il fut sur le point d'abandonner sa quête. Il ne pensait plus qu'à s'asseoir et à pleurer. C'est alors que le souvenir de son grand-père lui revint à la mémoire. C'était celui que les gens appelaient Baro Lavutaris, « le Grand Violoniste ».

« Un Rom ne pleure jamais comme un petit enfant », disait le grand-père, « il ne verse pas de larmes ordinaires. Un Rom exprime sa tristesse par la musique qu'il fait naître de son violon, et les pleurs qui jaillissent sous l'archet font fondre les cœurs les plus durs. »

À l'époque où Lavutaris avait entendu ces phrases, elles lui étaient incompréhensibles, mais ce jour-là chaque mot prenait bien son sens.

Petit Lavutaris prit alors son violon et se mit à jouer. Et dans sa mélodie il mit toutes les joies, les tristesses et les espoirs de son peuple. Ensuite il prit son souffle et se mit à chanter :

Ô, mon Soleil,
Tu réchauffes le monde entier
Mais nous les Roms tu ne nous entends pas,
Nos malheurs tu ne les vois pas.
Si tu nous regardais d'un peu plus près,
Nos souffrances, tu les comprendrais.
L'hiver nous ne pouvons pas nous passer de toi.
Pourquoi ne changes-tu pas cette loi ?

Le soleil ne resta pas insensible au chant désespéré de Lavutaris et décida de lui parler. Il poussa alors les lourds nuages gris qui le masquaient et tout à coup une dense et chaude lueur se répandit autour de l'enfant.

— Tu n'es pas juste, Lavutaris, dit le soleil. J'aime tout le monde, mais je dois réchauffer tous les gens chacun à leur tour. Si, l'hiver, je quitte ce pays, c'est aussi pour que les hommes se reposent et soient prêts ensuite pour tous les travaux qui les attendent au printemps. Pourtant, sache que j'aime les Roms, j'aime votre musique, vos chants et vos danses qui traduisent votre intense joie de vivre. Dans ton chant il y a un tel désarroi, Lavutaris, que j'ai décidé de t'aider. Je vais embrasser chaque Rom pour que tout le monde sache que vous êtes mes enfants bien-aimés, et désormais, vous aurez les visages du soleil, souriants et bronzés. Je vais vous faire encore un autre cadeau. Puisque je ne peux pas changer l'hiver en été, je vais déposer dans chaque cœur tzigane un petit soleil-*khamoro*[1], qui vous réchauffera même pendant les hivers les plus rudes. Et *khamoro* vous apprendra à chanter comme personne.

Et pour prouver ses mots, le soleil embrassa Lavutaris sur le front. À l'instant même, l'enfant ressentit une agréable chaleur se répandre en lui. Le soleil disparut aussitôt derrière les nuages noirs et le pays fut de nouveau balayé par un vent glacial. Mais Lavutaris était heureux. Malgré le froid il ressentait tellement de bonheur et de chaleur qu'il se mit à chanter. Un chant nouveau montait en lui et laissait éclater sa joie. Tout en chantant, il arriva en vue du campement qu'il avait quitté quelques jours auparavant.

De loin il entendit ses frères, sœurs, tantes, cousins et amis qui chantaient le même refrain que lui, et il reconnut dans ce chant le cadeau du soleil. Ils l'accueillirent tous avec enthousiasme et ils restèrent groupés près du feu à chanter et danser jusque tard dans la nuit. Plus personne n'avait froid. Leurs cœurs rayonnants et leurs chants endiablés suffisaient désormais à les réchauffer. Le soleil avait tenu sa promesse. Depuis ce temps, il n'y a pas un Rom au monde qui ne sache pas chanter, car dans chaque cœur tzigane bat un petit soleil-*khamoro*.

Et toi, quand tu entendras leurs chants, tu seras aussi emporté par leur fougue, tu partageras leur bonheur et leur joie de vivre qui font oublier les saisons.

Sonia Tarabova-Cédille, *14 contes tziganes*, Paris, Flammarion, coll. «Castor Poche», 2002, p. 103 à 111.

1. *Khamoro*, dans la langue des Roms, désigne le soleil.

À quoi peut bien ressembler la vie d'une famille de paysans mexicains de nos jours ? Et celle d'un ouvrier haïtien ou d'un éleveur bolivien ? Pour nous le faire découvrir, l'auteure Hélène Tremblay a partagé, heure par heure, la vie quotidienne de dizaines de familles du monde entier. Voici le portrait qu'elle a dressé d'une famille mexicaine.

LA FAMILLE GARCÍAS HERNÁNDEZ

5 HEURES

La petite Pascuala se réveille : envie de faire pipi. Dans le noir, Catanina cherche à tâtons, sur le sol, la lampe de poche. Elle allume et accompagne sa fille qui s'accroupit dehors, près de la porte. Tout ce remue-ménage a réveillé la maisonnée avant que le coq ait eu le temps d'accomplir son devoir quotidien. Les garçons, allongés en rang d'oignons à même le sol de la cuisine, s'agitent. Reyes, l'aîné, se lève, rassemble des brindilles de bois entre les trois pierres qui forment l'âtre. Il allume le feu, pose la casserole et se recouche.

La petite maison de bambou des Garcías Hernández est perchée sur les flancs verdoyants des montagnes tropicales de la Huasteca, au centre du Mexique. Un sentier de terre se faufile de la maison jusqu'à la route principale, à travers les orangeraies. Les deux aînés l'empruntent tous les matins : Alfredo à pied vers Chipolco, où il fait ses études secondaires;

Sixto Hernández, 44 ans
María Catanina Garcías Hernández, 34 ans
Reyes Hernández, 16 ans
Alfredo, 14 ans
Gerardo, 10 ans
Francisco, 8 ans
Angélica, 6 ans
Pascuala, 2 ans 1/2

Reyes, lui, descend sur sa vieille bicyclette brinquebalante et sans frein pour aller au collège technique de Halpila.

6 HEURES 30

Après avoir pris le café avec eux, Sixto regarde avec fierté ses fils partir. Pour assurer leur éducation, il travaille d'arrache-pied. Sur ses terres, il cultive du maïs, du café, des avocats et des bananes pour la consommation familiale, des oranges pour la vente. Afin d'arrondir les fins de mois, Sixto se loue chez les grands propriétaires deux jours par semaine: il nettoie à coups de machette les domaines privés ou le bord des routes nationales. «La récolte des oranges exige beaucoup d'efforts pour peu de profits, constate Sixto. Je ne comprends pas, tout ce que j'achète coûte de plus en plus cher et pourtant je ne reçois jamais plus d'argent pour mes oranges.»

Sa machette à la main, Sixto grimpe dans la montagne et rejoint des hommes des environs dans la cour de l'école primaire, pour la journée hebdomadaire consacrée à la communauté. Ce matin, les uns préparent le torchis, les autres comblent les trous des murs d'une salle de classe. Bientôt Gerardo et Francisco suivront leur père, mais, avant le début des cours, ils apporteront de l'eau aux trois vaches qui broutent dans un petit pâturage, entouré d'orangers.

8 HEURES

La petite dernière, Pascuala, suit pas à pas sa mère partout dans la maison en imitant ses gestes de ménagère. Aujourd'hui, elle a refusé d'aller à l'école des petits. «Je m'y ennuie», et Catanina, toujours douce et patiente, n'a pas voulu contrarier sa fille. Une amie de la famille fait halte à la maison. Elle vient de marcher deux heures pour accompagner ses deux nièces du hameau et attendra la fin des cours chez Catanina avant de prendre le chemin du retour vers la montagne. Elle s'assied aux côtés de Pascuala et l'aide à nettoyer les haricots.

8 HEURES 40

La cloche de l'école retentit, à quelques centaines de mètres. Catanina appelle Angélica pour lui nouer les cheveux. Puis, comme tous les jours, elle inspecte attentivement sa fille, ses mains, ses cheveux, ses vêtements. Angélica n'aura aucune crainte à avoir quand les pro-

Les habitants du Mexique

Le Mexique compte plus de 100 millions d'habitants. Ce sont des descendants des Amérindiens (Zapotèques, Mayas, Toltèques, Aztèques...) et des colonisateurs espagnols.

fesseurs passeront en revue la propreté de leurs élèves. La voilà qui rejoint les écoliers sur le sentier devenu glissant: une pluie fine s'est mise à tomber. Les enfants se mettent en rang dans 75 la cour de l'école. Une seule classe pour les grands, surchargée: une soixantaine d'élèves. Deux classes pour les petits, moins pleines heureusement.

10 HEURES

80 Catanina étale la pâte de maïs sur la pierre plate. Ainsi elle sera lisse et les tortillas moelleuses. Elle pourrait utiliser la presse pour les étaler, mais Sixto préfère les bonnes vraies tortillas, faites à la main. Ce sont les meilleures! 85 Catanina lui donne raison.

La cuisine, aux murs de canne noircis par la fumée, embaume le bois brûlé. À cette odeur s'ajoute celle, appétissante, des haricots qui mijotent sur le feu. Aujourd'hui, Catanina fera une 90 omelette avec les champignons cueillis dans les bois par son amie, sur le chemin de l'école. La mère et la fille préparent le repas en bavardant. [...]

10 HEURES 30

95 La cloche sonne, annonçant la récréation et le déjeuner. Les enfants descendent la montagne, en courant sous la pluie. Dans chaque maison, riz et haricots les attendent. Les quatre petits Garcías Hernández mangent avec appétit 100 et repartent aussitôt.

[...]

13 HEURES

L'école est finie. Les enfants déboulent sur le sentier boueux en poussant des cris. Aussitôt, 105 Gerardo et Francisco remontent au pâturage pour traire les vaches. Ils ramènent un pot de lait que Catanina vendra aux voisines. Angélica, elle, descend chercher de l'eau à la rivière. Elle revient un seau sur la tête et un autre à la main, 110 et pose sa lourde charge près de sa mère qui réchauffe les haricots pour les deux aînés revenus tout juste de l'école.

15 HEURES

Catanina part à la rivière avec ses enfants. Elle fait la lessive, toujours imitée par Pascuala. Angélica lave le maïs pour les tortillas de demain, pendant que les garçons chahutent. Ils se savonnent, puis plongent pour un bon rinçage... À cette heure, le bord de l'eau grouille de monde: la plupart des familles du hameau s'y retrouvent. La pente de la rivière est forte, l'eau abondante. Sur leurs petites barques, les paysans de l'autre rive la traversent à grand-peine. Ils viennent au petit magasin général acheter du riz et des haricots et refont avec autant de difficultés le chemin inverse pour regagner les montagnes où ils vivent dans un isolement presque total.

16 HEURES 30

Tout le monde est propre. En remontant à la maison, les filles portent la lessive et le maïs, les garçons un seau d'eau chacun. On ne revient jamais de la rivière les mains vides.

17 HEURES 30

Derrière la maison, Reyes coupe du bois pour la cuisine. Alfredo et Gerardo se relayent à la moulinette pour écraser le maïs cuit et en faire de la pâte pour les tortillas du dîner. [...]

18 HEURES 15

À peine les tortillas et les œufs sont-ils cuits qu'une assiette se tend. Il fait nuit quand Catanina peut enfin s'asseoir et manger sa part. Par souci d'économie, on n'allume pas la bougie. Les yeux s'habituent peu à peu à l'obscurité. Dans le noir, on distingue à peine les ombres ramassées sur des chaises lilliputiennes. La conversation ne s'arrête pas pour autant. Seul le timbre de la voix permet de reconnaître qui parle.

19 HEURES 30

À tâtons, Catanina installe les nattes et couvertures sur le bol bétonné de la chambre. Elle y dort avec Sixto et ses deux filles. Les garçons préfèrent la fraîcheur du sol de terre battue de la cuisine. Ils écoutent la radio aux piles défaillantes, discutent et s'esclaffent bruyamment pendant une demi-heure encore. Pascuala, allongée près de sa mère, s'agite dans son sommeil. D'une voix calme, Catanina réclame le silence. Tout le monde obéit sans rouspéter.

Hélène Tremblay, *Familles du monde, La vie de famille au tournant du 20e siècle: Les Amériques*, Robert Laffont, 1988, p. 140 à 142.

DES TRADITIONS CULTURELLES DIFFÉRENTES

LES FÊTES DE L'AUTOMNE

Les fêtes de cette saison ont pour thèmes généraux les récoltes et le souvenir. Alors que les nuits rallongent, les enfants attendent avec impatience leur fête préférée en fabriquant des costumes et des masques extravagants et en aidant à préparer des plats de saison.

TRUNG THU

DATE: quinzième jour du huitième mois lunaire du calendrier vietnamien

5 **LIEU: Vietnam**

Cette fête, qui se déroule à la mi-automne, célèbre la beauté de la pleine lune d'octobre, qui revêt alors une 10 importance particulière, car sa lumière éclatante contre-balance l'obscurité des longues nuits.

LE JOUR DES MORTS

15 **DATE: 1er et 2 novembre**

LIEU: Mexique

Cette fête établit un lien entre les morts et les vivants. Les gens adressent des prières 20 aux âmes de leurs ancêtres pour qu'ils reviennent parmi les vivants le temps d'une seule nuit, la *Noche de los muertos*.

25 ### HALLOWEEN

DATE: 31 octobre

ORIGINE: Europe du Nord

LIEU: Amérique du Nord

Autrefois, on croyait que la 30 nuit du 31 octobre, les âmes des morts et des êtres surnaturels, comme les fantômes et les sorcières, venaient sur terre. On allumait alors des 35 feux et on portait des costumes effrayants afin de chasser les mauvais esprits.

THANKSGIVING

DATE: deuxième lundi 40 **d'octobre au Canada et quatrième jeudi de novembre aux États-Unis**

LIEU: Amérique du Nord

Thanksgiving («action de 45 grâce») est la fête la plus importante du continent nord-américain. Elle fut instituée en 1621 par les premiers colons anglais, les *Pilgrim fathers* 50 («Pères pèlerins»), débarqués sur le sol américain un an auparavant. Par cette fête, ils entendaient rendre grâce à Dieu pour leur récolte, après 55 un premier hiver où beaucoup d'entre eux étaient morts. Ceux qui avaient survécu avaient appris des Indiens à chasser et à cultiver 60 la terre.

Anabel Kindersley, *Nos fêtes préférées*, traduction et adaptation de Jean Esch, Paris, Gallimard Jeunesse, coll. «Des enfants comme moi», 1998, p. 38.

Texte légèrement modifié à des fins pédagogiques.

Chaque année, le 1er novembre, les familles mexicaines célèbrent le jour des Morts. Au cours de cette fête, les gens élèvent des autels chez eux et dans les cimetières et les décorent ensuite de nourriture, de bougies, de crânes en sucre et de fleurs de toutes les couleurs pour souhaiter la bienvenue aux défunts qui reviennent.

DES CRÂNES EN SUCRE

Dans tout le Mexique, les jours qui précèdent la fête, les étals des marchés sont remplis de têtes de morts, de cercueils et de squelettes entièrement faits en sucre. Tout le monde achète ces friandises pour les déposer sur les autels.

LA NOURRITURE DES MORTS

Les familles préparent les plats préférés des défunts pour souhaiter la bienvenue à

leur âme. Elles font cuire d'énormes quantités de nourriture afin que les vivants puissent eux aussi profiter du festin. De minuscules maquettes en sucre des plats traditionnels décorent de nombreux autels. Les Mexicains fabriquent un pain spécial pour cette fête, appelé *pan de muerto* («pain des morts»), qui a la forme d'une personne.

FLEURS DE FÊTE

Les autels dédiés aux morts doivent être fleuris. À l'époque de la fête, on trouve un grand nombre de fleurs différentes, aux couleurs vives. La plus populaire est le souci d'Inde, appelé *zempasuchitl*, la fleur traditionnelle des morts.

LES BÉBÉS ANGES

Le matin de la fête est dédié aux *angelitos* (les «petits anges»), c'est-à-dire aux enfants qui sont morts. Les familles préparent pour eux de la nourriture spéciale, sans piments ni épices. Les parents posent un plat et une bougie sur l'autel, avec des fruits et d'autres choses à manger que ces enfants aimaient bien.

LES AUTELS DES ADULTES

L'après-midi, la famille accueille les âmes des défunts les plus âgés. Les membres de la famille leur apportent différents plats épicés et même déposent parfois sur l'autel une bouteille de *tequila*, un alcool mexicain très fort.

LA VISITE AUX DÉFUNTS

La nuit qui précède la fête, les gens se rendent au cimetière où sont enterrés les membres de leur famille afin d'entretenir les tombes.

ILLUMINATIONS

Les tombes semblent scintiller dans la nuit. Chaque âme est guidée vers la terre des vivants par une bougie allumée. Certaines personnes passent toute la nuit à côté de la tombe de leurs proches.

Anabel Kindersley, *Nos fêtes préférées*, traduction et adaptation de Jean Esch, Paris, Gallimard Jeunesse, coll. «Des enfants comme moi», 1998, p. 44-45.

Texte légèrement modifié à des fins pédagogiques.

L'HOMME QUI TE RESSEMBLE

J'ai frappé à ta porte
j'ai frappé à ton cœur
pour avoir bon lit
pour avoir bon feu.
Pourquoi me repousser ?
6 Ouvre-moi, mon frère !

Pourquoi me demander
si je suis d'Afrique
si je suis d'Amérique
si je suis d'Asie
si je suis d'Europe ?
12 Ouvre-moi, mon frère !

Pourquoi me demander
la longueur de mon nez
l'épaisseur de ma bouche
la couleur de ma peau
et le nom de mes dieux ?
18 Ouvre-moi, mon frère !

Ouvre-moi ta porte
ouvre-moi ton cœur
car je suis un homme
l'homme de tous les temps
l'homme de tous les cieux
24 l'homme qui te ressemble !

René Philombé, « L'homme qui te ressemble »,
Yaoundé, Semences africaines.

René Philombé

Originaire du Cameroun, en Afrique, René Philombé (1930-2001) est un romancier, un poète engagé et un conteur contemporain remarquable.

NUNZIA

Bien sûr qu'elle avait entendu. Impossible de faire autrement. Dans les couloirs pavés de carreaux de céramique brillante, les voix portent. Malgré le ton très bas, chuchotant, de Stéphane, le grand blond aux yeux bleus, son oreille avait tout entendu. La réflexion était destinée à Alain, qui penchait la tête vers lui. Et la phrase lui était entrée dans le cœur comme une aiguille s'enfonce dans une pelote à épingles.

— On n'a pas idée d'avoir un nom pareil ! Annonciation ! Aïe, ça s'peut-tu !

Ils avaient ri.

Stéphane s'était retourné très vite, le visage grave. Il avait lancé un coup d'œil rapide vers la fille aux cheveux noirs qui marchait derrière eux. Mais malgré son air sérieux, ses yeux bleus gardaient la trace de sa cruelle ironie.

Annunziata. Annunziata. À la maison, on disait Nunzia. Mais sur les fiches d'inscription il avait fallu écrire le prénom tout au long. Annunziata. Elle aurait donné cher, en ce moment, pour avoir un nom ordinaire, comme les autres, un nom français, ou anglais à la rigueur. Sylvie. Nicole. Catherine. N'importe quel nom, mais pas Annunziata.

Ce prénom-là, c'était à cause de la grand-mère. Celle qui était restée là-bas. Celle qui ne viendrait jamais en Amérique. Parce qu'elle était trop vieille et pas assez moderne. C'est d'elle aussi qu'elle tenait cette masse de cheveux noirs, frisés, fous, une vraie tignasse de sorcière. Mais ça passait encore. Caroline, la grande blonde mince qui allait peut-être devenir son amie, lui avait dit dès les premiers jours qu'elle trouvait sa chevelure superbe. Nunzia avait rougi. C'était bien la seule chose que les autres pouvaient lui envier. Parce que pour le reste… elle n'avait jamais la minceur qu'il faut, ni les vêtements, ni les chaussures comme les autres. Sa mère lui défendait de se maquiller. Comment se sentir bien au milieu de toutes ces filles minces, roses, blondes, elle si noire, si ronde ? Comment se sentir à l'aise sous les regards scrutateurs et les jugements intransigeants des garçons ?

Et, le comble, évidemment, ce qui lui laissait dans le cœur une boule d'amertume qui ne se dissipait jamais : les lunettes. Pourquoi, grands dieux, avait-il fallu, en plus de tout le reste, qu'elle naisse avec des yeux qui ne voyaient rien ? Des yeux de myope, de grands yeux noirs, noirs, brillants et rieurs, peut-être, mais qui ne pouvaient en aucune façon distinguer les signes inscrits sur les panneaux indicateurs du trottoir, même pas les arrêts d'autobus, à 50 mètres !

[…] Nunzia portait des lunettes depuis qu'elle était toute petite. Ce n'est pas tragique, mais elles s'additionnaient en nombre trop élevé, ces petites choses qui font qu'une fille n'est jamais comme il faut, jamais à l'aise avec les autres, qu'elle ne peut jamais se fondre dans un groupe sans se faire remarquer. C'est vrai qu'elle les avait choisies avec soin : les montures étaient fines, bleues et se mariaient bien avec la forme de son visage, comme le lui avait assuré l'opticien.

Mais ce printemps, avant son entrée au collège, Nunzia avait pris une décision. Il lui fallait des verres de contact. Elle n'en voulait plus de ses lunettes qui lui glissaient sur le nez et qui s'embuaient quand il faisait froid dehors et qu'elle sortait en hâte des salles de cours surchauffées.

[…]

Nunzia avait prévu les réticences et les oppositions. Aussi avait-elle proposé de contribuer au paiement moyennant toutes ses économies accumulées en gardant les enfants des Pisani, ces petites pestes. À la fin, les parents avaient cédé.

Le jour où les lentilles furent prêtes, elle s'en souviendrait longtemps. Elle était sortie dans la rue avec la nette impression d'être une autre. Elle était devenue jolie, sûre d'elle tout à coup. Était-ce possible, à cause de deux minuscules disques transparents, de changer de personnalité ? Ah ! la joie de se sentir enfin un peu plus près de l'idéal : une vraie Québécoise délurée dont la compagnie est recherchée !

Du jour au lendemain, la vie était apparue pleine de bonheurs insoupçonnés. Les gens autour d'elle se révélaient gentils, empressés. Elle trouvait même des qualités aux jumeaux Pisani. Puis, la situation s'était détériorée subitement.

Coup sur coup, par un incroyable accroc du sort – grand-mère Annunziata sûrement aurait parlé de « mauvais œil » –, Nunzia avait déchiré une lentille et en avait perdu une autre à la piscine. À chaque fois : 50 dollars pour la remplacer. Unanime, le verdict n'avait pas tardé à jaillir dans le silence tendu de la cuisine.

— Ça suffit ! avait dit maman Letizia.

— On verra dans deux ans, avait dit papa Gino, d'un ton qui n'admettait pas de réplique.

Après avoir beaucoup pleuré ce soir-là, Nunzia avait repris ses lunettes, la mort dans l'âme. En si peu de temps, elle était passée d'une sensation de parfait bonheur au plus profond désespoir. En plus, il avait fallu que tout ça arrive juste au moment de la rentrée au collège. Et maintenant, cette phrase entendue dans le couloir.

[…] Mais qu'est-ce qu'on peut faire quand on s'appelle Annunziata et qu'on porte des lunettes ?

On peut rêver. Rêver, même si on a plein de choses à faire et pas de temps à perdre. […]

UNE ÉQUIPE D'ÉLÈVES, DONT FAIT PARTIE STÉPHANE, A DÉCIDÉ DE TOURNER UN FILM. NUNZIA, QUI COLLABORE AU JOURNAL DE L'ÉCOLE, SE CHARGE DE FAIRE UN REPORTAGE SUR EUX.

•

D'un pas ferme, sans même réfléchir à sa timidité, elle se dirige vers la salle B 432.

Derrière les lunettes bleues, ses yeux noirs se posent droit dans ceux de Stéphane. L'espace d'une seconde, il rougit. Elle sait qu'il se souvient de l'épisode du couloir. Sans céder au désir de vengeance qui la tiraille, elle ne se laisse pas détourner de son propos. Elle pose des questions intelligentes. Elle prend des notes. Les autres sont appelés à donner des explications. Ils lui racontent une foule de choses avec enthousiasme et passablement d'incohérence.

Au bout d'une heure, elle a recueilli beaucoup d'informations qu'il va falloir mettre en ordre. Avant de quitter la salle, Stéphane la regarde en souriant:

— Tu reviendras quand tu voudras. C'est une bonne idée de faire un article pour le journal. Qui a eu cette idée-là? Gilles, le rédacteur?

— Non, c'est moi, dit Nunzia.

Et elle le regarde droit dans les yeux encore une fois. Elle répète pour lui tout seul:

— Moi, An-nun-zia-ta, en détachant bien les syllabes.

Puis elle sort, sans attendre de voir sa réaction.

L'article a paru dans le journal. Il a fait sensation. Caroline n'en revient pas:

— C'est formidable! Et en plus, proposer une série tout au long du déroulement, c'est tout simplement génial! dit-elle à son amie.

Le mois suivant, Nunzia retourne plusieurs fois à la salle B 432. Le scénario est terminé. Les essais pour le tournage ont commencé. Nunzia prend des photos, interviewe Stéphane, Nathalie, Frédérique qui agit comme costumière et accessoiriste. Les gens du projet vidéo la connaissent désormais, l'accueillent avec joie. Quelquefois on lui demande son avis.

Les choix sont presque faits. Huit comédiens en tout. Nunzia prend en note les noms des élus. Caroline est du nombre, évidemment. Mais personne, pas même Stéphane, n'est satisfait des candidatures pour le rôle principal. Nunzia a assez d'éléments pour construire son texte. Elle quitte la salle en essayant de penser à un titre percutant pour son prochain article. Dans son dos, soudain, quelqu'un l'appelle.

— Nunzia !

Elle se retourne. Stéphane est sur le pas de la porte de la salle B 432. Il lui fait signe de venir avec un tel sourire, qu'on dirait qu'il vient de prendre rendez-vous avec Catherine Deneuve. Nunzia hésite un instant, puis revient sur ses pas.

— Qu'est-ce qu'il y a ? demande-t-elle.

— On a trouvé, enfin, la personne qu'il nous faut. Pour le premier rôle, dit-il en hésitant légèrement.

— Ah, bon. Je vais prendre en note. Qui c'est ?

— Toi.

« Ça ne suffit pas d'être myope, est-ce que je suis sourde aussi ? » se demande Nunzia. Elle regarde Stéphane sans comprendre. Puis il répète :

— Toi, Nunzia. Il nous faut une fille qui n'ait pas peur d'inventer et surtout qui ait de la personnalité et une allure… euh, disons pas comme tout le monde. Personne mieux que toi n'a cet air intelligent derrière ses lunettes. C'est le rôle d'une espionne, tu sais !

Ce soir, en enlevant ses lunettes pour les déposer sur la table de chevet, Nunzia ne peut s'empêcher de rire tout haut. Papa Gino lui a dit, au souper, en blaguant un peu bien sûr :

— Tu sais, Nunzia, moi je te trouve jolie avec tes lunettes.

À sa grande surprise, Nunzia lui a répondu avec un grand rire :

— Ça me donne un air mystérieux, pas vrai ? Comme une espionne !

Cécile Gagnon, « Nunzia », *Mauve et autres nouvelles* (collectif de nouvelles), Éditions Paulines/Médiaspaul, coll. « Lectures VIP 6 », 1988, p. 63 à 71 et 73 à 78.

Cécile Gagnon

Née à Québec, Cécile Gagnon vit aujourd'hui à Montréal. Cette auteure et illustratrice a écrit et illustré de nombreux albums et romans pour les jeunes.

ANNIE et BEN

J'étais à l'école quand papa et maman ont ramené Ben de l'hôpital. Je savais, en ouvrant la porte, que quelque chose de très excitant venait de se produire. J'ai parfois l'impression d'avoir une sorte de pouvoir magique. C'est probablement surnaturel. Je pourrais être une sorcière, célèbre, une voyante ou encore un médium, mais je préfère ne pas me laisser aller à rêver à tout cela. Je suis trop sensible. Après tout, on ne peut pas savoir à quel genre d'horreurs tout cela peut vous conduire.

Toujours est-il que c'était certainement l'odeur qui m'avait mise sur la piste. Une légère odeur de nouveau-né flottait dans l'air, un doux mélange de talc, de lait et de pipi, que les bébés ont seulement dans les tout premiers mois. J'ai laissé tomber mon cartable, j'ai enlevé mon anorak, et me suis précipitée à l'étage supérieur. Maman venait juste de l'endormir. Elle avait l'air beaucoup plus heureuse que les jours précédents. Elle s'était montrée si triste, si irritable, si éplorée. Il m'avait parfois semblé qu'elle laisserait Ben à l'hôpital et qu'elle ne le ramènerait jamais à la maison. J'étais terrifiée à l'idée qu'elle ne l'aimait pas; cette idée me torturait car si maman n'aimait pas Ben, peut-être cesserait-elle de m'aimer moi aussi. Mais en voyant la tendresse illuminer son visage, je me suis sentie si soulagée que j'avais envie de danser tout autour de la chambre de maman. C'était un peu comme si elle était enfin de retour après une très longue absence.

— Viens le voir, Annie, me dit-elle.

Je me demande souvent si j'aurais autant aimé Ben si maman ne m'avait pas d'abord montré ses petits pieds. Maman a soulevé un bout du couvre-lit, et j'ai vu alors la perfection de ses minuscules orteils, roses comme des coquillages, doux comme des pétales. Il a dû sentir bouger la couverture, car il les a tendus puis, très vite, il les a repliés. Je n'avais jamais rien vu d'aussi beau, de toute ma vie.

Puis maman a laissé retomber le bout de la couverture et elle en a soulevé l'autre extrémité, et j'ai vu pour la première fois le visage de mon petit frère chéri. Ses yeux étaient clos, mais ses lèvres remuaient; il suçotait. Et soudain j'ai vu ce qui n'allait pas chez lui. C'était sa tête. Sa tête était beaucoup trop grosse et les veines étaient bien trop apparentes et trop bleues. Mais en bordure de ses jolies petites oreilles, les cheveux poussaient, frisottés, tout fins et soyeux. J'ai tendu la main pour le toucher.

— Je peux, maman?

— Oui, bien sûr.

Elle souriait mais si faiblement qu'on la sentait au bord des larmes. Elle se pencha, prit la couche par terre et se dirigea vers la salle de bains; je me retrouvai alors seule avec Ben. J'avais beau n'être qu'une gamine de douze ans, myope et boutonneuse, l'amour n'avait pas de secret pour moi. Je tombai amoureuse de Ben sur-le-champ et lui chuchotai à voix basse:

— Que tu sois handicapé ou pas, je m'en moque. Je t'aime et je t'aimerai toujours. Je te protégerai, et si quelqu'un essaie de te faire le moindre mal, il aura affaire à moi.

Je me suis penchée sur son petit lit et l'embrassai. C'était comme si j'embrassais une rose. Il remua un peu et il me sembla qu'il m'avait entendue. C'était absurde, je le sais. Ben était beaucoup trop petit pour comprendre, pour savoir qui j'étais, peut-être même pour éprouver un sentiment quelconque. Il n'arrivait même pas encore à ouvrir les yeux. Mais j'étais sûre qu'il m'aimait lui aussi.

[…]

BEN A MAINTENANT DEUX ANS. SA GRANDE SŒUR L'EMMÈNE SOUVENT FAIRE DES COURSES AVEC ELLE.

J'étais évidemment beaucoup moins préoccupée que maman par ce handicap, mais je supportais très mal la façon dont les gens regardaient Ben. Ils l'observaient 50 d'une manière appuyée, le regard horrifié, le visage figé, en détournant ensuite la tête comme s'ils n'avaient rien remarqué. Mais dès que j'avais le dos tourné, pour chercher un pot de confiture ou autre, je sentais leurs yeux fixés sur le pauvre petit Ben. Il est vrai qu'il s'en moquait, lui, tout occupé à attraper ses pieds pour se les fourrer dans la bouche, comme le font tous les bébés. Seulement voilà, Ben avait 55 deux ans. Avant de l'emmener faire des courses, je me sentais comme un gladiateur romain qui se ceint les reins pour affronter son adversaire. J'évitais la rue principale, je me dirigeais vers le boulevard le plus éloigné de l'école pour me donner l'illusion d'être à l'abri des regards. Mieux, je prenais les devants, prête à fustiger les malappris, ne fût-ce que symboliquement. Et je suis sûre que je souffrais plus que 60 maman lors de ces expéditions. Les gens n'osaient rien lui dire, à elle. Mais comme je paraissais très jeune – on me donnait treize ans à peine alors que j'avais quatorze ans et demi – ils prenaient avec moi toutes sortes de libertés. Un jour, une femme m'a arrêtée en disant:

— Vous permettez, mon petit?

65 Et puis elle s'est penchée sur Ben en écarquillant les yeux, et a ajouté:

— Qu'est-ce qu'il fait là, celui-là? Je n'ai jamais vu quelqu'un d'aussi vilain.

Enfin elle m'a lancé un drôle de regard, comme si elle pensait que j'étais folle ou quelque chose comme ça. Les enfants me gênaient beaucoup moins. Ils disaient tout haut ce qu'ils pensaient, sans dissimuler leur curiosité, comme: «Regarde, 70 maman! Il a une drôle de tête, le bébé!» Mais je ne supportais pas les mères qui disaient: «Chut!» en entraînant leur progéniture. Pourquoi ne souriaient-elles pas et ne disaient-elles pas quelque chose de gentil comme: «Oui, mais il a de jolis cheveux bouclés», ce qui était la vérité. Le pire ça avait été quand une horrible vieille femme avec une barbe avait grommelé:

75 — Quelle honte! Sortir un enfant pareil qu'une femme enceinte pourrait voir. Cela devrait être interdit.

Le rejet

On trouve des personnes handicapées représentées sur les bas-reliefs égyptiens. Pourtant, au cours de l'histoire, elles ont été rejetées. Elles ont même été exhibées 5 comme phénomènes de foire au 19e siècle. De nos jours, dans les livres ou les films, on rencontre des héros dépassant leur handicap, mais rarement des gens ordinaires handicapés. Du coup, quand on croise une 10 personne handicapée dans la rue, on ne sait pas toujours comment réagir, on a peur d'être impoli en la fixant ou blessant en fuyant son regard.

Si les personnes handicapées étaient plus 15 présentes dans la vie de la société, plus visibles, la différence nous ferait moins peur.

Vanessa Rubio, *Qu'est-ce qu'il a ? Le handicap*, Paris, Autrement Junior, coll. «Société», 2002, p. 22-23.

J'étais dans un tel état de stupeur que je n'ai rien pu dire. Qu'auriez-vous fait à ma place ? Heureusement cela s'est passé chez Mme Chapman, la marchande de journaux, une femme exceptionnelle. Elle a toujours été très bien envers Ben.

80 [...]

Elle s'est penchée par-dessus son casier de barres de chocolat et de bonbons à la menthe. Sa volumineuse poitrine a failli tout faire tomber. Puis elle a taquiné Ben qui a ri aux éclats; il riait toujours en voyant Mme Chapman. Comment ne pas aimer cette femme ? Aller dans sa boutique pour apercevoir ses généreuses rondeurs 85 coincées entre les étagères de sucreries et de journaux, et la voir se pencher pour faire de grosses bises à Ben, cela me consolait de toute la méchanceté et de toute la bêtise du monde.

Elizabeth Laird, *Mon drôle de petit frère*, traduit de l'anglais par Léo Ristel, Paris, Gallimard Jeunesse, 1993, p. 27 à 29 et 38 à 40.

Elizabeth Laird

À 18 ans, Elizabeth Laird quitte l'Angleterre pour aller enseigner en Malaisie, puis en Éthiopie et en Inde. Son intérêt pour les questions d'ordre moral ou politique colore ses romans pour les jeunes.

Psaume 41

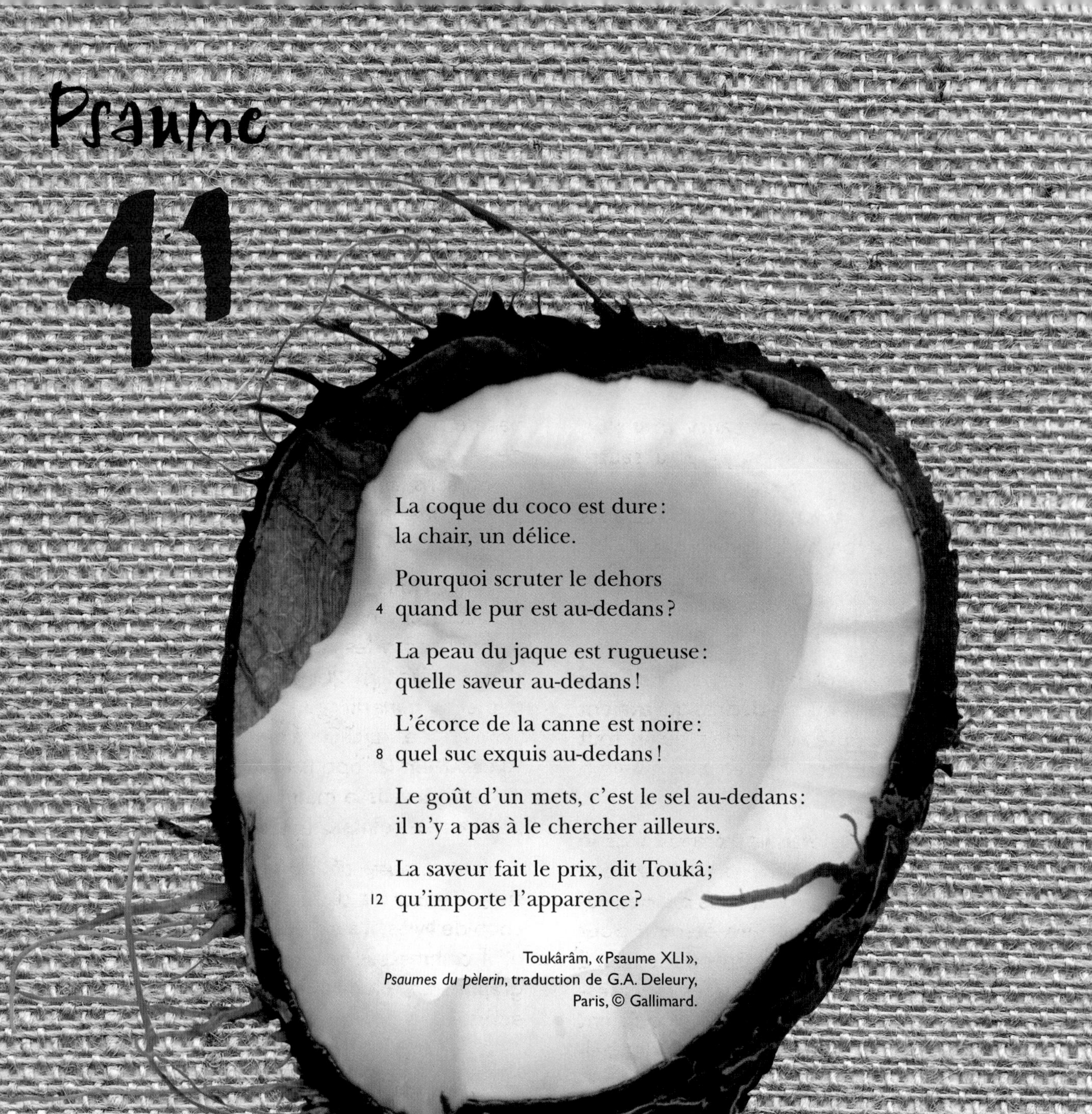

La coque du coco est dure:
la chair, un délice.

Pourquoi scruter le dehors
4 quand le pur est au-dedans?

La peau du jaque est rugueuse:
quelle saveur au-dedans!

L'écorce de la canne est noire:
8 quel suc exquis au-dedans!

Le goût d'un mets, c'est le sel au-dedans:
il n'y a pas à le chercher ailleurs.

La saveur fait le prix, dit Toukâ;
12 qu'importe l'apparence?

Toukârâm, «Psaume XLI»,
Psaumes du pèlerin, traduction de G.A. Deleury,
Paris, © Gallimard.

Toukârâm

Toukârâm (1598-1650) est un grand poète de l'Inde. Plus de 350 ans après sa mort, les Indiens récitent encore ses poèmes lors des pèlerinages qu'ils entreprennent.

Guillaume

Tout cela avait commencé très tôt, quand Guillaume n'avait que trois ou quatre ans. Ce n'était pas la faute de ses professeurs, ni celle de ses parents, ni de qui que ce soit d'autre. Il était né comme cela, tout simplement.

Au début, il lui arrivait de parler trop vite, comme si les mots voulaient jouer à saute-mouton. Ensuite, il s'était mis à répéter certaines syllabes. Cela faisait parfois rire ses amis de l'entendre dire «ba-ba-bananes» ou «bi-bi-bicyclette» mais Guillaume, lui, ne trouvait pas ça drôle du tout. Pourquoi n'arrivait-il pas à parler comme tout le monde?

Ses parents auraient bien voulu l'aider. Ils avaient consulté plusieurs médecins, qui avaient tous dit la même chose: ce n'était qu'un tout petit problème, très mineur, et qui guérirait avec le temps.

Mais les médecins s'étaient trompés. Plus le temps avait passé, plus son problème était devenu grave: il répétait dix fois les mêmes syllabes, si bien qu'il lui fallait une éternité pour faire une simple phrase. La plupart du temps, il n'arrivait même pas à la terminer: les mots restaient coincés dans sa gorge et ne voulaient plus sortir. Au lieu d'être légers comme des ballons, les mots étaient aussi durs et rugueux que des blocs de béton. Guillaume haussait alors les épaules et se réfugiait dans son silence.

Ce n'est pas drôle d'aller à l'école quand on souffre d'un tel problème. Chaque matin, il priait pour que ses professeurs ne lui posent pas de questions. Il s'assoyait toujours au fond de la classe, silencieux, et travaillait tranquillement, sans jamais déranger personne. S'il avait pu se frotter avec une gomme à effacer jusqu'à ce qu'il ait disparu, il l'aurait sûrement fait.

Il avait quand même d'excellents résultats, particulièrement en mathématiques. Il pouvait résoudre tous les problèmes qu'on lui demandait, à condition que ce soit sur une feuille de papier ou dans un cahier. Quand les professeurs posaient des questions de calcul mental, il trouvait souvent la réponse avant les autres, mais il ne levait jamais la main pour la dire. Il préférait perdre des points plutôt que d'avoir à parler.

Il avait aussi de bonnes notes en français, surtout pour les dictées. Comme il lisait beaucoup de livres, il avait un vocabulaire très étendu et il commettait rarement des fautes d'orthographe. La plupart de ses amis détestaient écrire, mais pas lui: il aurait préféré composer cent pages plutôt que de prononcer une seule phrase.

55 [...]

QUELQUE TEMPS PLUS TARD,
GUILLAUME ENTRE AU SECONDAIRE.

Guillaume, dans ses pires cauchemars, avait imaginé que son école serait une immense masse de béton gris, sans une seule fenêtre, avec un labyrinthe de corridors qu'il lui faudrait 60 parcourir pendant des heures sans jamais aboutir nulle part. Il n'avait pas été surpris, le jour de la rentrée : c'est exactement comme ça qu'elle était.

Il avait aussi rêvé que le premier professeur 65 qu'il rencontrerait serait une espèce de chameau qui regarderait les élèves de très haut et qui serait incapable de sourire. C'est exactement ce à quoi ressemblait M. Gingras, son professeur de mathématiques.

70 Dans son cauchemar, le professeur, aussitôt entré en classe, sortait de son sac une liste d'élèves, et le cœur de Guillaume se mettait à battre si fort que les murs de béton s'effritaient. C'était exactement comme cela que les choses 75 s'étaient passées, à une exception près : le béton ne s'était pas effrité. Ni sur les murs, ni dans sa gorge.

Guillaume se consolait en pensant qu'il était assis au premier rang. Si jamais les élèves 80 devaient se nommer à tour de rôle, il aurait moins de temps pour s'inquiéter. Et si jamais il avait un problème, les autres élèves ne pourraient pas se tourner vers lui.

— Je vais faire l'appel, avait dit M. Gingras. 85 Quand vous entendez votre nom, vous répondez «Présent» ou «Oui» et vous levez la main, que je vous voie un peu. Compris ?

«Compris, monsieur Gingras, avait pensé Guillaume en essayant de respirer lentement. 90 Tout va bien aller, monsieur Gingras. J'ai le choix entre deux mots, c'est déjà ça. Et puis mon nom devrait être parmi les premiers sur la liste, je n'aurai donc pas le temps de m'inquiéter...»

— Aubin, François ?

95 — Présent !

— Barnabé, Nicole ?

— Oui !

Guillaume n'avait pas prévu qu'il y aurait tant de monde avant que son tour vienne : 100 Beauchemin, Bérubé, Bertrand, Bruneau, ça n'en finissait plus… Et M. Gingras qui prenait le temps de regarder chacun des élèves dans les yeux, pour associer les noms aux visages…

— Chalifoux, Guillaume ?

105 Présent ! avait répondu Guillaume, qui avait été pris par surprise : il n'y avait personne d'autre dans les « C » ? Il avait bien répondu, il avait magnifiquement bien répondu, il avait même choisi le mot le plus difficile […].

APRÈS LE COURS DE MATHÉMATIQUES,
CE SONT LES COURS DE FRANÇAIS
ET D'ÉDUCATION PHYSIQUE.
ENCORE UNE FOIS, GUILLAUME S'EN TIRE BIEN.
PUIS VIENT LE COURS D'HISTOIRE.
C'EST AU TOUR DE L'ÉLÈVE QUI PRÉCÈDE
GUILLAUME DE SE PRÉSENTER.

110 — Votre nom ? avait demandé le professeur.

L'élève s'était levé, mais il avait mis un certain temps à répondre.

Il y avait eu un malaise dans la classe et le professeur avait répété la question :

115 — Votre nom, s'il vous plaît ?

Il avait fini par dire son nom, mais cela lui avait été très difficile. Vraiment très difficile : il souffrait du même problème que Guillaume. Quelques élèves s'étaient alors moqués de lui.

120 — C'est bien, avait alors répondu M. Vaillancourt. Il y en a qui ont des problèmes de langue. Ce n'est pas leur faute. On ne peut pas en dire autant de ceux qui n'ont pas de cœur. Suivant ?

125 Guillaume avait été tellement étonné que son camarade ait eu du mal à dire son nom qu'il avait oublié de respirer profondément. […] Cela explique peut-être que Guillaume avait hésité un peu, lui aussi, en prononçant son nom. Au 130 lieu de regarder le plancher, cependant, il avait supporté les regards de ses camarades. […]

Mais il n'était pas mécontent de lui : ce n'est pas si terrible d'hésiter un peu. Il ressentait même une sorte de fierté : il se sentait mainte- 135 nant solidaire de son camarade, qui allait bientôt devenir son meilleur ami.

François Gravel, *Guillaume*, Boucherville, Québec/Amérique Jeunesse, 1995, p. 19 à 22 et 89 à 98.

François Gravel

François Gravel est né à Montréal en 1951. Enfant, il rêvait d'être gardien de but au hockey et d'écrire. Adulte, il est devenu professeur puis s'est mis à l'écriture, d'abord pour les grands, mais bien vite pour les jeunes, à la demande de son fils.

UN MUR AUTOUR DE LISA

Sur un plan, je repère soigneusement l'adresse de la fête qui a lieu à l'autre bout de la ville. Le bus me dépose non loin d'un grand pavillon d'où sort un joyeux vacarme. Inutile de vérifier, c'est sûrement là. En poussant la porte d'entrée entrebâillée, je suis happé par un mélange de musique et de rires. Le niveau sonore est si puissant que mon premier réflexe est de me coller les mains sur les oreilles.

Autour de moi, les gens dansent, rient, hurlent de joie. Je me glisse jusqu'à la cuisine pour déposer la bouteille de soda que j'ai apportée. Des filles et des garçons, plus âgés que moi, sont accoudés à la fenêtre et ne me prêtent pas attention. En les voyant signer, je devine qu'ils sont sourds, comme Lisa.

De retour dans la grande pièce, je me faufile parmi les danseurs. Mais pas de trace de «Celle Qui Sourit». J'accoste alors une fille pour lui demander si Lisa est arrivée. Elle me regarde avec de grands yeux ronds et me fait signe qu'elle n'entend pas. J'aborde d'autres personnes, mais visiblement dans cette fête, à part moi, tout le monde est sourd. Certains me comprennent en lisant sur mes lèvres. Pourtant quand ils essayent de me répondre, c'est moi qui ne les comprends pas. Le vacarme couvre leurs voix étranges et je ne les «décode» pas.

Il y a un mur entre nous, toujours ce même mur de verre qui rend difficile toute communication. Je me sens désorienté. Pour la première fois de ma vie, je réalise que c'est dur de ne pas être comme les autres. Dans ce groupe, c'est moi le handicapé, l'exclu. Je pense à Jonathan, perdu dans les rues d'Amsterdam, et je comprends ce qu'il devait ressentir.

Frustré, j'erre dans la maison. Je croise des garçons et des filles enlacés, qui ne font pas que sourire… Je visite toutes les pièces, une à une. Mais toujours pas de trace de Lisa.

Dans la salle à manger, la musique est tellement forte que, si ça continue, moi aussi je vais devenir sourd…

J'ai mal à la tête.

45 Réfugié dans la salle de bains, je déniche un peu de coton et m'en bourre les oreilles [...].

De retour dans la salle à manger, j'aperçois Lisa, à quelques pas... Elle danse et signe avec un grand maigre aux cheveux longs.

50 Est-ce qu'ils sortent ensemble ? Je n'ose pas m'approcher.

Quand enfin Lisa tourne la tête, nos regards se croisent. Pourtant, elle continue de danser, les yeux dans les yeux de son partenaire.

55 Je m'assois dans mon coin et j'attends. En observant les danseurs avec plus d'attention, je remarque qu'ils ne bougent pas en rythme, sauf deux petits groupes collés aux écrans des haut-parleurs qui semblent vibrer avec les sons graves.
60 Avant de connaître « Celle Qui Sourit », je n'aurais jamais imaginé qu'un sourd puisse danser, ressentir la musique.

Lisa est toujours en piste. Une chanson, deux chansons puis trois. À chaque fois, elle change de
65 partenaire. Un petit blond, une fille avec des nattes, un brun à lunettes... Mais mon tour ne vient pas. Je me suis fait des idées. Lisa ne s'intéresse pas à moi et je n'ose pas l'aborder, de peur de me ridiculiser.

70 Tu parles d'une fête ! Je regrette vraiment d'être venu. Pourquoi ne me regarde-t-elle pas ? Pourquoi ne m'invite-t-elle pas ? Pourquoi ?...

[...]

Je me demande encore pourquoi Lisa m'a
75 invité à cette fête. Sûrement pour se moquer de moi !... Les jours suivants, je l'évite. Quand je la croise par hasard, je l'ignore.

Pourtant, un mercredi matin, en descendant, je la trouve dans l'escalier qui me barre le passage.
80 Cette fois, impossible de m'esquiver. Elle brandit sous son nez une ardoise où est écrit :

Arrête de faire la tête !

Comme j'avance en détournant les yeux, elle me saisit par la manche et me force à la regarder.

— Tu vas faire la gueule encore longtemps? me crie-t-elle soudain d'une voix malhabile.

C'est la première fois que j'entends le son de sa voix! Étonné, je m'exclame:

— Tu parles?! Tu sais parler?

— Oui, je parle! Je suis sourde, pas muette!

Écrivant sur l'ardoise, elle ajoute:

Mais je déteste ma voix. Elle est affreuse! J'oralise quand je n'ai pas le choix.

C'est vrai que, lorsqu'elle parle, j'ai un peu de mal à la comprendre. Elle prononce certaines syllabes avec difficulté.

À l'aide de la voix, de l'ardoise et de gestes, nous nous expliquons, assis sur une marche de l'escalier.

Elle n'est pas affreuse, ta voix! Et puis, qu'est-ce que tu en sais? Tu ne t'entends pas!

Je le sais, c'est tout! Un jour dans le bus, j'ai demandé mon chemin à des gens. Quand ils m'ont entendue, ils se sont moqués de moi...

Je m'écrie:

— Toi aussi tu t'es moquée de moi à la fête! Tu m'as ridiculisé! Pourquoi tu m'as invité d'abord?

Je commence à m'emballer, lorsqu'elle m'arrête en me touchant l'épaule et écrit:

Doucement! Regarde-moi quand tu parles, sinon je ne te comprends pas!... Lire sur les lèvres me fatigue. Ma vraie voix, c'est la LSF.

J'articule plus lentement, en faisant attention:

— Pourquoi tu m'as invité à la fête?

Elle écrit:

Pour que tu ressentes ce que je ressens au milieu de vous, les entendants... Je lis, puis elle efface et ajoute:

... Pour te faire passer une épreuve!

Je saisis l'ardoise, ma main vole :

Alors, pendant la fête, tu as fait exprès de me laisser seul ?...

— Oui ! me répond-elle.

La craie blanche crisse sur l'ardoise :

Maintenant, tu as compris que c'est difficile de ne pas pouvoir communiquer, d'être seul au milieu de la foule.

Didier Jean et Zad, *Deux mains pour le dire*, Paris, Syros, coll. « tempo », 2005, p. 91 à 94 et 99 à 101.

Didier Jean et Zad

Didier Jean et Zad vivent en France et écrivent à deux des livres pour les jeunes. Zad est avant tout peintre et Didier Jean, musicien.

« Est-ce qu'il est vraiment handicapé ? »

LA DÉFINITION

Pour l'Organisation mondiale de la santé, une personne est handicapée lorsqu'elle est désavantagée par rapport aux autres à la suite d'une maladie, d'un accident ou d'un problème de santé, physique ou psychologique. [...] Ce n'est que depuis 1950 que le mot « handicapé » est employé en français pour remplacer des termes comme « invalide » ou « infirme ».

UNE SOLUTION : ADAPTER

Le handicap n'est pas une maladie, c'est un « désavantage » qui évolue au cours de la vie, en fonction des circonstances. Il peut être réduit si la société s'adapte aux besoins de la personne. Cela peut être par la construction de bâtiments accessibles aux fauteuils roulants, le développement de différents moyens de communication pour des personnes sourdes ou aveugles, ou par l'emploi d'une pédagogie particulière afin que chaque enfant puisse apprendre selon ses capacités.

Vanessa Rubio, *Qu'est-ce qu'il a ? Le handicap*, Paris, Autrement Junior, coll. « Société », 2002, p. 10-11 et 12-13.

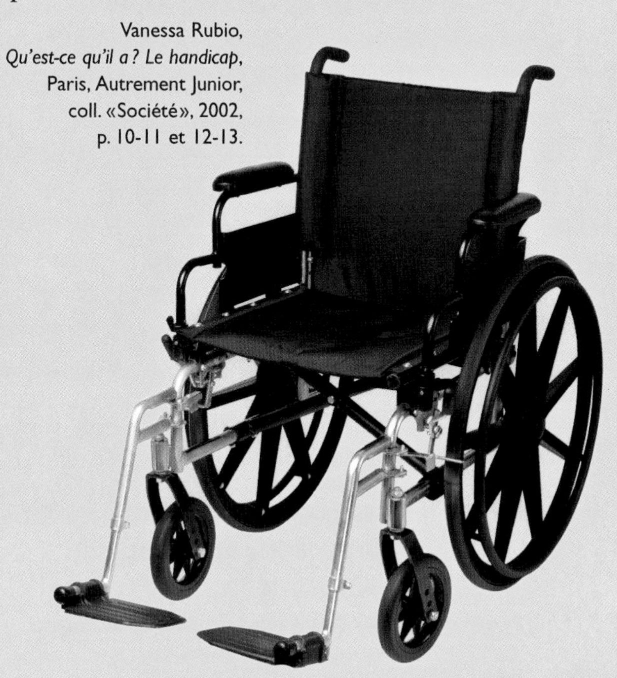

HISTOIRES de FAMILLES

Qu'elle soit illustre ou inconnue, noble ou modeste, qu'elle soit grande ou petite, votre famille est unique.

La famille, c'est le lieu des grandes célébrations comme des petites réunions, des querelles mais aussi des réconciliations. C'est tantôt l'attachement, tantôt l'indifférence, tantôt l'harmonie, tantôt la discorde.

C'est dans la famille que se créent vos habitudes, que se développent vos talents, vos forces, que se construisent vos valeurs, que se tissent des liens profonds.

Tout cela façonne l'histoire de votre famille, c'est ce qui la rend unique.

THÈME 7

SOMMAIRE

Tempête et élan[1]

La fameuse légende de la foudre qui traverse la maison d'un bout à l'autre pendant un orage en laissant derrière elle une trace noire sur le plancher et une odeur de roussi, annonciatrice de malheurs et de cataclysmes, a accompagné toute ma petite enfance. C'est ma grand-mère Tremblay qui la racontait, les yeux ronds, la voix rauque, 5 le geste menaçant, comme à la fin du Petit Chaperon rouge quand le grand méchant loup prend la parole pour régler son cas à la petite niaiseuse.

[...]

Tout ça pour dire que j'avais fini par développer une peur bleue des orages.

D'ailleurs, tout le monde dans la maison, sauf mon père, était dans le même cas. Y 10 compris ma grand-mère, beaucoup moins fanfaronne quand un orage éclatait que lorsqu'elle racontait celui qui l'avait terrassée dans sa jeunesse. Si un orage surgissait sans prévenir au milieu de l'après-midi, les placards de la maison se remplissaient de femmes affolées munies de rameaux et d'eau bénite; s'il se déclarait la nuit comme dans le récit que j'aborde, les draps étaient remontés par-dessus les têtes, ma cousine 15 Hélène se collait contre mon frère Bernard avec qui elle partageait le sofa du salon, ma mère se réfugiait auprès de mon père, ma tante Robertine et ma grand-mère sous leur oreiller. Des cris de terreur s'élevaient chaque fois que le tonnerre se faisait entendre, des prières à la bonne sainte Anne sortaient du creux des lits, des chapelets étaient brandis comme autant d'armes infaillibles contre les assauts du ciel déchaîné. 20 Et si l'orage se révélait vraiment très violent, les placards se remplissaient encore une fois de femmes hystériques qui, sans y penser, dominaient leur peur de la noirceur par peur du tonnerre.

On n'avait pourtant rien annoncé de particulier pour cette nuit-là, à part une belle pluie d'août qui viendrait enfin dissiper cette horrible et collante humidité que nous 25 avions eue à endurer sans relâche plusieurs semaines de suite. Un front froid s'avançait; on disait qu'il balaierait tout le Québec d'un air sec et vivifiant, précurseur de l'automne. Toute la maisonnée s'était préparée à cette pluie en soupirs de satisfaction et remarques désobligeantes pour le maudit été trop chaud, trop long, trop collant. Ma grand-mère prétendait soudain détester l'été, ma tante Robertine rêvait au mois 30 d'octobre, mes frères parlaient déjà de hockey. [...]

1. Le titre original de ce récit est «Sturm und drang». C'est le titre d'une pièce de théâtre écrite par Friedrich Maximilian Klinger, un auteur allemand.

Nous nous étions donc tous mis au lit ce soir-là en espérant être réveillés par le doux bruissement de la pluie dans les arbres et la fraîcheur de l'automne à travers nos draps propres. Dix personnes s'entassaient dans ce grand appartement de sept pièces: ma grand-mère Tremblay, sa fille Robertine et ses deux enfants, Hélène et Claude; son 35 fils, mon père, avec sa femme et leurs trois fils, mes deux frères, Jacques et Bernard, et moi. Mon oncle Lucien, le mari de ma tante Robertine, était disparu depuis un certain temps et personne ne s'en plaignait. Quant à mes deux oncles célibataires, Fernand et Gérard, ils partageaient une petite chambre *en attendant de se trouver du travail.*

Mais ce furent les grandes orgues de la foudre qui nous réveillèrent. Un spectacu- 40 laire coup de tonnerre se fit entendre vers les deux heures du matin, pendant qu'un véritable cataclysme s'abattait sur Montréal endormie.

Des hurlements sortirent aussitôt des chambres:

— Fermez les châssis !

— Mon Dieu, c'est la fin du monde !

45 — Mon lit est déjà tout mouillé !

— J'ai jamais entendu une affaire de même !

— Avez-vous vu ça ? Je pensais que quelqu'un prenait des portraits !

— On n'a pus d'étriceté ! On n'a pu d'étriceté !

C'était vrai. Le quartier au complet était plongé dans le noir. Ma mère se leva en tâtonnant dans l'obscurité et ferma la fenêtre de la chambre qui se trouvait juste à côté de mon lit.

— J'espère que ça durera pas longtemps, parce qu'on va avoir chaud t'à l'heure !

La porte de la chambre s'ouvrit brusquement et claqua contre le mur. Ma tante Robertine tenait une chandelle et un rameau à bout de bras; elle avait de la difficulté à s'exprimer tant elle était énervée.

— Moman a disparu !

Maman lui prit la chandelle des mains et, tout en lui répondant, vint vérifier si j'étais réveillé.

— As-tu regardé dans son garde-robe ? C'est toujours là qu'a' se cache quand y tonne ! Même la nuit !

— Mon Dieu, c'est vrai, j'y avais pas pensé tellement j'étais énarvée !

Ma mère avait déjà allumé une chandelle trouvée au fond du tiroir de sa table de chevet.

Ma tante repartit avec la sienne et disparut vers le devant de la maison.

— Moman ! Moman, êtes-vous dans le garde-robe ? Vous auriez pu me le dire quand chus rentrée dans votre chambre ! J'étais là que je m'époumonais pour rien !

Mon père venait juste de se réveiller. Partiellement sourd et toujours difficile à tirer du sommeil tellement il dormait dur, il n'avait pas dû entendre la déflagration et se demandait ce qui se passait.

— Que c'est que tu fais avec une chandelle, Nana ? Es-tu somnambule ?

Un éclair illumina la fenêtre, suivi d'un second coup de tonnerre, pire que le premier. Il comprit aussitôt et sauta du lit.

— Bon, ben, je suppose que toute la maison est sens dessus-dessous, là !

D'autres cris s'étaient élevés d'un peu partout dans l'appartement.

— Poussez-vous, moman, que je m'enfarme avec vous !

— J'ai échappé ma chandelle dans mon lit ! J'ai échappé ma chandelle dans mon lit ! Ah, la v'là ! Ma chandelle est éteinte ! Ma chandelle est éteinte !

— Si la boule de feu passe dans' maison, a' va rester enfermée pis a' va nous tuer ! Tout est fermé, a' pourra pus ressortir !

— Si tout est fermé, a' pourra pas entrer, niaiseuse ! Farme-toé donc !

On dit que le pandémonium est la capitale de l'enfer; cette nuit-là, la capitale de l'enfer était située au 4690 de la rue Fabre, à Montréal, province de Québec, Canada, et était habitée par une gang de poules à la tête coupée.

Moi, j'étais prostré dans le fond de mon lit, le drap remonté par-dessus la tête, les yeux fermés, les jambes ramenées vers mon ventre. Je ne voulais pas de chandelle, je ne voulais pas qu'on vienne me consoler, je voulais seulement disparaître dans mon matelas, remplacer le rembourrage, devenir une matière sans sensibilité, sans vie, surtout sans peur. J'imaginais être un objet inanimé, le lit ou le matelas ou l'oreiller; je ne saurais pas qu'il y avait un orage, je ne verrais ni n'entendrais rien et je serais

parfaitement heureux ! Ben non, voyons donc, innocent, un objet, ça peut pas être heureux ! Ben, je serais heureux pareil !

J'entendis ma mère qui disait, assez fort pour que mon père l'entende, probablement en tenant une chandelle près de sa bouche pour qu'il lise sur ses lèvres ou en lui faisant de grands signes :

— Va donc vérifier si tout est correct dans le reste de la maison, Armand, moi j'm'en vas dans le garde-robe…

Je voulais aller la rejoindre et repoussai mon drap sous lequel il faisait trop chaud. Maman avait ouvert la porte du placard, repoussait avec des gestes délicats vers la gauche ou la droite les vêtements pendus à la tringle centrale. Pour se faire une place. Se creuser un trou, en fait. Elle entra, se tourna vers la chambre et tira la porte sur elle. Pour l'enfant de quatre ou cinq ans que j'étais, ce fut un spectacle des plus étranges que de voir ma propre mère s'enfermer dans le noir, comme ça, tout en ayant conscience de ce qu'elle faisait et pourquoi.

Mon père secouait la tête, découragé.

— Nana, s'il vous plaît, sors donc de là… Tu te vois pas, on dirait un ours qui s'en va hiberner dans notre garde-robe !

Un troisième coup de tonnerre enterra sa voix, suivi aussitôt d'un quatrième, le pire jusque-là, qui fit s'élever des cris de terreur un peu partout dans l'appartement.

Michel Tremblay, « Sturm und drang », *Bonbons assortis*, Leméac / Actes Sud, 2002, p. 51 à 61.

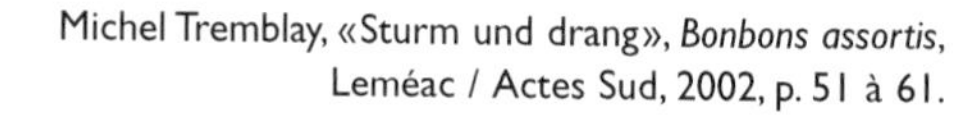

Michel Tremblay

Michel Tremblay est l'un des auteurs québécois les plus connus. Son œuvre est colossale. Déjà, au secondaire, il écrivait des pièces de théâtre, des poèmes et des romans. Ses histoires se déroulent principalement dans les milieux populaires francophones de Montréal, où il est né en 1942.

Gigi, la narratrice, passe l'été chez son oncle et sa tante, à la campagne.

Un coup de téléphone inattendu vint nous tirer du marasme qui nous emprisonnait tous. C'était une amie de ma tante qui était assistante-réalisatrice à la télévision. Elle voulait faire un reportage sur la vie à la campagne et elle avait pensé à ma tante. Cette dernière accepta immédiatement et nous annonça la nouvelle en sautant de joie comme une petite fille. Nous allions passer à la télé !

Mais ce nous m'incluait-il ? Je ressentis un vertige de jalousie à l'idée d'être exclue, mais je me retins de formuler mes inquiétudes à voix haute.

[...]

Les jours qui suivirent disparurent dans un tourbillon d'époussetage. Ma tante semblait en lutte perpétuelle avec le tuyau de l'aspirateur qui ressemblait à un gros python incontrôlable dont le sifflement nous chassait automatiquement à l'extérieur. Elle s'arrêtait de temps à autre et considérait l'intérieur de sa maison, les yeux plissés, comme un directeur-photo, évaluant tous les plans possibles.

Le matin de l'enregistrement de l'émission, il pleuvait à boire debout. Ma tante nous interdit de sortir de peur que nous nous salissions. J'avais moi-même choisi de mettre mes vêtements les plus propres pour l'émission. J'avais décidé de faire comme si moi aussi j'allais être filmée avec les autres, même si une certaine logique voulait que je sois exclue ou, du moins, reléguée au second plan, car je ne faisais pas partie du noyau familial principal. Postés à différentes fenêtres de la maison, nous faisions le guet, fébriles et nerveux.

— J'les vois, ils arrivent ! s'écria Denis, alors que deux camions et une voiture débouchaient dans la cour.

Ils arrivaient avec presque deux heures de retard, juste au moment où mon oncle commençait à percevoir ces inconnus de la télé comme des ennemis potentiels, des saboteurs de journée. Un homme et une femme coururent sous la pluie jusqu'à la porte d'entrée tandis que trois autres gaillards s'affairaient à ouvrir les portes des camions. Ma tante nous présenta à son amie Marjolaine, l'assistante-réalisatrice, et celle-ci nous présenta le réalisateur, un dénommé Jean-Pierre Trudel qui scrutait les alentours d'un air pensif. Immobiles et crispés, ma tante et mon oncle semblaient attendre des compliments qui ne venaient pas.

TREMBLAY

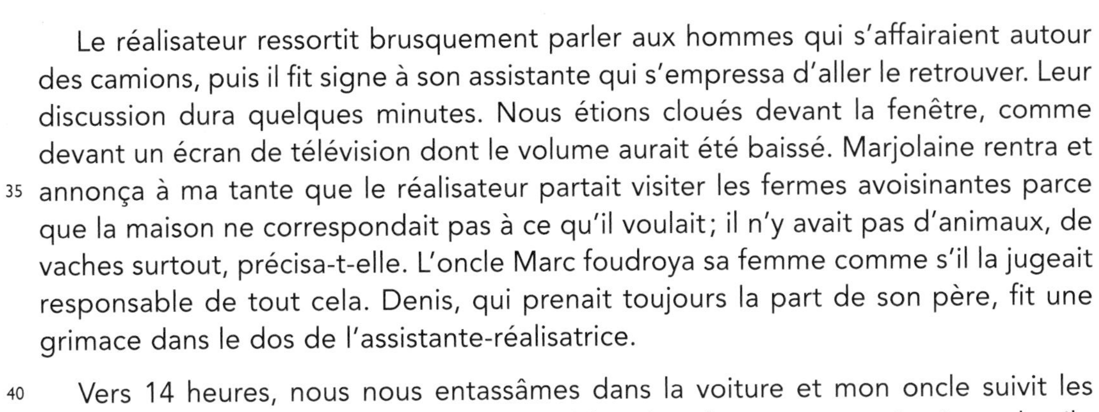

Le réalisateur ressortit brusquement parler aux hommes qui s'affairaient autour des camions, puis il fit signe à son assistante qui s'empressa d'aller le retrouver. Leur discussion dura quelques minutes. Nous étions cloués devant la fenêtre, comme devant un écran de télévision dont le volume aurait été baissé. Marjolaine rentra et annonça à ma tante que le réalisateur partait visiter les fermes avoisinantes parce que la maison ne correspondait pas à ce qu'il voulait; il n'y avait pas d'animaux, de vaches surtout, précisa-t-elle. L'oncle Marc foudroya sa femme comme s'il la jugeait responsable de tout cela. Denis, qui prenait toujours la part de son père, fit une grimace dans le dos de l'assistante-réalisatrice.

Vers 14 heures, nous nous entassâmes dans la voiture et mon oncle suivit les camions de la télé jusqu'à la ferme Tremblay dont le nom apparaissait sur le silo rouge et blanc. Le cultivateur avait accepté qu'on filme dans son étable. En y entrant, la puissante odeur nous fit éclater de rire. Et boucher notre nez. Quand les projecteurs s'allumèrent, le réalisateur nous fit signe à mes deux cousines et moi. Mon sang ne fit qu'un tour. Il nous plaça de chaque côté d'une génisse brune et nous conseilla de rester simples et naturelles. Il nous fit répéter nos noms, puis il exigea le silence. En guise de réponse, des vaches meuglèrent et secouèrent leur chaîne. Il adressa la première question à ma cousine Lysiane:

— Toi, Lysiane, qu'est-ce que t'aimes dans la vie à la campagne?

— Oh, moi, j'aime me promener dans les champs, écouter le chant des p'tits oiseaux, fit-elle avec l'accent qu'elle prenait quand elle essayait de m'imiter.

Soudain, la perche fut sous mon menton:

— Moi, j'aime ça à cause des animaux. J'aime les toucher, les sentir, fis-je en flattant l'échine de la vache avec conviction, même si c'était la première fois que je touchais une vache de ma vie. Devant moi, le réalisateur hocha la tête avec satisfaction.

Ce fut ensuite le tour de mon oncle et de Denis dans une scène muette. Ils devaient marcher main dans la main, puis entrer dans l'étable. Ils durent la refaire trois fois parce que Denis était incapable de s'empêcher de regarder la caméra, comme subjugué par son œil noir. Ma tante, elle, dut faire semblant d'examiner des radis dans le potager. Elle s'agenouilla avec beaucoup de grâce, les sourcils froncés, comme s'il s'agissait d'une opération extrêmement délicate, voire dramatique.

J'étais surexcitée, mes craintes s'étaient évanouies. J'allais effectivement passer à la télé! Le réalisateur et son assistante semblaient ne pas se soucier du fait que je n'étais que la cousine de la ville. J'avais hâte qu'on me rappelle devant la caméra. On nous accorda du temps pour aller manger. À notre retour, l'équipe de télévision terminait quelques prises de l'extérieur. Ils remballèrent tout leur matériel et nous donnèrent rendez-vous chez ma tante et mon oncle, où ils allaient tourner quelques scènes d'intérieur.

Dans la première, ma tante accueillait son mari, de retour de sa longue journée de travail. Ils furent tous deux beaucoup plus affectueux et démonstratifs qu'ils ne 75 l'étaient à l'habitude, et s'embrassèrent longuement sur la bouche. Mes cousines ne purent s'empêcher de glousser en les voyant, tandis que Denis faisait semblant d'avoir un haut-le-cœur devant ce spectacle qu'il trouvait indigne. Enfin, le réalisateur eut l'idée de leur faire laver la vaisselle et de les laisser jaser «comme ils le feraient normalement». L'assistante lui proposa plutôt de filmer Denis et son père 80 en train de laver la vaisselle. Denis essuierait tandis que son père laverait. Cette proposition me fit bondir. Denis et mon oncle n'avaient jamais lavé la vaisselle de leur vie. Mais le réalisateur acquiesça à l'idée de Marjolaine. Quand mon oncle, installé devant l'évier, dut l'emplir d'eau, il se tourna vers ma tante, parce qu'il ne savait pas où étaient le savon, les linges et la lavette. Déterminée, j'allai droit sur 85 M. Trudel et le tirai par la manche:

— Ils l'ont jamais faite la vaisselle, c'est pas vrai que ça se passe comme ça! dis-je outrée.

Le réalisateur parut surpris, puis amusé, et me tapota affectueusement la tête:

— C'est pas grave, c'est pas grave, rétorqua-t-il.

90 Je crus qu'il ne m'avait pas bien comprise.

— Non, mais, c'est toujours ma tante, pis moi, pis mes cousines, d'habitude pour la vaisselle. Ils y touchent jamais, jamais, eux! Ils font jamais rien dans la maison, même! repris-je avec insistance. Mais il hocha la tête et me tourna le dos.

Je me mis à bouder. En fait, je brûlais de jalousie parce que Denis avait plus de 95 scènes filmées que moi.

— La télévision, c'est niaiseux, murmurai-je à l'oreille de Lysiane, qui approuva, elle aussi.

Quand Denis et son père eurent terminé de faire semblant de laver la vaisselle, les projecteurs s'éteignirent et les hommes commencèrent à remballer leur matériel. 100 C'était fini. Le réalisateur remercia mon oncle et ma tante qui paraissaient tous les deux un peu hébétés. [...]

Vers la fin des vacances, ma tante reçut un appel de Marjolaine qui lui annonça la date de diffusion de l'émission.

— Au moins, ça va nous faire un beau souvenir de famille, dit tante Marie, en 105 regardant autour d'elle.

Et donc, un soir de septembre, ma mère et moi nous installâmes devant notre petite télé noir et blanc. Ma mère avait fait du pop-corn et avait acheté du coke. Nous avions apporté des ciseaux et un couteau pour mettre sur l'antenne si la télé commençait à faire des siennes. Nous avons applaudi quand le générique de l'émis- 110 sion commença. Il y eut d'abord un reportage sur la culture de champignons, puis une pause commerciale. Au retour, l'animateur parla du retour à la terre de nombreuses familles québécoises, qui sortaient de la ville pour faire l'expérience de la vie à la campagne. Ma mère me tenait le bras. Mon cœur battait très fort.

Aux premières images de ma tante dans son jardin, ma mère se mit à rire.

115 D'abord doucement, comme une vague qui roule sur la plage, son rire allait, venait, renaissait, s'éteignait, et repartait de plus belle au fur et à mesure que les images défilaient. Bientôt, elle rit à gorge déployée, d'un rire fou et incrédule à la fois, comme si elle était elle-même surprise de rire tant. Je n'avais jamais vu ma mère rire de cette manière et son hilarité contagieuse me gagna moi aussi. Nous 120 avons ri à en avoir mal au ventre et je gardai longtemps en mémoire l'écho de ce fou rire de ma mère, sans jamais comprendre ce qui l'avait tant amusée.

Mélissa Anctil, *Gigi*, Saint-Lambert,
Soulières éditeur, coll. «Graffiti», 2002, p. 81 à 90.

Mélissa Anctil

Mélissa Anctil est une auteure douée d'un grand sens de l'observation. Les portraits qu'elle trace sont toujours pleins d'humour. Mélissa Anctil est née en 1964.

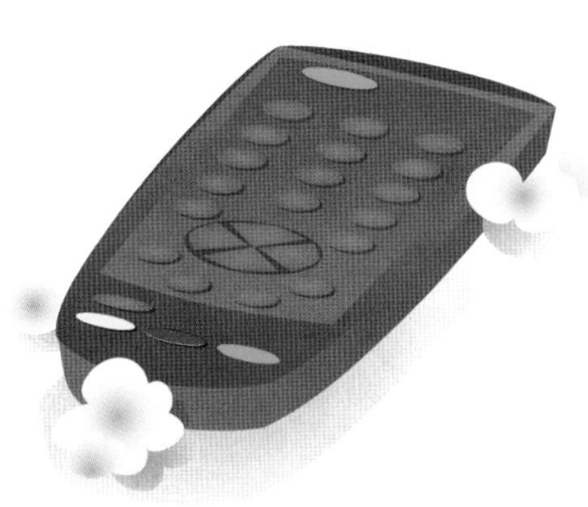

Marélie est orpheline.
Elle va de famille d'accueil
en famille d'accueil.

MARÉLIE de la mer

Les Locas sont venus me chercher en camionnette, dimanche matin, pour mon seizième déménagement.

J'ai dû m'asseoir, en avant, coincée entre les deux. Ils essayaient d'engager la conversation. Peine perdue. Je ne voulais pas. On m'a toujours dit de ne pas parler aux étrangers. C'est ce que j'ai fait. Je suis restée muette tout le long du trajet. De toute façon, il y avait une grosse boule dans ma gorge qui prenait toute la place et qui aurait empêché les mots de passer.

Faut comprendre, quand même ! C'est très pénible de partir vers l'inconnu, comme ça, à tout bout de champ. Surtout que je ne suis pas portée vers les grandes aventures.

Quand nous sommes arrivés, le ciel était encore clair.

Je suis entrée dans leur petite maison de bois, bleue et blanche, qui sentait les roses et les rhododendrons de tout bord, de tout côté.

Une tarte aux pommes, avec une croûte épaisse comme ça, nous attendait sur la table de cuisine. Je n'ai rien mangé. Même si j'avais d'énormes gargouillis dans l'estomac. Les tartes, c'est pour les événements heureux.

Madame Locas m'a fait visiter la maison et m'a enfin menée à *ma* chambre.

D'habitude, j'attends au moins une semaine avant de piquer ma première colère. Ça paraît mieux. Mais là, elle a osé dire, en ouvrant la porte :

— Tu es chez toi, ici !

Sur le coup, je n'ai rien dit. Juste serré les mâchoires. À cause de la grande fenêtre qui donne sur la mer, des mouettes en plein vol et du soleil qui rougissait. Mais elle a rajouté :

— J'aimerais bien que tu m'appelles maman !

25 *Maman !* Le mot a résonné dans ma tête comme une balle de flipper. Pour qui se prenait-elle, au juste ? Moi, appeler *maman*, cette vieille échalote aux lunettes rondes sur son nez de corneille ! Jamais !

J'ai placé mes poings sur mes hanches, pour qu'elle comprenne bien que j'étais très choquée. Puis, un peu tremblante, j'ai crié :

30 — Tu n'es pas ma mère ! Jamais je ne t'appellerai *maman* ! Tu as compris ? Et, ce n'est pas chez moi, ici ! C'est CHEZ TOI. Je vais manger dans TA vaisselle, dormir dans TON lit et utiliser TON téléphone. Je… je n'ai jamais eu de chez-moi. Jamais ! Et ce n'est pas ici que… que je vais l'être !

Ma voix s'est brisée. C'était difficile de dire à cette parfaite inconnue ce que 35 j'avais sur le cœur. Surtout le jour de mon arrivée. Si je voulais être aimée, un peu, un tout petit peu, je devais être parfaite. PAR-FAI-TE. Mais je n'ai pas été capable. Pas après ce qu'elle venait de me dire. Il y a des limites ! C'est déjà assez compliqué de faire semblant d'être fine.

Mme Locas a retiré ses lunettes de son nez et m'a regardée avec… tendresse. 40 Ça m'a fait tout drôle. Surtout que je m'attendais à la voir rougir.

Elle est sortie, sans rien dire, en esquissant un sourire et en clignant ses yeux ronds.

Enfin seule. J'ai pleuré toute la peine que je contenais depuis le départ. J'ai pleuré très fort. À chaudes larmes. Ça me rend toujours triste d'être une intruse. De vivre dans les affaires des AUTRES. De n'avoir jamais ma place. Surtout, une place pour moi toute seule.

J'ai essayé de me consoler en me disant qu'ici, au moins, il n'y avait pas d'enfants pour me narguer et me tordre le cœur avec des méchancetés.

Rien à faire.

J'ai mal dormi. À cause des nouveaux bruits, de l'odeur de la mer et du manque d'oreillers. J'aime bien avoir des oreillers tout plein autour de moi. Mais il n'y en a jamais assez. Alors, j'érige un barrage avec mes couvertures et je me recroqueville sur moi-même, le dos collé au mur.

Le lendemain matin, j'ai pleuré. Encore. Parce qu'en ouvrant les yeux, je n'ai pas reconnu ce qui m'entourait. Je ne m'habitue jamais aux changements de décor. La plupart du temps, je chambarde tout dans la chambre. J'essaie de créer comme un «chez-moi». En vain. Rien ne m'appartient.

Linda Brousseau, *Marélie de la mer*, Saint-Laurent, Éditions Pierre Tisseyre, 1993, p. 12 à 15.

Linda Brousseau a été libraire et journaliste avant de publier des romans et des contes pour les jeunes. Elle est née à Montréal en 1955. Elle travaille dans une bibliothèque et est très active auprès des enfants handicapés.

La longue attente de Christophe

Je vois arriver le facteur avec son gros sac et de la sueur sur son front. Comme il commence à monter l'escalier, je le rejoins au milieu pour lui éviter d'avoir à gravir toutes les marches. Il me remercie d'un signe de tête et il me tend quelques enveloppes. J'y jette un coup d'œil tout en remontant.

5 Je reste soudain figé, une enveloppe à la main. Cette écriture, je la reconnaîtrais entre mille !

Mes genoux flanchent et je dois m'asseoir sur une marche pour ne pas débouler jusqu'en bas. Mes doigts tremblent si fort que j'ai du mal à déchirer l'enveloppe.

La lettre est épaisse. Elle compte au moins six pages. Même si je sais d'avance qui 10 l'a écrite, je vais quand même voir la signature à la fin. Juste pour être certain. Au cas où.

C'est bien signé : « *papa* ». C'est même écrit : « *Ton papa qui t'aime* ».

Je dois cligner des yeux encore et encore pour en chasser les larmes. Je ne pourrai jamais la lire si je pleure comme un bébé. Je prends plusieurs grandes respirations. 15 Quand je me sens enfin un peu plus calme, je commence:

Salut et bonne fête, Christophe, mon bonhomme à moi.

C'est la lettre la plus difficile que j'ai eue à écrire de toute ma vie. Je ne sais même pas si tu voudras la lire. Tu dois m'en vouloir tellement... J'ai peur que tu la déchires, mais je te demande, mon grand, 20 de la lire jusqu'au bout. S'il te plaît, Christophe...

J'ai beaucoup de choses à t'expliquer et plus encore à me faire pardonner. Je reconnais mes torts, j'ai eu tout le temps d'en faire le tour. Je ne te demande pas de m'excuser, juste de m'écouter.

Quand ta maman est morte, c'est comme si on m'avait jeté au bas 25 d'un pont. J'étais incapable de refaire surface. Je n'étais plus bon à rien; ni à m'occuper de toi, ni à garder un emploi, ni même à passer comme il faut à travers une journée. Quand je repense à tous ces repas que tu as dû sauter à cause de moi... Il n'y a sûrement personne au monde qui a mangé autant de tartines au beurre d'arachide 30 que toi! Et toutes ces questions que tu me posais et que j'écoutais à peine, les sorties que tu proposais et que je refusais, les excuses que tu inventais toi-même pour tous tes retards à l'école parce que j'oubliais de me lever et de te réveiller...

Je pensais toujours que, d'un mois à l'autre, d'une année à l'autre, 35 les choses finiraient par s'arranger, qu'on retrouverait une vie normale, toi et moi. Mais rien ne pouvait s'arranger. À cause de moi. Je ne laissais aucune chance à la vie. Le chagrin était partout, et c'est moi qui le laissais s'installer entre nous.

J'ai fait tellement d'erreurs avec toi en ne comprenant pas ça plus vite. Je sais que c'est à cause de moi si tu as eu tant de difficulté à l'école et à te faire des amis. Je sais aussi que tu as dû apprendre à te débrouiller tout seul, sans jamais pouvoir compter sur moi. Je le regrette tellement aujourd'hui… J'étais si occupé à prendre soin de moi et de ma peine que j'ai oublié que tu étais là, toi, avec toutes tes attentes, tes espoirs, tes besoins.

Tu ressembles tellement à ta mère, Christophe. Chaque fois que je te regardais, c'est elle que je voyais. Mais ce n'est pas ta faute ! Rien de tout cela n'est ta faute.

En me retrouvant seul face à moi-même, je n'ai pas eu d'autre choix que de réfléchir. Et j'ai enfin compris ceci, Christophe : ta maman n'aurait pas voulu qu'on s'arrête de vivre. Tu te souviens comment elle riait ? Cent fois par jour, au moins ! Elle ne mérite pas qu'on jette à la poubelle tous ces éclats de rire qu'elle nous a donnés quand elle était avec nous. Mais c'est ce que j'ai fait, moi, toutes ces dernières années.

Si je suis parti, c'était pour te donner une chance de mieux vivre, pour que tu n'aies plus à me supporter. Plus je te regardais, plus je me reprochais tout ce que je n'arrivais pas à faire pour toi et moins j'avais les moyens de t'aider. Je me disais que tu serais beaucoup mieux sans moi.

C'est à quelqu'un de ma famille que je t'aurais confié en partant si j'avais eu une famille. Mais je n'ai personne, tu le sais. J'ai donc cherché, du mieux que j'ai pu, un endroit où tu trouverais ce que je ne pouvais pas te donner. Je voulais qu'il y ait d'autres enfants autour de toi et une femme qui pourrait remplacer un peu la mère que tu n'avais plus.

Quand j'ai rencontré Linda, j'ai cru avoir trouvé tout ça. Elle n'avait pas la douceur ni la gentillesse d'Ann, je sais, mais elle était débrouillarde et pleine de bonne volonté. De plus, elle avait un fils de ton âge et ça, c'était important à mes yeux. Je me disais qu'il pourrait devenir ton ami et qu'ainsi tu t'ennuierais moins quand je partirais. Parce que je devais partir. Pour me retrouver moi-même. Partir et ne revenir que lorsque je serais enfin capable d'être à nouveau un vrai père pour toi.

J'espère de tout mon cœur que tu as réussi à te faire une place
75 dans cette famille et, surtout, que tu t'y sens bien et heureux.

J'ai trouvé tellement dur d'être séparé de toi, tu ne peux pas savoir. Pourtant, quand tu étais près de moi, jour après jour, c'est à peine si je te voyais. Il a fallu que je m'éloigne pour me rendre compte à quel point tu faisais partie de moi et que, sans toi, il y avait
80 un grand vide dans ma vie, comme un trou, là, juste à côté de mon cœur… C'est pour ça que je te téléphonais si souvent au début. Tu me manquais tellement, Christophe. Mais ce n'était pas bon, ni pour toi ni pour moi. En m'accrochant ainsi à toi, je t'empêchais de te faire une vie nouvelle et j'évitais d'affronter ma solitude. Je devais couper
85 les ponts. C'était le seul moyen.

J'imagine combien tu as dû trouver cela difficile. Si ça peut te consoler un peu, dis-toi que ça l'était autant pour moi. Tu es ce que j'ai de plus précieux au monde, mon grand. Personne ne compte autant que toi, n'en doute pas, n'en doute jamais.

90 Tu as dû remarquer, en regardant l'enveloppe, que cette lettre vient de Toronto et non des États-Unis. Je ne suis resté là-bas que les cinq premiers mois. Je suis ensuite allé travailler à Vancouver et me voici maintenant à Toronto. Comme tu vois, je me rapproche un peu plus de Montréal et de toi chaque fois…

95 J'ai pu mettre de l'argent de côté, assez pour acheter une petite maison. Pas comme celle de Saint-Augustin, bien sûr, mais quelque chose de bien quand même. Si tu es d'accord, on pourra recommencer à zéro, toi et moi, réapprendre à se connaître et se faire une bonne vie tous les deux.

100 Mais tu n'as peut-être plus envie de me revoir. Je le comprendrais. Je sais combien je t'ai souvent fait de la peine et surtout quel mauvais papa j'ai été pour toi… Ce n'est pas parce que, moi, je me sens prêt et que je veux revenir, que tu veux, toi, que je revienne. Si ta vie de maintenant te convient, si tu es bien et heureux et que je ne ferais
105 que tout bouleverser, encore une fois, dis-le-moi. C'est à toi de décider, Christophe, et je respecterai ta décision. C'est à toi de me dire si tu veux encore de moi comme papa. Si tu peux me pardonner aussi…

J'attends ta réponse, mon grand. Prends tout le temps qu'il te
110 faut. J'ai écrit mon adresse sur l'enveloppe.

Je pense à toi très fort. Je t'imagine, du haut de tes douze ans tout neufs… Je ne crois pas te l'avoir déjà dit, du moins, pas avec des mots, mais je suis très, très fier d'avoir un fils comme toi.

Ton papa qui t'aime

115 Je replie lentement la lettre de mon père. Je remonte l'escalier. J'entre dans la cuisine et je prends le premier bout de papier et le premier crayon qui me tombent sous la main. J'écris, le papier appuyé contre le mur, tellement je suis pressé.

Reviens vite, papa. Je t'attends.

Christophe qui t'aime

120 Il n'y a rien de plus à dire. Tout est là-dedans…

Hélène Gagnier, *La longue attente de Christophe*,
Saint-Laurent, Éditions Pierre Tisseyre,
coll. «Papillon», 2001, p. 108 à 118.

Hélène Gagnier

Hélène Gagnier est née en 1955. C'est une enseignante… qui adore jouer du piano. Elle écrit des romans et des pièces de théâtre. Ses récits sont pleins de tendresse et invitent à la compréhension des autres.

VRAI PAS VRAI

L'autre jour, j'étais avec mon père au centre commercial : c'est-à-dire, c'est pas mon vrai père, c'est le deuxième mari de ma mère, mais comme on habite tous ensemble depuis deux ans, c'est comme si c'était mon père. Il allait m'acheter des chaussures parce que les miennes étaient devenues trop petites, ou plutôt, mes pieds étaient devenus trop grands comme disait ma sœur qui n'est pas ma vraie sœur parce que c'est la fille du mari de ma mère. Tout à coup, j'ai aperçu mon grand-père devant la quincaillerie : c'était mon vrai grand-père, le père de mon vrai père. J'ai couru le saluer.

— Hé ! grand-papa ! Comment ça va ?

Il était très content de me voir. Il m'a fait la bise sur les deux joues. J'en ai profité pour lui demander des nouvelles de mon vrai père que je n'avais pas vu depuis quelque temps. Mon grand-père a eu l'air embarrassé.

— Oh ! tu sais, il est très occupé..., m'a-t-il affirmé, surtout depuis que sa nouvelle femme a eu un bébé...

Depuis la naissance de ce bébé, mon vrai père n'était pas venu me chercher comme d'habitude pour le week-end. Je lui en voulais un peu à ce bébé-là qui n'était pas mon vrai frère.

— Tu sais, a ajouté mon grand-père avec un sourire complice, c'est bientôt l'anniversaire de ta grand-mère. Tu viendras à la maison. Ton père sera là, et aussi tes cousins David et Jérôme.

J'aime bien David et Jérôme : ce ne sont pas mes vrais cousins puisqu'ils sont les enfants du troisième mari de ma tante qui est la sœur de mon vrai père, mais je m'entends mieux avec eux qu'avec mes vraies cousines qui sont les filles du frère de ma vraie mère : Chloé et Alma sont plutôt snobs...

J'ai quitté mon grand-père pour aller rejoindre mon père, enfin, je veux dire, le mari de ma mère et on a acheté mes souliers. Sur le chemin du retour, il m'a dit :

— On va arrêter chez ta grand-mère : elle m'a demandé de réparer son aspirateur.

Il voulait parler de sa mère à lui qui n'est pas ma vraie grand-mère, mais comme elle fait les meilleures tartes aux pommes du voisinage, je n'avais aucune objection à m'arrêter chez elle. Elle est veuve puisque son mari, le père du mari de ma mère, est mort dans un accident de voiture il y a dix ans. Depuis ce temps-là, cette grand-mère-là se cherche un autre mari. Chaque fois que je la rencontre, elle a un nouvel amoureux.

En arrivant chez elle, j'ai aperçu un gros bonhomme chauve installé à la table de cuisine. Elle nous a embrassés, puis elle a dit:

— Arthur, je te présente mon fils.

Arthur a serré la main de mon père (pas le vrai) et m'a fait un clin d'œil en me chuchotant:

— Je serai bientôt ton nouveau grand-père.

— Ben, vous serez le quatrième, ai-je répondu.

— Comment ça, le quatrième?

— J'en ai déjà trois: un vrai et deux pas vrais. Mais des grands-mères, j'en ai quatre: deux vraies et deux pas vraies. Ça me fait beaucoup de cadeaux d'anniversaire...

Mon père, pas le vrai, n'a pas eu à réparer l'aspirateur de sa mère vu que mon futur pas vrai grand-père l'avait déjà fait. Cette grand-mère-là, pas la vraie, nous a offert un morceau de tarte aux pommes, puis on est rentrés à la maison, c'est-à-dire chez ma vraie mère.

— Ton père a téléphoné, m'a dit ma mère. Il va venir te chercher pour que tu fasses connaissance avec ton demi-frère.

En pensant à mon demi-frère, j'essayais d'imaginer un bébé coupé en deux sur la longueur ou sur la largeur... En attendant mon vrai père, j'ai dessiné ma famille: j'ai fait mon vrai père et ma vraie mère en couleurs et tous les autres en noir et blanc.

Henriette Major, *Moi, mon père...*, Saint-Laurent, Éditions Pierre Tisseyre, coll. «Papillon», 1996, p. 21 à 25.

Henriette Major

Henriette Major est née à Montréal en 1933. Journaliste et scénariste, elle se consacre à l'écriture depuis de nombreuses années. Sa production est très diversifiée: reportages, séries télévisées, articles pour des magazines, pièces de théâtre, livres pour les jeunes.

NESSIPI

Grand-papa et grand-maman vivent aux abords de la réserve indienne de la rivière Désert, non loin de Maniwaki. Leur maisonnette est bien petite en comparaison avec l'immense territoire 5 sur lequel ils ont passé tant d'années. Mais la vie sédentaire est devenue une mode et presque une obligation. Il faut sortir du bois, s'installer à demeure près des services gouvernementaux et de l'église.

10 De toute façon, la vie en forêt est de plus en plus difficile. Les bûcherons, avec leurs nouvelles inventions, sont partout. Leurs grosses scies mécaniques empestent l'huile, crèvent les tympans. Des engins d'enfer. Où et quand vont-ils 15 s'arrêter ? Les bulldozers labourent les forêts, creusent des routes dans la terre vive. Alors les chasseurs du dimanche s'amènent, de plus en plus nombreux, et tirent sur tout ce qui bouge.

Au fond de son carré de terrain, Nessipi[1] s'est 20 construit une boutique à bois pour travailler. C'est aussi son refuge pour être seul et rêver. Il lui arrive, c'est vrai, de tenir des grands discours passionnés, mais au fond c'est un homme solitaire, un penseur. Dans sa tête et son cœur, mon 25 grand-père est sans cesse en voyage. Il portage ses souvenirs dans les sentiers montagneux, les lacs et les rivières qui l'ont porté.

[…]

À travers les vitres voilées de poussière de bois 30 et de toiles d'araignées, j'essaie de distinguer grand-papa, avec son éternelle chemise de flanelle rouge sombre aux manches roulées jusqu'aux coudes et ses *britches*[2] brunes soutenues par de larges bretelles Sheriff blanches croisées 35 dans le dos. Je devine que Nessipi porte ses mocassins en peau d'orignal lacés jusqu'en haut des chevilles, et qu'il a replié en ourlet les bas de laine gris à bordure bleue que grand-maman lui a tricotés.

1. « Petite rivière » en langue innue.
2. Pantalon d'étoffe bouffant.

Ses lunettes à double foyer sur le bout du nez, penché sur une large planche de bois blond veiné, son pied-de-roi dans une main, son crayon de menuisier dans l'autre, il est sur le point de tracer une ligne. Le plancher est couvert de minces copeaux frisés comme des rubans de Noël.

Je m'arrête à la fenêtre non seulement pour le regarder mais aussi pour le plaisir de l'entendre. Car dans sa boutique, Nessipi siffle. Il siffle un air qu'il a inventé et qui lui ressemble.

Quand papa mourra et que je me retrouverai tout seul, profondément déchiré, je me surprendrai tout à coup à siffler, instinctivement, l'air de Nessipi. Je comprendrai alors que siffler, c'est une façon d'oublier ses peines, ses inquiétudes, sa nostalgie, une façon de faire le vide, de bercer son cœur et sa tête. Siffler, pour moi, ce sera toujours reprendre mon souffle.

Nessipi sait que je suis là. (On dit dans la famille qu'il est « dur de la feuille » parce qu'il fait souvent la sourde oreille quand on lui pose une question, mais il a l'ouïe fine. C'est-à-dire qu'il entend ce qui lui plaît.) Poursuivant son travail, la mine absorbée, il se met à siffler un peu plus haut, un peu plus fort, un peu plus vite. Il siffle le sourire en coin. C'est ainsi qu'il se trahit…

Je pousse la lourde porte de bois. Les pentures grincent, Nessipi lève le nez. Le crayon à la main, il feint l'étonnement.

— Ben ça parle au diable. De la grande visite d'en haut ! Mon sarpida[3], tu me prends par surprise !

Je me jette dans ses bras. Grand-papa sent la gomme de sapin.

Mon grand-père Nessipi est un magicien : il sait tout faire et le fait bien. Il a le geste lent et minutieux de qui aime travailler le bois. Sous mes yeux, depuis ma petite enfance, il a fabriqué des raquettes, des manches de hache, des avirons. (« Mon aviron, dit-il, c'est mon troisième bras, le prolongement de mon corps. Je l'ajuste à la largeur de mes épaules, à la poignée de mes mains, à la longueur de mes bras. ») Il connaît la forêt par cœur, du plus gros arbre à la plus fine brindille. Un vrai savant. Il sait nommer par son nom chaque arbre, chaque plante, tous les animaux à fourrure, à plumes, à écailles. Il me fascine.

Après un brin de jasette, grand-papa range ses outils. À la maison, nous trouvons grand-maman qui prépare le souper. Nessipi va s'asseoir sur sa petite chaise droite au siège de babiche, près de la porte. Il prend sur le pavillon de son oreille son gros crayon rouge de menuisier et le glisse dans la poche de sa chemise. Sa journée est finie.

●●●

3. Garnement.

Je devais avoir cinq ou six ans. Un jour, assis sur les genoux de mon grand-papa, je plonge ma main dans sa poche. À ma grande surprise, le fond est bourré de bran de scie sec. Son odeur de résine, les copeaux dans ses cheveux, les taches brunes veinées qui lui courent sur les avant-bras, le cou et le front comme dans le cœur d'un vieil érable… soudain je comprends: grand-papa Nessipi est un arbre !

Je me revois, une autre fois, sur ses genoux. Face à face, ses mains dans les miennes, il me dit:

— Es-tu prêt pour le grand voyage, Pien ?

— Oui ! Je suis prêt.

— As-tu un bon canot ?

— Oui ! J'ai un bon canot !

— As-tu des provisions pour l'hiver ? De la graisse, du sucre, du sel, des binnes, une grosse poche de fleur ?

— Oui, j'ai de la graisse, du sucre, du sel, des binnes, une grosse poche de fleur !

— Ta hache, ton couteau croche, ton filet de pêche, ta toile de tente, tes raquettes ?

— Ma hache, mon couteau croche, mon filet de pêche, ma toile de tente, mes raquettes !

— Bon, tiens-toi bien. On part pour l'Abitibi !

À ces mots, ses genoux se transforment en canot porté sur les eaux. Guidé par le maître voyageur, je me laisse emporter par le courant. Nous partons doucement, en remontant le

courant, louvoyant sur des eaux calmes, parfois mortes. Mais je reste sur mes gardes car Nessipi m'a déjà prévenu: «D'une fois à l'autre, sans crier gare, la rivière change de visage...»

Alors la vague raccourcit, le rythme accélère. Le temps d'un saut de rapides, je zigzague, je tangue, je pique. Puis nous reprenons le fil de l'eau. J'entends le clapotis sur les bords du canot, j'épouse son mouvement, sa cadence. Nessipi parle des vagues, des rapides, des chutes, des îles, des portages, des campements. Puis, soudain, l'eau bouillonne encore. Je suis emporté, projeté dans les airs, sur le point de chavirer. Les genoux de Nessipi s'ouvrent, je tombe dans le vide ! À la seconde où je vais sombrer dans l'abîme, mon grand-père me rattrape, me relance dans les airs. Je retombe dans le trou du remous, complètement siphonné. Je crie à cœur perdu, je ris aux éclats, le souffle coupé, l'estomac tout à l'envers. Alors la voix de grand-maman me parvient à travers le vacarme:

— Ness ! Ness ! Arrête ! Ça n'a pas de sens. Le petit va en mourir. Tu lui fais mal !

Mais Nessipi est toujours au gouvernail. Une à une, haut et fort, il nomme les grandes rivières:

— Maniwaki ! Baskatong ! Outaouais ! Cabonga ! Victoria ! Harricana ! Abitibi ! Abitibiwinni ! Témiscamingue !

Quand il accoste enfin et met pied à terre, il m'empoigne et me renverse sur son dos.

— Un dernier coup de cœur pour le portage de l'Ours !

Nous grimpons à l'étage par le petit escalier qui craque puis nous revenons à la course jusqu'au poêle à bois. Et c'est là, dans des larmes de rire, que se termine notre voyage.

Michel Noël, *Pien*, Waterloo, Éditions Michel Quintin, coll. «Grande nature», 1996, p. 161 à 169.

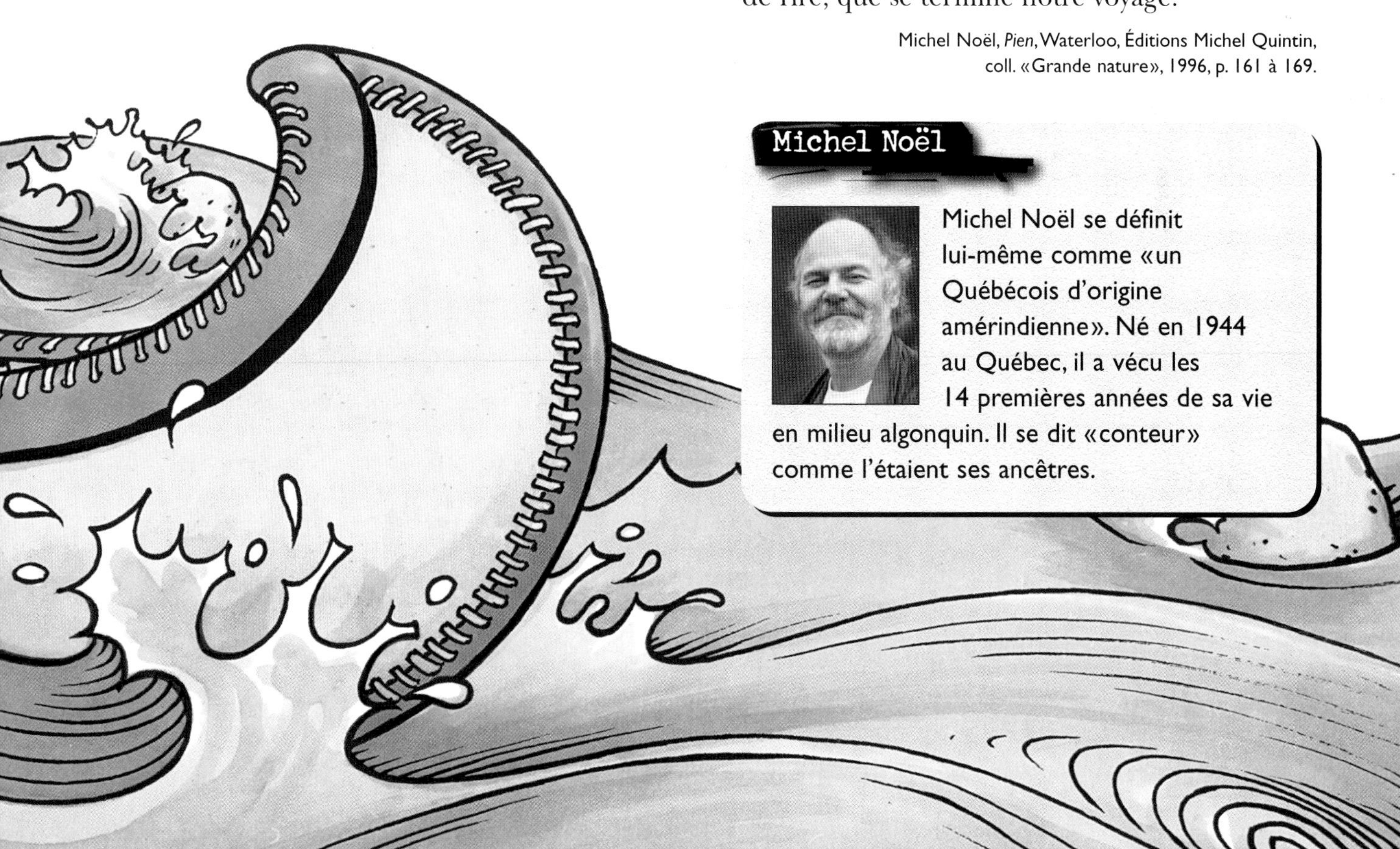

Michel Noël

Michel Noël se définit lui-même comme «un Québécois d'origine amérindienne». Né en 1944 au Québec, il a vécu les 14 premières années de sa vie en milieu algonquin. Il se dit «conteur» comme l'étaient ses ancêtres.

Lors de la déportation des Acadiens en 1755, plusieurs familles tentent d'échapper aux soldats venus les forcer à quitter l'Acadie. C'est ainsi que Prémélia, Fidèle et leur grand-père Pétard se préparent à fuir.

LE RUISSEAU VASEUX

Chez la famille de Jacques à Pétard, on se prépare hâtivement à fuir vers la forêt, où l'on compte se cacher des soldats anglais. Prémélia, la sœur de Fidèle, rassemble des bols et des gobelets d'étain qu'elle dépose dans un sac. Elle décroche le petit chaudron et s'approvisionne en bougies. À l'armoire, elle remplit trois petits sacs : un d'avoine, un de mil et un de farine. Dans son empressement, elle échappe de la farine sur le plancher.

— Laisse ça, chérie, dit faiblement sa mère, Marie, de son lit.

— Dois-je emporter du beurre et de la viande ?

— Non. La canicule n'est pas finie. Il n'y aura pas moyen de les garder au frais et hors de la portée des animaux. N'oublie pas une aiguille et du tissu à raccommoder.

Prémélia place les objets au centre d'une couverture dont elle noue les coins pour en faire un baluchon.

— Maman, je ne veux pas vous laisser.

— N'aie pas peur. Avant le matin, nous serons avec vous. Je vais donner naissance cette nuit, c'est certain.

Dehors, Fidèle et son grand-père arrachent des brassées de légumes du jardin, des patates, des carottes et des oignons, et les lancent dans un gros sac. Le vieux Pétard dit :

— C'est comme mon défunt père aurait dit : le roi Louis ne mange pas de meilleurs légumes que les nôtres. Les voisins sont rongés de jalousie chaque fois qu'ils voient nos patates. Cla ! cla ! cla !

— Pépère, le sac est-il assez rempli, maintenant ?

— Non, ne le fermons pas tout de suite. Je vois un trou.

— Un trou ?

— Oui. Un petit trou pour une petite cruche de bière d'épinette. C'est médicinal, tu sais, déclare le vieux en allant vers le caveau.

Revenant de la grange, Jacques l'entend et sourit malgré lui. Il vient déposer aux pieds de Fidèle un grand couteau, une hache, de la corde, trois arcs et plusieurs flèches. Comme tous les Acadiens, ils n'ont pas de fusils, car toutes leurs armes à feu ont été confisquées par le gouvernement britannique.

L'Acadie, dont le territoire correspond principalement à la Nouvelle-Écosse, est la première colonie française en Amérique du Nord. En 1755, les Anglais veulent s'approprier les riches terres des Acadiens et décident de les expulser. De 1755 à 1763, la plus grande partie du peuple acadien est déportée dans les colonies américaines, en Angleterre et en France. Pour empêcher la population d'échapper à la déportation en fuyant, on confisque les embarcations, on saisit le bétail et les céréales et on surveille les routes. Dans la hâte et la confusion, plusieurs familles seront séparées. Les Acadiens qui ont survécu à la déportation ont qualifié cette période de « grand dérangement ».

50 — Nous resterons cachés longtemps, Papa ? demande Fidèle.

— Je ne sais pas, mon gars. Peut-être des jours, peut-être plus longtemps. Mais bon chasseur et tendeur de collets comme tu l'es, on ne 55 crèvera pas de faim, lui répond son père en plaçant son gros bras autour de ses épaules.

— Je veux rester avec vous et maman. Je pourrai vous défendre contre ces vilains soldats ! supplie le petit.

60 Le père explique tendrement :

— Fidèle, sois raisonnable. Les Acadiens ne sont pas des soldats. Ce n'est pas notre guerre. Nous vous rejoindrons avant que les troupes arrivent.

65 Fidèle baisse la tête et Jacques le serre contre sa grosse poitrine. Ensemble, ils vont trouver Marie à l'intérieur. Après être ressorti du caveau, le grand-père court vers la maison, mais il échappe sa cruche. Crac ! Elle casse.

70 — Saprée cruche ! s'exclame Pétard. Si tu veux glisser de ma main, ça veut dire que je n'ai pas besoin de toi !

Peu après, les voisins arrivent à la maison de Jacques à Pétard et de sa famille. Ils attendent 75 patiemment dehors que les enfants et leur grand-père fassent leurs adieux à Jacques et Marie.

Groupés autour du lit de la mère, les enfants et Pétard embrassent et serrent doucement Marie chacun leur tour.

— Soyez braves et priez, leur dit Marie.

Les deux enfants acquiescent d'un signe de tête.

— Et Pétard, prenez bien garde à vous ce soir... Ne faites pas l'escrable[1], ajoute-t-elle faiblement.

— Cla ! cla ! cla ! rit Pétard malgré sa tristesse.

Sur le seuil de la porte, c'est au tour de Jacques. Il serre ses enfants dans ses bras. Pétard lui dit :

— Mon fils, rejoins-nous vite.

Les deux enfants et leur grand-père se joignent au groupe de familles réunies pour le départ vers le ruisseau Vaseux. À l'orée du bois, les enfants de Jacques à Pétard se retournent et regardent leur maison une dernière fois.

Les tristes Acadiens marchent en file indienne dans la brunante, et le murmure de leurs prières pénètre la forêt.

Diane Carmel Léger, *La butte à Pétard*, Moncton, Bouton d'or Acadie, 2004, p. 17 à 20.

1. Altération de « exécrable ». Ce mot s'applique surtout aux enfants remuants, espiègles.

Diane Carmel Léger

Diane Carmel Léger a grandi au Nouveau-Brunswick, dans le village de Memramcook, appelé autrefois la butte à Pétard. L'histoire acadienne et l'environnement sont les principaux thèmes de ses romans.

Les SOUBRESAUTS

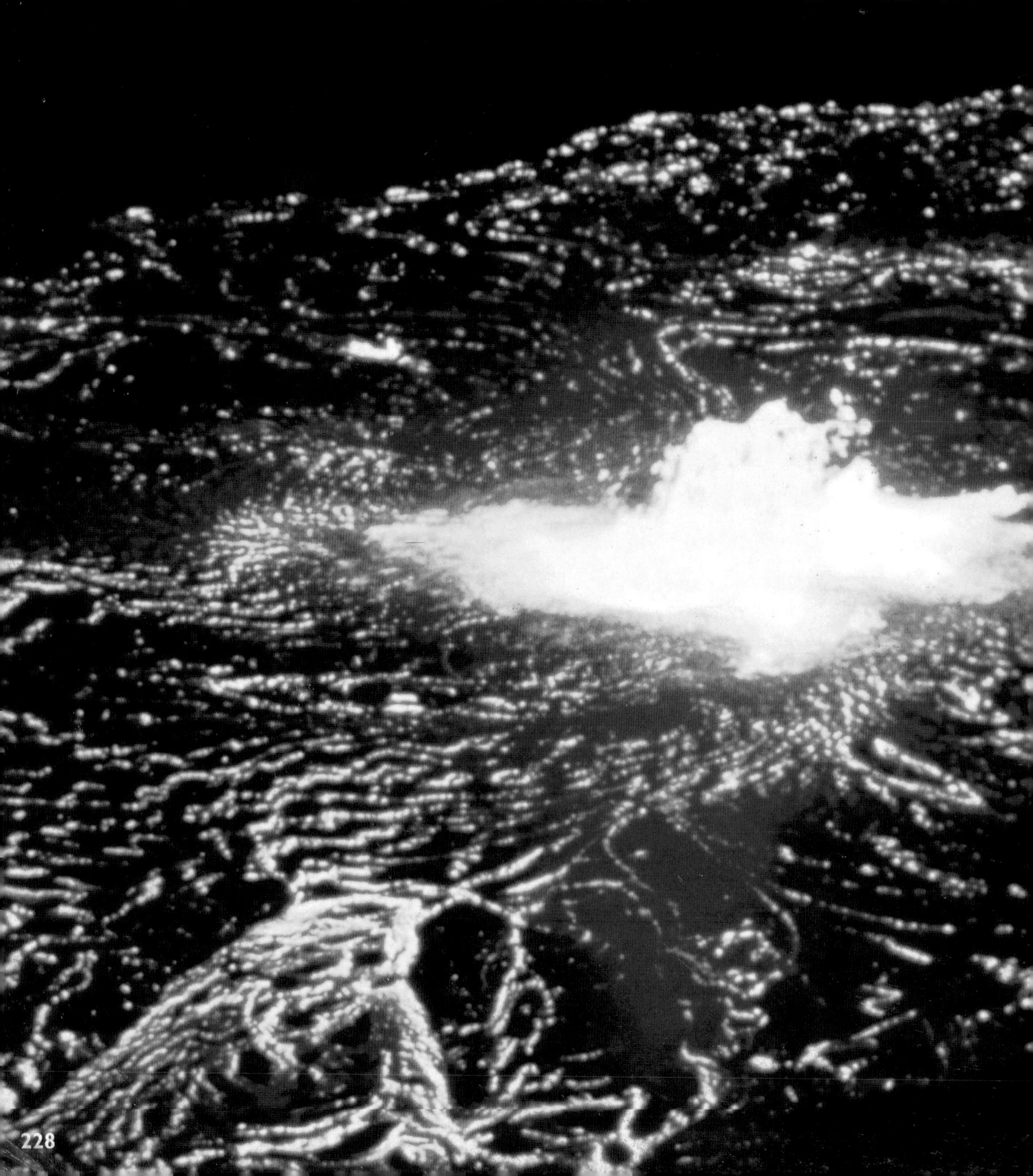

THÈME 8

de la TERRE

Éruptions volcaniques,
tremblements de terre, typhons,
séismes sous-marins, pluies diluviennes,
inondations, blizzards, tsunamis…

Toutes les catastrophes naturelles
nous rappellent que la planète Terre
est un concentré de forces formidables
aux conséquences parfois désastreuses.

Comment ces phénomènes naissent-ils ?

La réponse n'est pas toujours connue.
Elle se trouve dans les profondeurs de la Terre
ou dans les fonds sous-marins, ou encore
dans l'atmosphère. Mais elle est aussi
dans les centres de recherche, car si on
ne peut empêcher la rencontre de deux
plaques tectoniques ou celle de deux masses
d'air, on peut toujours chercher à mieux
comprendre ces phénomènes
pour en prévenir les effets néfastes.

SOMMAIRE

HUGO, l'histoire d'un cyclone

Le 16 septembre 1989, il règne un calme inquiétant sur la Guadeloupe. Pas un souffle de vent, pas un chant d'oiseau, aucun bruit... L'île retient son souffle avant de subir, dans la nuit, l'assaut d'un terrible cyclone tropical. Particulièrement violent et dévastateur, Hugo a été surnommé le «cyclone du siècle».

NAISSANCE D'UN MONSTRE

Hugo naît le 9 septembre 1989 au large des îles du Cap-Vert, de l'autre côté de l'océan Atlantique, en pleine saison des cyclones (entre 5 juillet et octobre). Toutes les conditions météorologiques sont réunies pour transformer cette simple tempête tropicale en cyclone. À la fin de l'été tropical, la température de l'océan est élevée (plus de 26 °C). L'air chaud et humide 10 s'élève de la mer. Les importantes quantités de chaleur, libérées lorsque la vapeur d'eau se condense en nuages, servent de carburant à cette «machine à vapeur». Les vents qui animent le centre de la masse nuageuse se mettent 15 à tourbillonner sous l'effet de la rotation terrestre, formant ainsi un gigantesque cercle. Le 13 septembre, la vitesse des vents dépasse 118 km/h: Hugo est maintenant considéré comme un cyclone.

Les tempêtes tropicales reçoivent différents noms: on parle d'ouragans dans l'océan Atlantique, de typhons dans le Pacifique et de cyclones ailleurs.

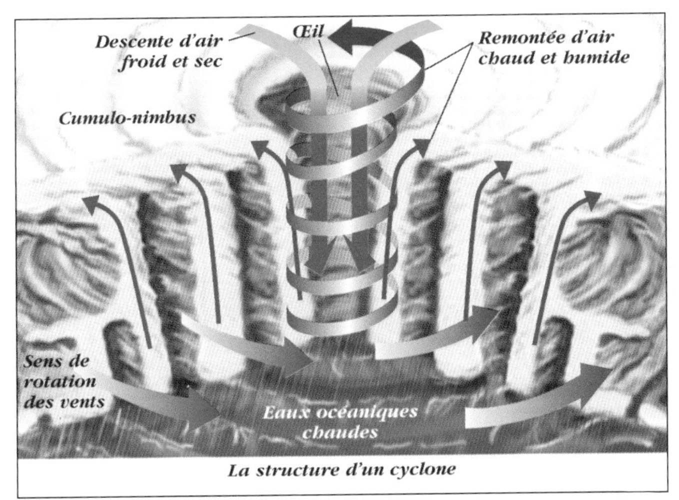

La structure d'un cyclone

(Illustration de Laurent Blondel)

VENT DE PANIQUE

Comme une gigantesque toupie dont le diamètre peut atteindre 800 km, le cyclone progresse au-dessus de l'Atlantique lentement – entre 15 et 30 km/h –, mais inexorablement vers l'ouest. Les vents qui l'habitent se renforcent au cours de cette traversée de 4 000 kilomètres: quand ils approchent de la Guadeloupe, ils tournoient à plus de 260 km/h, avec des rafales à 300 km/h! Pendant quelques heures, les Guadeloupéens espèrent qu'il les épargnera, car la course destructrice d'un cyclone est capricieuse. Il peut à tous moments changer brusquement de direction, s'arrêter et même revenir en arrière…

Mais il aborde l'île au soir du 16 septembre. Pendant près de 24 heures, ses vents extrêmement violents sèment la panique. Les arbres sont déshabillés de leurs feuilles et déracinés; tôles, toits et portails volent dans les jardins; et des pluies diluviennes s'abattent sur les terres. Par endroits, Hugo a déversé l'équivalent de plusieurs années de pluie en une seule journée!

UN ITINÉRAIRE TRAGIQUE

Quand le calme revient, la Guadeloupe découvre l'ampleur des dégâts. L'énergie libérée par un cyclone est, dit-on, aussi importante que celle des plus grandes éruptions volcaniques. […] Sous l'effet de cette puissance colossale, les maisons ne sont plus qu'amas de tôle et de bois brisé; écoles et hôpitaux ont volé en éclats; dans les stationnements, les voitures envolées ont laissé la place aux bateaux. Trente mille personnes se retrouvent sans abri! Pendant ce temps-là, Hugo poursuit sa course dévastatrice. Il s'attaque successivement à Montserrat, aux îles Vierges et à Porto Rico. Après un affaiblissement de ses vents, il se renforce à nouveau en passant sur la mer chaude où baignent les Bahamas.

Le 22 septembre, il aborde les États-Unis, jetant sur la côte de la Caroline du Sud des vagues aussi hautes que des maisons et l'inondant de pluies torrentielles. Enfin, quand il pénètre sur le continent américain, il ne trouve plus l'humidité nécessaire à sa survie et redevient une simple tempête.

Véronique Chantraine et Véronique Sarano, «Hugo, l'histoire d'un cyclone», *La grande encyclopédie Fleurus Terre*, Paris, Fleurus, 2002, p. 96-97.

LES INONDATIONS

La grande inondation décrite dans la Bible est sans doute la plus connue et la plus importante de l'histoire de l'humanité. Le mythe des inondations est cependant commun à de nombreuses cultures. Les inondations sont à la fois destructrices et sources de renouveau. Outre les maladies qu'elles peuvent entraîner, les inondations sont un véritable fléau naturel, et se multiplient avec les perturbations climatiques actuelles que connaît la Terre. Elles comptent aussi parmi les catastrophes naturelles les plus meurtrières et causant le plus grand nombre de dégâts matériels. Après la décrue, les coulées de boue durcissent comme du ciment. Mais les inondations ont aussi leurs avantages. La boue fertilise la terre, et de grandes civilisations ont été fondées sur les plaines fertiles des grands fleuves et rivières du monde.

Trevor Day, *La Terre en colère; Un étonnant voyage au cœur de la planète*, Montréal, Hurtubise HMH, 2002, p. 48.

Le sable et la neige

En raison de leur vitesse élevée et de leur puissance, les ouragans, les orages et les tornades génèrent des dommages matériels et humains. D'autres types de tempêtes sont dangereuses, non pas pour la vitesse du vent, mais pour ce qu'elles transportent. Des vents faibles sont parfois aussi dangereux que des vents forts. Ainsi, deux substances, le sable et la neige, créent de grands problèmes lorsqu'elles sont balayées par le vent.

Les tempêtes de sable, souvent nommées tempêtes de poussière aux États-Unis, naissent dans les régions désertiques et semi-désertiques du monde entier. Il y a deux tempêtes de base. La plus grande est appelée *khamsin*. Elle se forme lorsqu'un vent fort et soutenu passe au-dessus d'une région de sable ou de poussière, et le soulève dans l'air. La hauteur à laquelle le sable est charrié dépend de la vitesse du vent. Mais même des vents modérés d'environ 20 km/h peuvent soulever du sable à 200 mètres de haut. Dans le Sahara, ces tempêtes de sable sont en général liées aux vents saisonniers violents venant du sud. Une tempête importante peut souffler durant des jours, voilant le soleil sur plus de 20 km^2, noyant les routes et étouffant les cultures. Dans des cas exceptionnels, la poussière et le sable du désert peuvent s'élever très haut dans l'air et être emportés sur des milliers de kilomètres. Dans le nord de l'Europe, les pluies estivales sont parfois teintées de rouge par la poussière provenant du Sahara.

Le *haboob* est une tempête de sable plus petite qui ne dure que quelques heures. En général, un *haboob* précède un orage. Le sable et la poussière sont emportés dans l'air par des vents provenant de l'orage et peuvent

neige alors que les zones abritées du vent peuvent en avoir très peu. La situation se trouve aggravée lorsque le vent entraîne la neige reposant sur le sol, provoquant de grandes rafales de neige.

s'élever à 2 000 mètres de haut. Après que l'orage s'est apaisé, le sable et la poussière viennent se poser à nouveau à la surface.

Un blizzard est un vent chargé de neige. Dans des circonstances normales, les cristaux de neige descendent gentiment du ciel, et tout ce qui se trouve en dessous – sol, arbres, maisons et voitures – est recouvert d'une couche égale de neige. La présence du vent, même faible, peut modifier cette image de manière spectaculaire.

Lorsque le vent est impliqué, la neige ne descend plus verticalement, mais selon un certain angle et forme des couches inégales. Les zones exposées au vent reçoivent de plus grandes quantités de

En janvier 1977, un blizzard soufflant à 110 km/h frappa la ville de Buffalo, aux États-Unis, et fit rage pendant trois jours. En moyenne, environ 30 cm de neige tombèrent durant le blizzard, mais à certains endroits, la couche de neige atteignit plus de 10 mètres.

Clint Twist et Jean-François Viseur,
Les cyclones et les orages,
Montréal, Éditions École Active,
1993, p. 10-11.

La plainte du vent

Peter fut réveillé au milieu de la nuit par un bruit effroyable. Toute la maison tremblait comme si un géant la frappait du plat de la main. Peter s'assit dans son lit en retenant son souffle. Il s'attendait à voir le mur vaciller et s'effondrer. Puis il entendit le rugissement, le hurlement et il sut que ce n'était que le vent… Mais quel vent ! Il faisait trembler la maison comme si l'air était devenu une matière solide.

Il courut à la fenêtre. Il ne pleuvait pas, il n'y avait pas de nuages. Il vit la lune poudreuse et d'étranges étoiles qui brillaient faiblement. Le ciel était plein de formes. L'air était chaud et sec. Il avait la gorge et le nez desséchés.

Dans la chambre voisine, il entendit sa mère pousser un petit cri tandis que quelque chose se fracassait contre un mur. Soudain, Peter cessa d'avoir peur. Il sourit, tout excité : cette fois, c'était différent ! Il se précipita dans la chambre de ses parents. Ils étaient assis dans leur lit, sous la petite lumière de la lampe de chevet. Son père avait les yeux fixés au plafond.

— Il va arracher le toit, s'exclama-t-il.

Le plafond craqua. Peter leva les yeux. Est-ce que le vent pouvait vraiment faire ça ?

Dehors, quelque chose s'écrasa par terre et sa mère poussa un gémissement.

— Encore une tuile qui s'en va, dit-elle.

Elle leva les yeux au ciel et pinça les lèvres, l'air de dire que tout se passait toujours de la même façon. Elle poussa encore un petit cri quand quelque chose cogna contre la porte d'entrée – un bout de bois ou quelque chose qui roulait sur le sol.

— Et maintenant, il veut entrer ! dit-elle en pouffant.

Peter poussa des cris de joie. Elle le regarda sévèrement. Il était trop bruyant !

— Va voir à côté si Amy ne s'inquiète pas, tu veux bien ? Elle peut venir avec nous dans notre chambre si elle a peur.

Peter eut l'air dépité… Il voulait bien aller voir sa petite sœur – elle avait sept ans –, ce n'était pas le problème, mais lui n'avait jamais le droit de rester dans la chambre de ses parents et de dormir dans leur lit, même quand il faisait d'horribles cauchemars.

Amy était assise sur le rebord en bois de la fenêtre. Elle faillit sauter au plafond quand il ouvrit la porte, comme si la tempête en personne entrait dans sa chambre. Peter lui fit une drôle de grimace et elle ramena ses mains devant sa bouche en riant avec ravissement. Elle adorait son grand frère.

Elle courut vers lui et le tira par la main.

— Viens voir, Peter, viens voir ! lui dit-elle.

Peter courut avec elle jusqu'à la fenêtre et regarda dehors.

Le jardin se détruisait à vue d'œil : plantes arrachées, buissons et arbustes couchés par le vent. La clôture vacillait et battait contre le sol. Des choses qui appartenaient à la terre étaient passées dans l'air. Des boîtes en carton, des bouts de bois, des brindilles et même de petites branches que le vent avait arrachées aux arbres, volaient comme des chauves-souris détraquées, fugitivement éclairés par la lumière qui venait de la maison. La poubelle était ballottée entre la clôture et la maison. Elle cognait sans cesse contre les murs. Qu'arriverait-il si elle heurtait une fenêtre ?

— À ton avis, qu'est-ce qu'ils veulent ? lui demanda Amy sérieusement.

Peter la regarda un peu effrayé. Elle disait des choses bizarres. Puis il sourit. Il avait compris ce qu'elle voulait dire. Tous les objets ordinaires de la journée étaient devenus vivants en cette nuit étrange. Ils volaient dans l'air, affolés.

Le plus étonnant, c'était l'arbre, au fond du jardin. Un grand sapin, aussi droit qu'un soldat montrant le ciel du doigt. D'habitude, il trônait majestueusement au-dessus des maisons. Maintenant, il formait un arc. Il était tellement courbé par le vent que sa cime fendait le haut de la haie de troènes qui entourait le jardin, mais il refusait de craquer. Il ployait d'un côté, puis de l'autre, faisant voler de petits buissons, des brindilles et des détritus.

Peter était ravi.

— Le vent pourrait te couper en deux ! cria-t-il. Il pourrait te faire voler en l'air !

[...]

Dehors, dans le noir, retentit comme une plainte humaine. Immense, terrifiante. Quelle gorge pouvait donc émettre un son pareil ? Peter eut un mouvement de recul et s'écarta brusquement de la fenêtre. Amy sauta sur le lit et il la rejoignit. Un être ou une chose souffrait terriblement. La plainte se prolongea si longtemps ! Il sentit ses cheveux se hérisser sur sa nuque. Il pria pour que ça s'arrête. Il était révoltant qu'une chose ou une créature, si énorme ou horrible soit-elle, puisse souffrir ainsi.

Il y eut un craquement violent, déchirant, comme un arrachement. La plainte devint vibrante. Puis, ils entendirent un bruit fracassant, comme un coup de tonnerre.

Silence. Même le vent était muet.

Peter regarda sa sœur. Il était agenouillé près de son lit, agrippé aux couvertures. Dehors, le vent reprit progressivement ses forces.

— Qu'est-ce que c'était ? murmura-t-il.

Amy le regarda calmement.

— Ce sont les arbres qui tombent, dit-elle.

— Tu crois ?

Elle avait sans doute raison ; c'était le bois, craquant, pliant sous l'effort, qui avait émis cette plainte. Il fut impressionné par la réponse d'Amy. Elle avait compris avant lui et semblait moins effrayée que lui.

Melvin Burgess, *Géante*, traduit de l'anglais par Diane Ménard, Paris, Gallimard Jeunesse, coll. « Folio junior », 2000, p. 7 à 12.

Melvin Burgess

Melvin Burgess est né en Angleterre en 1954. Il se met à écrire à 20 ans, mais doit attendre une quinzaine d'années avant qu'un de ses romans soit publié. Aujourd'hui, il prend sa revanche : c'est l'un des meilleurs auteurs contemporains de langue anglaise pour la jeunesse.

La crise du verglas

Je ne sais pas au juste ce qui m'a réveillé, mais je me retrouve dans le noir absolu, le cœur battant le rock'n roll, assis sur mon lit. À côté de moi, je sens que Pistache est réveillé, lui aussi, aux aguets. Je suis sur le point de me rendormir lorsque le bruit recommence : un grand gémissement suivi d'un choc sourd et brutal. Quelque part, dehors, il se passe des choses pas très catholiques dans mon quartier d'habitude si tranquille.

Juste après, j'entends comme un sifflement, une sorte de gratouillis contre ma fenêtre et ensuite, encore ce choc sourd et ces gémissements sinistres. De quoi me flanquer la frousse de ma vie. Papa se lève et je vois la lumière de la lampe de poche se promener un peu partout dans la maison. Incapable de rester plus longtemps tout seul, je me lève aussi. La fraîcheur me tombe dessus d'un seul coup et c'est en grelottant que je fais irruption dans la chambre de mes parents. Macha est réveillée, la grande Cathy pelotonnée contre elle.

— M'man, qu'est-ce qui se passe dehors ? J'ai entendu des drôles de bruits, comme si quelqu'un se faisait battre...

— Papa est allé voir. Viens ici, mon p'tit cœur.

Elle n'a pas besoin de le dire deux fois et, lorsque Léo revient de sa ronde, il nous trouve tous les trois en petite boule, sous la couette. La lumière jaunâtre de sa lampe lui révèle nos trois paires d'yeux en forme de points d'interrogation.

— Les arbres sont en train de manger toute une volée. Ce que vous entendez, ce sont les branches qui cassent. Avec ce verglas, c'était à prévoir. La glace accumulée est tellement épaisse que même les branches maîtresses se brisent comme des tiges de verre au niveau du tronc. Je n'ai pas pu voir grand-chose dehors, mais il me semble que c'est un vrai massacre dans la rue. On ne peut rien faire pour l'instant, alors autant essayer de dormir.

Papa se recouche. Moi, je me colle contre ma mère, comme quand j'étais petit. Bien au chaud, contre le satin doux de son pyjama, avec

sa main qui caresse mes cheveux, je me calme. J'entends encore les plaintes des arbres au-dehors, mais plus rien ne peut m'atteindre. Le sommeil me cueille comme une fleur. Serrés les uns contre les autres, nous finissons la nuit tous les quatre, dans le grand lit de mes parents.

Au petit déjeuner on réalise vraiment l'ampleur de la catastrophe. Dehors, d'après ce qu'on peut voir par la fenêtre, ça ressemble à un vrai cataclysme: des branches cassées partout. Juste devant chez nous, sur la pelouse, une des plus énormes branches de notre érable pendouille misérablement, retenue au tronc par un simple lambeau d'écorce. Il pleut toujours. Le magma gluant et glacé qui tombe du ciel ne semble pas vouloir s'arrêter.

[...]

Aux nouvelles à la radio, c'est encore pire. L'île de Montréal et la Rive-Sud sont dans le noir. Trois millions de personnes sont privées d'électricité. On commence à parler d'un «triangle de glace» délimité par les villes de Saint-Jean, Saint-Hyacinthe et Granby, de sécurité civile, d'écoles et de gymnases à transformer en centres pour réfugiés, de campagnes isolées, de fils électriques brisés, de poteaux cassés en deux comme des allumettes... La situation commence à prendre une drôle de tournure. Je me mets à grelotter. [...]

On s'habille tous comme des oignons, avec plusieurs pelures. De retour dans la cuisine, papa, le visage grave et pas rasé, convoque une réunion d'urgence.

— Bon, je crois qu'il va falloir s'organiser un peu mieux. Hier soir, on s'est comportés comme la cigale de la fable mais là, c'est sérieux! Il faut trouver des chandelles, de l'huile pour le réchaud à fondue, des piles, du combustible pour la lampe Aladin, et vérifier si on a suffisamment de provisions pour plusieurs jours.

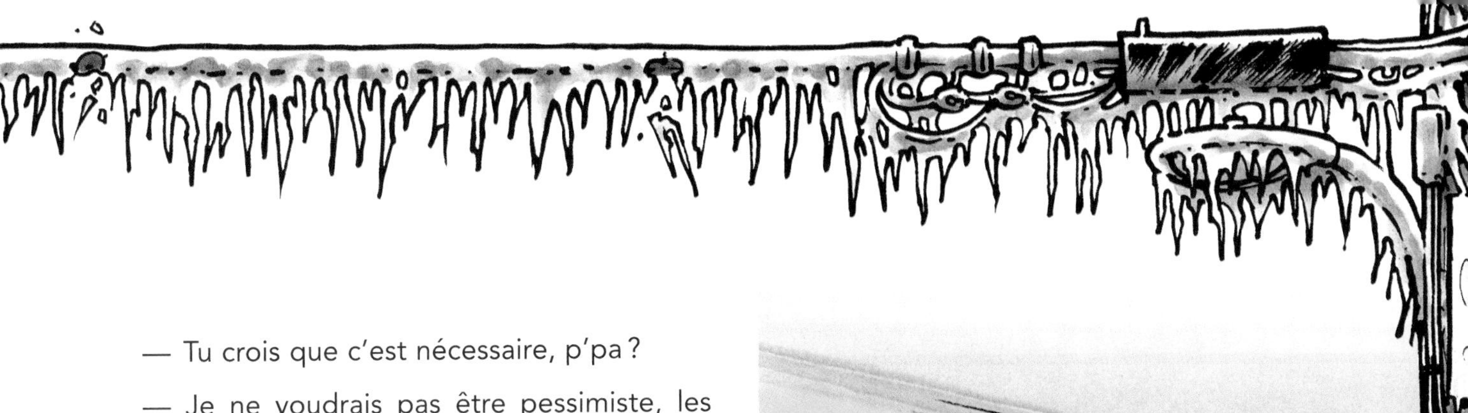

— Tu crois que c'est nécessaire, p'pa ?

— Je ne voudrais pas être pessimiste, les
90 enfants, mais, d'après moi, si cette bouillie dégueulasse ne s'arrête pas, il est possible que la panne dure plusieurs jours. Vous avez entendu la radio, non ? L'Hydro est en train de faire venir des équipes de monteurs de lignes
95 d'un peu partout, même des autres provinces et des États-Unis. Les dégâts sont bien plus importants qu'on peut l'imaginer. Le premier ministre vient de décréter l'état d'urgence !

Angèle Delaunois, *La tempête du siècle*, Saint-Laurent, Éditions Pierre Tisseyre, coll. «Papillon», 1998, p. 31 à 37.

Des géants aux pieds d'argile

Après avoir quitté Montréal vers les Cantons de l'Est, Léo bifurque brusquement vers l'embranchement qui mène à Sorel, sur l'autoroute 30.

5 — Qu'est-ce que tu fais, p'pa ?

— Cramponnez-vous, les gars ! On va voir les pylônes. Je pense que c'est un spectacle dont nous nous souviendrons toute notre vie. Ça vaut la peine d'aller se rendre compte sur
10 place.

Installés sur le siège arrière, Julien et moi, on regarde de tous nos yeux, presque incrédules devant l'énormité de ce qu'on voit.

À perte de vue, les énormes pylônes gris
15 argent d'Hydro-Québec ont été vaincus par la guerre du verglas. [...] Chez l'un, c'est le bras

qui pend pitoyablement vers le sol, étreignant sa poignée de fils. Un autre a été décapité; sa tête retenue au tronc par un lambeau de poutrelle. Plus loin, c'est encore un autre qui a l'air de s'agenouiller pour demander grâce dans un grand fouillis de câbles. Là encore, c'est un géant foudroyé, étalé de toute sa longueur sur la neige brillante. Avec un semblant de dignité inutile, quelques-uns essaient de rester debout, hésitants et bancals. À moitié vissés sur eux-mêmes, d'autres plus loin ressemblent à des pantins ivres. Ils ont tous l'air d'avoir été malmenés comme des jouets de paille par un monstrueux enfant de géant. Ils ont tous l'air de demander pitié, brandissant leurs moignons d'où pendent encore des câbles englués dans la glace.

Le silence et la solitude qui les enveloppent sont terribles.

Dans la voiture, c'est le silence aussi. Julien et moi, on s'est rapprochés. Au coude à coude, on est sonnés tous les deux. Pendant une vingtaine de kilomètres, nous roulons sur le chemin des géants abattus qui nous dévoilent leurs blessures, l'un après l'autre. Sur la route, une procession de voitures remplies de curieux découvre au ralenti ce spectacle inoubliable.

Papa se range sur le bas-côté et arrête le moteur. Nous sortons de là, intimidés par l'ampleur du cataclysme. Léo entoure de son bras l'épaule de Macha. Ils font quelques pas, serrés l'un contre l'autre. Je l'entends qui murmure, la bouche dans ses cheveux :

— Des géants... des géants aux pieds d'argile ! C'est l'image même de notre civilisation : forte en apparence et capable de si grandes choses, mais tellement fragile quand la nature se fâche.

Angèle Delaunois, *La tempête du siècle*, Saint-Laurent, Éditions Pierre Tisseyre, coll. «Papillon», 1998, p. 130 à 134.

Angèle Delaunois

C'est à l'âge de 22 ans qu'Angèle Delaunois quitte la France, où elle est née en 1946, pour venir vivre au Québec. Elle a écrit des livres sur les animaux avant de devenir romancière.

Grondement, cendres, fumerolles... Les signes de réveil d'un volcan ne trompent pas. Pour les entendre, les volcanologues se sont dotés d'oreilles sophistiquées. L'ampleur de la colère volcanique n'en reste pas moins imprévisible.

COMMENT PRÉVENIR LES CRISES

Des éruptions marquantes

79 apr. J.-C., Vésuve, Italie

Jusqu'à cette éruption qui détruisit les villes de Pompéi et d'Herculanum, les Latins ignoraient que le Vésuve était un volcan. Il était demeuré silencieux durant plus de trois siècles.

186 apr. J.-C., Taupo, Nouvelle-Zélande

L'île du nord de la Nouvelle-Zélande fut le théâtre de l'une des plus grandes éruptions de l'histoire. Bien qu'il ne se soit pas manifesté depuis plus de 1 800 ans, le volcan est toujours considéré comme actif.

1902, montagne Pelée, Martinique

Après avoir donné des signes d'activité volcanique croissante, la montagne Pelée explosa violemment, détruisant Saint-Pierre. Un nuage ardent de gaz et de cendres s'abattit sur cette superbe ville et fit plus de 28 000 victimes en moins d'une minute. Le seul survivant fut un prisonnier enfermé dans un minuscule donjon.

Volcans et tremblements de terre, adaptation française de Françoise Fauchet, Paris, Nathan, coll. «Les clés de la Connaissance», 1996, p. 60.

Saint-Pierre de la Martinique, 8 mai 1902, huit heures du matin. Alors que les habitants entament le premier repas d'une belle journée, la montagne Pelée, qui domine la ville, vomit une nuée ardente. En une minute d'enfer, la ville est rasée, 28 000 habitants sont morts. Et pourtant… Odeur de soufre, tremblements de terre, chutes de cendres, lueurs suspectes dans le cratère: la montagne avait prévenu!

Aujourd'hui, une catastrophe comme celle de Saint-Pierre semble hautement improbable. Les volcans les plus dangereux, et même les autres, sont recouverts d'un réseau de surveillance combinant l'ouïe fine des instruments et l'expérience des scientifiques.

DES VOLCANS SURVEILLÉS À L'OREILLE, À L'ŒIL ET… AU NEZ

Avant tout, un bon volcanologue se présente comme un géologue mâtiné d'historien. Il doit étudier la géologie du volcan: les matériaux qu'il émet (annonciateurs de son type éruptif), leur âge (révélé par la décomposition typique des éléments radioactifs), l'orientation des coulées, etc. Puis, pour écouter les gargouillis internes de la montagne de feu, le volcanologue installe d'abord sur ses pentes un réseau d'«oreilles» électroniques: des sismomètres (pour détecter les infimes vibrations du sol causées par la remontée magmatique), des magnétomètres (pour capter

Pompéi, le scénario d'une catastrophe

24 août 79 apr. J.-C., 9 h 30: À Pompéi, florissante cité romaine établie sur les flancs du Vésuve, tout est calme malgré d'inquiétants grondements qui montent du volcan.

5 **10 h:** Un fracas épouvantable retentit. Le bouchon de lave durcie qui retenait les gaz dans la cheminée volcanique vient de sauter. La lave est projetée à des milliers de mètres d'altitude. Le Vésuve entre en éruption.

10 **10 h 15:** La lave retombe en une pluie de pierres ponces.

11 h: Un énorme brouillard de cendres, poussé par le vent et une pluie torrentielle, s'abat soudain sur Pompéi. C'est la panique: certains habitants fuient
15 vers la mer, d'autres cherchent refuge dans les caves. La plupart périssent, asphyxiés par les vapeurs sulfureuses.

13 h: Après trois heures d'éruption, le volcan se rendort... Pompéi a disparu, recouverte par huit
20 mètres de cendres.

En 1738, des fouilles mettent au jour une ville intacte sous la couche de cendres solidifiées: maisons, mosaïques, fours à pain... et, plus bouleversant, des corps pétrifiés, figés dans leur fuite.

Véronique Chantraine et Véronique Sarano, «Pompéi, le scénario d'une catastrophe», *La grande encyclopédie Fleurus Terre*, Paris, Fleurus, 2002, p. 236.

30 la signature magnétique typique du magma) et enfin des gravimètres (pour surveiller les variations de pesanteur engendrées par le déplacement de masses dans le volcan).

Dans le même temps, le gardien du volcan
35 surveille le moindre tressaillement du monstre endormi avec un arsenal d'yeux électroniques: inclinomètres (pour mesurer l'angle des pentes et dénoncer ainsi les gonflements annonciateurs d'une remontée de matière), télémètres appelés
40 «distancemètres» (pour détecter les variations de distance entre deux points précis, comme les rebords d'un cratère), bornes GPS enfin (Global Positioning System): en calculant le temps que met le signal GPS à parvenir à une série de satel-
45 lites, le volcanologue détecte les moindres gonflements suspects.

À l'oreille et à l'œil, le volcanologue ajoute le nez! Les volcans expriment leur souffle sous forme de «fumerolles» quasi permanentes, espion-
50 nées par des stations de mesure géochimique automatisées ou recueillies à la bouche à l'aide de «seringues à gaz» (port du masque conseillé car les volcans ont mauvaise haleine). La température (de 100 à 900 °C) et la composition chi-
55 mique des gaz et des eaux révèlent l'imminence d'une éruption, car les gaz issus du magma présentent des mixtures bien particulières.

 «Comment prévenir les crises», *Science et Vie junior*, n° 127, avril 2000, p. 68-69.

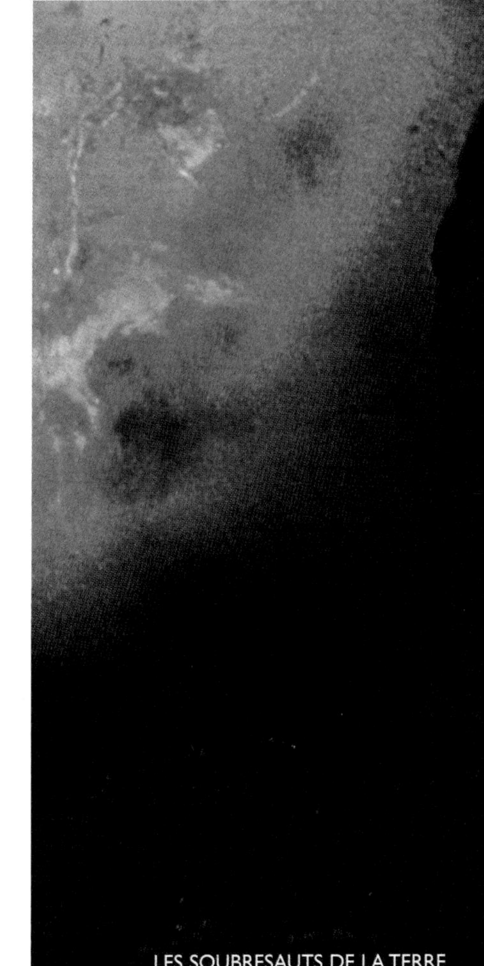

UNE CATASTROPHE SE PRÉPARE

Pour la montagne, elle est dans le brouillard, mais depuis cette nuit il tombe des cendres. Les savants disent que ce n'est pas inquiétant, et qu'il ne faut pas y prêter attention. Un monsieur important va même venir en visite à Saint-Pierre, pour bien prouver que nous n'avons rien à craindre.

Tu sais que ce sont bientôt les élections : il ne faut donc pas que les gens s'en aillent.

Bon-papa n'en parle même pas : il ne vit que dans son histoire de terres du bas et, par moments, j'ai l'impression qu'il est en train de devenir fou. Ce matin, il a fait fouetter deux Hindous, qui avaient peur du volcan et regardaient toujours par là. Je me tiens le plus loin possible de lui, et...

Ma main reste en suspens au-dessus de ma feuille. Ma plume tremble un peu, et une tache d'encre tombe sur le «*et*». Un coup de tonnerre formidable, une détonation qui semble venir des entrailles de la terre. Tout vibre encore longtemps après.

Je laisse ma feuille sur la table, et je descends l'escalier. Camille est en bas, toute pâle.

— J'ai beau savoir que c'est normal, me dit-elle, ça me fait...

Elle porte sa main à son cœur sans finir sa phrase, mais je comprends ce que ça lui fait. Moi aussi, je suis comme ébranlée de l'intérieur.

Elle répète :

— C'est normal, les savants l'ont dit : il risque d'y avoir de la cendre, des grondements et des coulées de boue le long des rivières, mais il suffit de surveiller.

Elle déplace quelques objets sur la desserte, sans aucune nécessité, et enfin elle soupire.

— Votre grand-père est très occupé, car il doit surveiller sans cesse les ouvriers: il dit que certains prennent prétexte du danger pour vouloir s'en aller. Quant à moi, je ne me sens pas assez sereine pour assurer vos cours ce matin. Que diriez-vous de venir avec moi à Saint-Pierre? Nous ferions quelques emplettes, une nouvelle robe, peut-être?

Je ris de contentement, pas à cause de la robe, mais à cause de Saint-Pierre.

Je crois que ça rassure un peu Mlle Vaugelas de descendre vers la ville, de s'éloigner du volcan. Sûrement, on est plus en sécurité là-bas, il y a plus de maisons. Le volcan n'aurait pas idée de s'en prendre à une aussi grande ville.

Dans le cabriolet, Mlle Vaugelas m'explique qu'effectivement, si la ville a été construite à cet endroit, c'est vraisemblablement parce qu'il s'agit d'un endroit sûr.

Sur la route, nous dépassons une marchande de lait, son bac en bois rempli de bouteilles sur la tête. Elle nous montre le volcan en riant de toutes ses dents, comme pour nous prendre à témoin de la bonne farce que la Pelée est en train de nous faire.

La neige grise tombe toujours. Les arbres sont très drôles, avec leur manteau de poudre. On a l'impression de ne plus être dans le même pays. [...]

• • •

Au premier carrefour, Mlle Vaugelas dut encore arrêter le cabriolet. Il y avait un attroupement. Un homme s'agitait et criait:

— L'usine Guérin, tout... Il ne reste que la cheminée.

Je connaissais l'usine Guérin, elle se trouvait sur les bords de la rivière Blanche.

— Une coulée de boue. À cette heure-là, dans la maison, ils étaient sûrement tous à table. Alors ils sont tous morts. Moi, je n'ai eu que le temps de monter à cheval... Je ne sais pas comment je suis arrivé ici. C'était... comme une montagne qui descendait en marchant sur la rivière. Rien ne l'arrêtait. Elle a tout enveloppé, tout recouvert. Une boue infecte, chaude, puante. Allez-y voir, donc. Sûr: il ne reste rien. Quand je suis arrivé sur la hauteur, je me suis retourné. Le désert. Un désert de boue, comme un champ énorme qu'on viendrait de retourner.

Évelyne Brisou-Pellen, *La voix du volcan*,
Paris, Rageot Éditeur, 1993, p. 160 à 163 et 167.

L'EXPLOSION DE LA MONTAGNE PELÉE

Involontairement, on regarde tous là-bas, en direction de Saint-Pierre. Il est près de huit heures.

Et soudain… soudain… Terrifiant… Une détonation terrifiante. Nos yeux agrandis d'effroi se crispent sur la montagne. Elle vient de cracher un noyau de feu. Et puis, 5 une colonne formidable, terrible, une colonne noire qui monte d'un coup dans le ciel, comme un génie qui sort de sa bouteille. Et avant qu'on ait eu le temps de comprendre, trois boules de feu jaillissent de la colonne noire, l'incendiant d'éclairs brûlants, trois boules de feu se déroulent en un immense serpent bondissant, fumant, crachant, qui dévale la pente droit vers la ville, comme s'il la visait, à une vitesse 10 effrayante.

La chaleur nous étouffe. La terreur nous suffoque. Dans l'air illuminé, la main ardente du diable s'abat sur Saint-Pierre. Une nuée de feu. On ne voit plus rien, que les flancs de la montage qui saignent, qu'une immense tempête rouge en contre-bas.

Nous ne sommes plus que des statues de pierre. Un flot de cendres déferle main- 15 tenant sur les pentes. L'habitation a disparu. Tout se dissout dans un monstrueux nuage gris. Nous ne pouvons pas hurler. Nous ne pouvons pas pleurer. Amétise me prend la main.

Demain, dans un mois, dans un an, quand depuis longtemps nous serons à Fort-de- 20 France, peut-être alors pourrai-je raconter tout cela. Mieux. Mieux qu'aujourd'hui. Je serre la main d'Amétise. Quelque chose est fini.

Le 8 mai 1902, en quelques secondes, la ville de Saint-Pierre fut entièrement détruite par l'éruption de la montagne Pelée. Tous les habitants périrent. Ils étaient 25 plus de trente mille. Seul en réchappa un prisonnier dans son cachot et, disent certains, un cordonnier. Quelques personnes aussi eurent la chance de se trouver à ce moment sur les hauteurs qui furent épargnées par le feu.

Évelyne Brisou-Pellen, *La voix du volcan*, Paris, Rageot Éditeur, 1993, p. 180 à 182.

Évelyne Brisou-Pellen

Évelyne Brisou-Pellen pensait devenir professeure. Mais sa passion des mots l'entraîne plutôt du côté de l'écriture. Cette auteure française, née en 1947, aime partager son amour des mots avec les élèves qu'elle rencontre lors de tournées dans les écoles.

QUE FAIRE
LORS D'UN TREMBLEMENT DE TERRE ?

PENDANT
LE TREMBLEMENT DE TERRE

•

Lors d'un tremblement de terre, voici ce que vous pouvez faire pour vous protéger :

À L'INTÉRIEUR

- Plaquez-vous contre un mur ou calez-vous dans l'encadrement d'une porte en protégeant votre tête de vos bras.
- Mettez-vous à quatre pattes. Vous aurez une plus grande stabilité et serez moins susceptible d'être renversé.
- Abritez-vous sous un lit, un solide bureau ou une table.

À L'EXTÉRIEUR

- Veillez à vous protéger des chutes d'objets.
- Maintenez-vous à l'écart des fenêtres. Même renforcé, le verre est susceptible de se briser et de causer de graves blessures.
- Éloignez-vous des voitures. Des morceaux de brique ou de métal peuvent crever les conduits et le réservoir d'essence et provoquer un incendie.
- Surveillez le sol. Des trous sont susceptibles d'apparaître et de se refermer en des temps records.
- Rejoignez un espace ouvert, tel qu'un stade de sport ou un champ. Vous y serez plus en sécurité que n'importe où ailleurs.

APRÈS
LE TREMBLEMENT DE TERRE

•

Dix choses à faire après un tremblement de terre :

1. Restez calme et ne cédez pas à la panique. Un comportement hystérique peut vous pousser à agir sans réfléchir et vous mettre en danger.
2. Écoutez les conseils et avertissements diffusés par la radio. Rejoignez les centres d'aide et de secours établis dans la zone sinistrée.
3. Coupez l'électricité et les arrivées d'eau. Soyez à l'affût d'éventuelles fuites de gaz, facilement repérables à l'odeur ; elles peuvent provoquer des explosions.

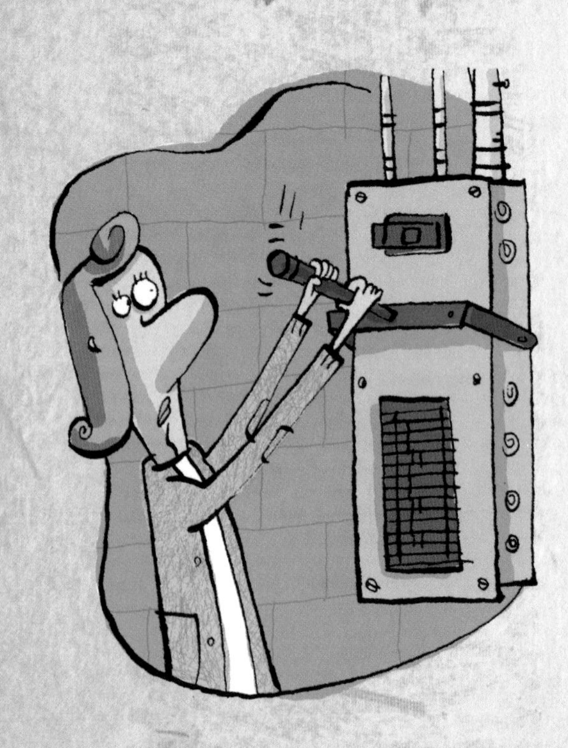

4. Restez sur vos gardes. Tout danger n'est pas écarté. Répliques, incendies, inondations peuvent encore survenir.
5. Si vous êtes coincé quelque part, tapez sur un tuyau ou une poutre de métal. Le bruit a plus de chance de traverser les décombres que la voix humaine et donc de vous faire repérer par les sauveteurs.
6. Maintenez-vous au chaud. Procurez-vous si possible des vêtements épais et une boisson chaude qui vous aideront à combattre les états de choc. Alternez de temps à autre avec quelque chose de sucré qui vous donnera de l'énergie.
7. Veillez à ne pas infecter d'éventuelles blessures ou coupures. Pour les nettoyer, n'utilisez que de l'eau minérale ou votre salive. Ne buvez pas d'eau provenant d'autres sources, elle est susceptible d'avoir été contaminée à la suite du tremblement de terre.
8. Portez un masque afin de vous protéger des particules de poussière.
9. Prenez garde aux gens ayant des comportements étranges; sous l'effet du choc, certaines personnes peuvent paniquer et perdre leur sang-froid. Évitez également les pilleurs; ils peuvent devenir violents pour protéger leur butin.
10. Évitez de tirer la chasse d'eau des toilettes immédiatement après le séisme, l'eau et les saletés contenues dans les canalisations pouvant remonter brutalement.

Jack Dillon, *Alerte ! Le tremblement de terre*, traduit de l'anglais par Frédérique Revuz, Paris, Hachette-Livre, coll. «Bibliothèque verte», 2000, p. 110 à 113.

Les tsunamis

Les TSUNAMIS sont des vagues géantes, particulièrement destructrices et meurtrières. Ces vagues ne sont pas dues aux vents ou aux courants marins, mais à des éruptions volcaniques ou à des séismes sous-marins. Les tsunamis sont extrêmement difficiles à détecter: cachés au fond des eaux, voyageant à une vitesse folle (jusqu'à 800 km/h), ils restent invisibles jusqu'au dernier moment. Quand les vagues surgissent près du littoral, c'est sous la forme de véritables murs d'eau auxquels rien ne résiste.

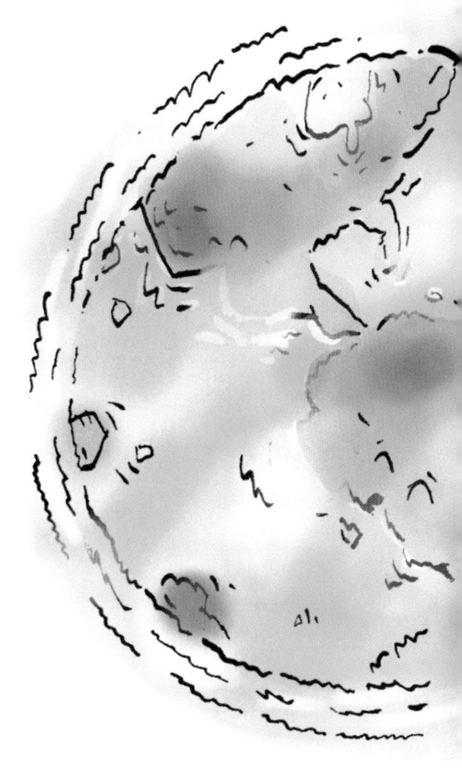

Un glissement de terrain

Trébuchant et glissant dans sa hâte, Ben parvint au bas de la partie la plus raide de la pente. À partir de là, le sol, constitué de terre fine, de touffes d'herbe éparses et de pierres, descendait plus doucement. La ligne sombre de la forêt se dessinait une centaine de mètres plus bas. Dans le lointain, on entendait encore le tintement irrégulier des cloches.

Carly s'était arrêtée pour l'attendre. Les mains sur les hanches, elle tapotait du pied sur le sol en signe d'impatience. Ben se mit à courir, son sac battant lourdement contre son flanc. Il dérapa jusqu'à elle.

— Du calme, maugréa-t-elle. Casse-toi la cheville ici et… Ben !

Ben, qui était occupé à brosser ses vêtements, s'arrêta brusquement et tourna la tête vers la forêt. Au-dessous d'eux, un léger bruissement traversait les arbres. Impossible. Il n'y avait pas de vent.

Un frémissement parcourut le sol sous leurs pieds.

À quelques mètres de là, l'herbe et la terre se soulevèrent comme si une taupe géante essayait de remonter à l'air libre.

— Qu'est-ce que c'est que ça ? cria Carly. Qu'est-ce qui se passe ?

Ben sentit soudain qu'il perdait l'équilibre.

— Je ne sais pas.

De l'eau monta du sol, désagrégeant la terre autour d'elle. La surface se mit à bouillonner, semblable à une marmite de soupe. Tout autour d'eux, la terre se muait en boue liquide.

Ben ne savait s'il devait courir ou rester où il était. Il sentit les doigts de Carly se resserrer autour de son bras et ses ongles lui entrer dans la peau.

Devant eux, le sol s'ouvrit brusquement. Un jet de boue s'éleva vers le ciel, projetant sur eux une pluie de terre et de cailloux.

Ben leva un bras pour se protéger le visage tandis que Carly se pelotonnait contre lui. Il regarda vivement autour de lui.

— Cours ! Retourne aux rochers ! cria-t-il.

Aveuglé par la boue qui lui recouvrait le visage, il se passa la main sur les yeux et cligna des paupières pour retrouver la vue. Il sentait le goût de la terre dans sa bouche, son odeur humide lui emplissait les narines.

Carly hurla.

Le sol s'enfonçait sous ses pieds. Piégé dans le magma liquide, il commençait à descendre. Autour de son bras, l'étreinte de Carly se desserra tandis que les mouvements du sol les séparaient.

Instable, Ben fit quelques pas dans ce qui ressemblait désormais à un marais, la boue lui léchant les chevilles.

Les hurlements suraigus de Carly dominaient les ronflements sourds de la terre en ébullition.

40 D'un geste désespéré, Ben s'essuya une nouvelle fois les yeux avec sa manche. Le geyser de boue s'était tari, mais la terre continuait de couler en suivant la pente.

À quelques mètres de lui, Carly se débattait dans la boue qui l'avait engloutie. Ben ne distinguait plus que sa tête et un bras qu'elle agitait frénétiquement au-dessus d'elle.

45 — Ben ! hurla-t-elle. Au secours !

Ben tenta de dégager ses pieds pour l'atteindre, mais ne parvint qu'à s'enfoncer davantage. La boue lui arrivait aux genoux à présent, émettant d'horribles bruits de succion à chaque fois qu'il essayait d'avancer. Il était terrifié à l'idée d'être emporté. Ils risquaient d'être tous les deux avalés. Il jeta un coup d'œil en arrière. Le premier 50 rocher était loin derrière eux à présent, et chaque seconde les en éloignait.

Les cris de Carly s'étaient mués en sanglots terrifiés. Elle s'enfonçait toujours plus bas, ne maintenant sa tête au-dessus de la boue qu'avec peine.

— Tiens bon ! lui cria Ben. J'arrive !

Ben rassembla toutes ses forces pour se frayer un chemin dans la boue, mais le sol 55 n'offrait plus aucune résistance. La panique le gagna. Même s'il atteignait Carly, que pourrait-il faire ? Dans un coin de son esprit, une pensée plus terrible encore le harcelait : si la terre s'était liquéfiée aussi vite, elle pouvait se solidifier de nouveau. Que se passerait-il alors ? Seraient-ils enterrés vivants ?

À présent, la boue lui parvenait presque à la taille. Elle recouvrait son sac dont le 60 poids le tirait vers le bas. Il passa la bandoulière par-dessus sa tête et songea à la fureur de son père quand il apprendrait que son appareil flambant neuf était déjà perdu. Tandis qu'il se séparait de son sac, il aperçut un peu plus loin une chose qui retint son attention.

— Carly ! Regarde ! cria-t-il en levant un bras plein de boue.

65 À quelques mètres de l'endroit où se trouvait Carly, il avait repéré la cabane en bois. Incroyable ! Le glissement de terrain l'avait délogée et déplacée sur plusieurs mètres. Inclinée et à moitié ensevelie, elle naviguait lentement sur la coulée de boue.

— Carly ! cria Ben. Est-ce que tu peux l'atteindre ?

Il crut tout d'abord qu'elle n'avait pas compris. Il voyait son visage déformé par la 70 peur et ruisselant de boue, ses cheveux coagulés, ses mains qui battaient la surface comme si elle essayait de nager.

Ben cria de nouveau son nom en désignant la cabane et Carly jeta un regard par-dessus son épaule. Au moins, maintenant, elle savait de quoi il parlait. Tant bien que mal, elle se mit à patauger dans la direction qu'il indiquait. Ben respira. Cette fille avait du cran. Tout ce qui lui restait à faire, c'était d'atteindre lui aussi la cabane. 75

Il parvint à avancer en donnant des coups de pied et en pagayant avec les mains. Il s'efforça de ne pas penser à la rapidité avec laquelle il s'enfonçait, ni à celle avec laquelle il s'éloignait de la cabane. Il jeta un regard de côté et constata qu'il dérivait vers la ligne des arbres. Enfin quelque chose de solide à quoi s'accrocher… jusqu'à ce qu'ils trouvent un moyen de sortir de là. Si jamais il en existait un. 80

Plongé dans la boue jusqu'aux aisselles, Ben tentait de maintenir la tête au-dessus de la surface. Épuisé, il avait cessé de lutter contre le courant et se laissait porter. Il songea soudain qu'il ne devait pas s'être écoulé plus que quelques minutes depuis que le sol avait commencé à bouger. Il lui semblait pourtant que cet enfer durait depuis des heures. 85

Il tourna la tête, dans l'intention de crier quelque chose d'encourageant à Carly et fut saisi d'une terreur semblable à celle qu'il avait ressentie en imaginant la terre redevenir compacte.

Il aperçut un morceau de toit et un coin de la cabane qui n'avaient pas encore été engloutis. 90

Mais il ne voyait Carly nulle part.

— Carly ! hurla-t-il. Carly ? Où es-tu ?

Sa question resta sans réponse.

Jack Dillon, *Alerte ! Le tremblement de terre*, traduit de l'anglais par Frédérique Revuz, Paris, Hachette-Livre, coll. « Bibliothèque verte », 2000, p. 28 à 32.

Jack Dillon

Jack Dillon pourrait se définir comme un spécialiste des catastrophes naturelles. À lire certaines de ses descriptions terrifiantes, on s'y croirait presque !

INVITATION À LA LECTURE

Consultez votre enseignant ou votre enseignante pour faire un choix éclairé parmi les propositions de lecture suivantes.

AUDOUIN-MAMIKONIAN, Sophie. *Tara Duncan et le livre interdit*, Paris, Seuil, 2004, 475 pages.

Tara, une intrépide *sortcelière*, doit combattre les créatures fantastiques d'AutreMonde avant qu'elles ne détruisent l'Univers.

BEAUDE, Pierre-Marie. *Ocre*, Paris, Gallimard Jeunesse, collection «Folio junior», n° 1177, 2002, 73 pages.

Afin de fuir les regards curieux de ses camarades, Doumo, un jeune Africain que la polio a rendu boiteux, trouve refuge auprès du vieux sculpteur du village.

Jeremy Cheval, Paris, Gallimard Jeunesse, collection «Hors piste», n° 11, 2003, 176 pages.

Jeremy, un jeune orphelin, se métamorphose en étalon et rejoint une horde de chevaux sauvages, ce qui lui permet de percer le mystère de ses origines indiennes.

BOLDUC, Claude. *La porte du froid*, Montréal, Médiaspaul, «collection Jeunesse-pop», n° 127, 1998, 127 pages.

L'aventure cauchemardesque de Denis et de son copain Moteur qui sont confrontés à une entité démoniaque.

BOUCHARD, Camille. *La marque des lions*, Montréal, Boréal, collection «Boréal inter», n° 35, 2002, 109 pages.

La rencontre du jeune Manuel avec la terrifiante sorcière du village, qui, comme lui, porte la marque des lions au visage.

La caravane des 102 lunes, Montréal, Boréal, collection «Boréal inter», n° 37, 2003, 193 pages.

Une course au trésor conduit Quentin aux portes de la mythique cité de Tombouctou où se trouve la clé de l'énigme laissée par le chef touareg de la caravane des 102 lunes.

BRISOU-PELLEN, Évelyne. *L'inconnu du donjon*, Paris, Gallimard Jeunesse, collection «Folio junior», n° 809, 1997, 194 pages.

Une nuit de 1354, le jeune scribe Garin Trousseboeuf est pris pour un ennemi anglais et enfermé avec un prisonnier dont nul ne connaît le nom. Ce roman relate la première d'une série d'aventures dans lesquelles Garin est amené à déjouer de multiples complots.

Comment vivre 7 vies sans avoir mal aux pieds, Paris, Rageot, collection «Cascade», 2001, 117 pages.

Les aventures loufoques d'un jeune homme à qui saint Pierre accorde le privilège de recommencer sa vie sept fois, à différentes époques.

Deux graines de cacao, Paris, Hachette-Livre, Livre de poche jeunesse n° 748, 2001, 285 pages.

Au début du 19e siècle, un jeune garçon adopté s'embarque pour Haïti, sa terre natale. Durant sa traversée, il découvre le sort réservé aux esclaves noirs.

BROUSSEAU, Linda. *Le vrai père de Marélie*, Saint-Laurent, Éditions Pierre Tisseyre, collection «Papillon», n° 44, 1995, 127 pages.

Marélie est prête à tout pour retrouver son père biologique et ainsi échapper à une famille d'accueil dont elle se sent incomprise.

Ce n'est pas de ma faute !, Saint-Laurent, Éditions Pierre Tisseyre, collection «Papillon», n° 38, 1994, 102 pages.

Julie découvre, impuissante, que son grand frère rapetisse de jour en jour, écrasé par le poids d'un souvenir affreux.

BURGESS, Melvin. *Billy Elliot*, Paris, Gallimard Jeunesse, collection «Folio junior», n° 1158, 2001, 190 pages.

Billy, un jeune Anglais, rêve de devenir danseur étoile. Pour cela, il lui faut défier sa famille, dans laquelle on est mineur et boxeur de père en fils.

Isa la sorcière, Paris, Hachette-Livre, Livre de poche jeunesse n° 673, 2004, 221 pages.

Isa, une jeune orpheline accusée de sorcellerie, fait la rencontre d'une mystérieuse étrangère qui lui permet de lever le voile sur son passé.

CÔTÉ, Denis. *La forêt aux mille et un périls*, Montréal, La courte échelle, collection «Roman jeunesse», n° 127, 2003, 86 pages.

Maxime s'improvise chevalier et affronte, aux côtés de Don Quichotte, des personnages des contes traditionnels.

La nuit du vampire, Montréal, La courte échelle, 2001, 93 pages.

Une tempête oblige un groupe d'écoliers à coucher à l'école alors que tout laisse croire qu'un vampire se cache parmi eux.

L'arrivée des inactifs, nouvelle édition revue et corrigée, Montréal, La courte échelle, collection «Roman plus», n° 23, 1993, 158 pages.

En 2010, les meilleurs joueurs de hockey mondiaux, dont Michel Lenoir des *Raiders*, affrontent une équipe d'androïdes. Ce roman est le premier d'une série mettant en vedette Michel Lenoir.

DAHL, Roald. *Le bon gros géant*, édition spéciale, traduit de l'anglais par Camille Fabien, Paris, Gallimard Jeunesse, collection «Folio junior», n° 602, 1998, 265 pages.

Sophie l'orpheline et un géant collectionneur de rêves unissent leurs forces afin d'affronter des ogres dévoreurs d'enfants.

Charlie et le grand ascenseur de verre, traduit de l'anglais par Marie-Raymond Farré, Paris, Gallimard Jeunesse, collection «Folio junior», n° 65, 2000, 196 pages.

Charlie et sa famille sont brusquement catapultés dans un hôtel spatial en orbite autour de la Terre, où les Kpoux Venimeux les attendent de pied ferme.

DELAUNOIS, Angèle. *Variations sur un même «t'aime»*, Saint-Lambert, Éditions Dominique et compagnie, collection «Échos», 1997, 156 pages.

Dans ces 10 nouvelles, l'auteure célèbre l'amour et l'amitié de même que la tendresse et la compassion.

DILLON, Jack. *L'ouragan*, traduit de l'anglais par Frédérique Revuz, Paris, Hachette-Livre, collection «Bibliothèque verte», n° 700, 2000, 155 pages.

Un ouragan provoque des ravages chez une famille habitant les côtes de la Floride.

DOYLE, sir Arthur Conan. *Le monde perdu*, Paris, Gallimard Jeunesse, collection «Folio junior», n° 665, 1997, 320 pages.

Un scientifique révolutionnaire organise une expédition afin de prouver que des dinosaures ont survécu dans un coin reculé de la jungle amazonienne.

Le ruban moucheté et autres aventures de Sherlock Holmes, Paris, Gallimard Jeunesse, collection «Folio junior», n° 746, 2000, 166 pages.

Dans ces quatre aventures, le célèbre détective doit user de son infaillible génie de déduction afin de résoudre autant d'énigmes.

GAGNON, Cécile. *Le fantôme du peuplier*, Montréal, Hurtubise HMH, collection «Atout», n° 91, 2004, 148 pages.

Une profonde amitié se noue entre le fantôme d'un soldat anglais décédé il y a deux cents ans et une collégienne qui partage sa passion pour *Robinson Crusoé*.

GINGRAS, Charlotte. *La disparition*, Montréal, La courte échelle, 2005, 159 pages.

La rencontre entre Nashtash, une jeune maman Innu, et Viola, une adolescente qui espère retrouver dans le Grand Nord la trace de sa mère disparue.

GRAVEL, François. *La piste sauvage*, Montréal, Éditions Québec/Amérique jeunesse, collection «Titan jeunesse», n° 51, 2002, 190 pages.

La passion de Steve pour la course automobile tourne au cauchemar lorsqu'il est recruté comme pilote clandestin sur une piste sauvage où ses compagnons disparaissent mystérieusement.

Sekhmet, la déesse sauvage, Montréal, Éditions Québec/Amérique jeunesse, collection «Titan», n° 60, 2005, 172 pages.

Une enquête conduit Steve et ses amis passionnés de littérature d'horreur sur les traces de la déesse égyptienne Sekhmet et de ses curieux disciples.

Le match des étoiles, Boucherville, Québec/Amérique jeunesse, collection «Gulliver jeunesse», n° 66, 1996, 93 pages.

Les grandes vedettes de la Ligue nationale de hockey des années 1950 et 1960 (Le Rocket, Gordie Howe, Bobby Orr, etc.) s'opposent aux joueurs contemporains dans un match fantaisiste.

HUGO, Victor. *Les Misérables*, édition abrégée et annotée, 3 volumes (vol. 1 *Jean Valjean*, vol. 2 *Cosette*, vol. 3 *Gavroche*), Paris, Hachette-Livre jeunesse, Livre de poche n° 1105-1107, collection «Aventure», 2002.

Jean Valjean, un ancien forçat, décide de racheter tout le mal qu'il a jadis commis en aidant Fantine, une jeune mère célibataire, et sa fille Cosette.

Notre-Dame de Paris, version abrégée, Paris, Hachette-Livre jeunesse, Livre de poche n° 1109, Collection «Gai savoir», 1996, 415 pages.

Esmeralda, la belle gitane accusée de sorcellerie, trouve refuge dans la cathédrale Notre-Dame de Paris où habite Quasimodo, un bossu au cœur immense, prêt à tout pour la sauver.

LAIRD, Elizabeth. *Si loin de mon pays*, traduit de l'anglais par Janine Hérisson, Paris, Gallimard Jeunesse, collection «Folio junior», n° 989, 1999, 276 pages.

Comme beaucoup de Kurdes, Tara, qui n'a que treize ans, doit quitter l'Irak. Avec sa famille, elle fuit vers un camp de réfugiés en Iran.

MAJOR, Henriette. *Le don de la septième*, Saint-Lambert, Éditions Soulières, collection «Graffiti», n° 14, 2003, 157 pages.

Rose partage avec sa petite-fille ses souvenirs de sa vie d'adolescente dans une famille nombreuse à Montréal en 1945.

MARINEAU, Michèle. *Rouge poison*, Montréal, Éditions Québec/Amérique jeunesse, collection «Titan jeunesse», n° 43, 2000, 340 pages.

Sabine et Xavier tentent de démasquer, au péril de leur vie, le meurtrier de trois enfants victimes d'un empoisonnement dans un quartier de Montréal.

Les vélos n'ont pas d'états d'âme, Montréal, Éditions Québec/Amérique jeunesse, collection «Titan jeunesse», n° 38, 1998, 187 pages.

Jérémie réussit à percer le secret que garde sauvagement la mystérieuse Laure et l'aide à faire la paix avec son passé.

MONTGOMERY, Lucy Maud. *Émilie de la Nouvelle Lune*, traduit de l'anglais par Paule Daveluy, Montréal, Éditions Pierre Tisseyre, collection «Deux solitudes, jeunesse», 1999.

Émilie Starr, une adolescente qu'une tante acariâtre empêche d'écrire, puise dans l'amitié de son cousin la force d'aller au bout de ses rêves.

Anne d'Avonlea, traduit de l'anglais par Hélène Rioux, Montréal, Éditions Québec/Amérique, collection «Anne», n° 2, 1994, 311 pages.

Anne, l'espiègle rouquine débordante d'imagination, vient d'avoir seize ans. Elle est désormais institutrice, mais toujours aussi impulsive.

NOËL, Michel. *Dompter l'enfant sauvage*, 2 volumes (vol. 1 *Nipishish*, vol. 2 *Le pensionnat*), Waterloo (Québec), Éditions Michel Quintin, collection «Grande Nature», 1998, 195 pages.

Un jeune Algonquin du nord de Maniwaki raconte son enfance marquée par la tentative d'assimilation des Autochtones dans les années 1950.

PERRO, Bryan. *Amos Daragon, porteur de masques*, Montréal, Les Intouchables, Amos Daragon 1, 2003, 250 pages.

Amos Daragon et Béorf, son copain mi-homme, mi-ours, tentent de rétablir l'équilibre entre les forces du Bien et du Mal dans un monde peuplé de créatures fantastiques.

PULLMAN, Philip. *Le mystère de l'étoile polaire*, traduit de l'anglais par Jean Esch, Paris, Gallimard Jeunesse, collection «Folio junior», n° 1293, 2003, 353 pages.

La téméraire détective Sally Lockhart se lance sur les traces d'un homme d'affaires crapuleux qui dirige une étrange entreprise: L'étoile polaire.

La vengeance du tigre, traduit de l'anglais par Jean Esch, Paris, Gallimard Jeunesse, collection «Folio junior», n° 1324, 2004, 616 pages.

La téméraire détective Sally Lockhart doit lutter pour conserver la garde de sa petite fille contre un inconnu cupide qui prétend en être le père.

SAINT-EXUPÉRY, Antoine de. *Terre des hommes*, Paris, Gallimard, collection «1000 soleils», n° 78, 1990, 170 pages.

L'auteur du *Petit prince* livre ses réflexions et raconte des anecdotes sur son métier de pilote d'avion, ses pannes dans le désert, le sentiment que lui inspire le survol de la Terre.

SOULIÈRES, Robert. *Un cadavre stupéfiant*, Saint-Lambert, Éditions Soulières, collection «Graffiti», n° 11, 2002, 227 pages.

L'inspecteur au langage truffé de quiproquos enquête sur l'enlèvement de sa fiancée.

TÉNOR, Arthur. *Il s'appelait… le soldat inconnu*, Paris, Gallimard Jeunesse, collection «Folio junior», n° 1313, 2004, 147 pages.

La vie quotidienne des soldats durant la Première Guerre mondiale est relatée de façon détaillée dans ce récit de guerre.

Guerre secrète à Versailles, Paris, Gallimard Jeunesse, collection «Hors piste», n° 10, 2003, 179 pages.

Dans le château de Versailles, un jeune page ingénieux est victime du complot d'un rival jaloux.

VERNE, Jules. *L'île mystérieuse*, Paris, Gallimard Jeunesse, collection «Folio», n° 1126, 2001, 738 pages.

Après une tempête, cinq hommes échouent sur une île perdue au milieu du Pacifique où se produisent des phénomènes inexpliqués.

Une fantaisie du docteur Ox, Paris, Gallimard Jeunesse, collection «Folio junior», n° 1340, 2004, 115 pages.

Un savant fou bouleverse la vie des habitants d'un petit village en testant les propriétés d'un gaz qui aurait le pouvoir de modifier l'humeur et le comportement.

Le tour du monde en quatre-vingts jours, édition spéciale, Paris, Gallimard Jeunesse, collection «Folio junior», n° 521, 2001, 333 pages.

Philéas Fogg a fait le pari d'effectuer le tour de la Terre en 80 jours. Mais les obstacles se multiplient dans cette course contre la montre.